Helen F

shire, miesz

lat pracowała

centką filmów dokumentalnych o Afryce, później zaczęła pisywać do różnych gazet o zasięgu ogólnokrajow

powieść *Cause Celeb*

wana w 1994 roku.

Dziennik Bridget J

komedia, która przeb

światowe listy bestselle

czona została na wiele języków. „The Times" tak pisze o tej książce: „Kapitalny obraz życia niezamężnej dziewczyny w latach dziewięćdziesiątych... Czyta się jak skrzyżowanie Anity Loos z Jane Austen i każda kobieta, która kiedykolwiek miała posadę, faceta, a przede wszystkim matkę, będzie umierać ze śmiechu".

Helen Fielding

DZIENNIK BRIDGET JONES

Tłumaczyła Zuzanna Naczyńska

ZYSK I S-KA
WYDAWNICTWO

Tytuł oryginału
BRIDGET JONES'S DIARY

Opracowanie graficzne serii i projekt okładki
Lucyna Talejko-Kwiatkowska

Fotografia na okładce
Piotr Chojnacki

Redaktor serii
Tadeusz Zysk

Książka ta jest fikcją literacką. Nazwiska, postaci, miejsca, organizacje i zdarzenia są tworem wyobraźni autorki lub zostały użyte całkowicie fikcyjnie. Jakiekolwiek podobieństwo do zdarzeń, organizacji, osób — żyjących czy zmarłych — jest zupełnie przypadkowe.

Wydanie I

ISBN 83-7150-481-0

Zysk i S-ka Wydawnictwo s.c.
ul. Wielka 10, 61-774 Poznań
tel. (0-61) 853 27 51, 853 27 67, fax 852 63 26
Dział handlowy, ul. Zgoda 54, 60-122 Poznań
tel. (0-61) 864 14 03, 864 14 04
e-mail: sklep@zysk.com.pl
nasza strona: www.zysk.com.pl
DRUKARNIA GS: Kraków, tel. (012) 65 65 902

Dla mojej mamy, Nellie,
za to, że nie jest taka, jak mama Bridget

Podziękowania

Dziękuję zwłaszcza Charliemu Leadbeaterowi za pomysł rubryki w „Independencie". Jestem również wdzięczna za sugestie i wsparcie Gillonowi Aitkenowi, Richardowi Colesowi, Scarlett Curtis, rodzinie Fieldingów, Piersowi, Pauli i Samowi Fletcherom, Emmie Freud, Georgii Garrett, Sharon Maguire, Jonowi Turnerowi i Danielowi Woodsowi, a szczególnie, jak zawsze, Richardowi Curtisowi.

Postanowienia noworoczne

NIE BĘDĘ

Pić więcej niż czternaście jednostek alkoholu tygodniowo.

Palić.

Marnować pieniędzy na: maszynki do makaronu, miksery do lodów i tym podobne kuchenne urządzenia, których nigdy nie użyję; ambitne książki nie do czytania, tylko do postawienia dla szpanu na regale; fikuśną bieliznę, bo bez sensu, skoro nie mam faceta.

Zachowywać się w domu jak niechluj — mam sobie wyobrażać, że ktoś mnie obserwuje.

Wydawać więcej, niż zarabiam.

Pozwalać, żeby na biurku rosła piramida papierów.

Lecieć na: alkoholików, pracoholików, związkofobów, żonatych lub mających dziewczyny, mizoginów, megalomanów, szowinistów, emocjonalnych popaprańców, pijawki i zboczeńców.

Irytować się przez mamę, Unę Alconbury i Perpetuę.

Przejmować się facetami — mam być zimną i wyniosłą księżniczką.

Tracić głowy dla facetów — mam budować związki na podstawie dojrzałej oceny charakteru.

Obgadywać ludzi za plecami — mam mówić o wszystkich dobrze.

Obsesyjnie myśleć o Danielu Cleaverze, bo to żałosne podkochiwać się w szefie — jak panna Moneypenny czy ktoś taki.

Wpadać w depresję z powodu braku faceta — mam osiągnąć równowagę wewnętrzną oraz pewność siebie i czuć się osobą pełnowartościową i kompletną b e z faceta, bo to najlepszy sposób, żeby faceta znaleźć.

BĘDĘ

Ograniczać palenie.

Pić nie więcej niż czternaście jednostek alkoholu tygodniowo.

Starać się zmniejszyć obwód ud o 7 cm (tzn. 2 x 3,5 cm), stosując dietę antycellulitisową.

Wyrzucać wszystkie niepotrzebne rzeczy.

Oddawać bezdomnym ubrania, których nie nosiłam co najmniej od dwóch lat.

Starać się poprawić pozycję zawodową i znaleźć nową pracę, która ma perspektywy.

Odkładać pieniądze na konto. Może pomyślę też o zabezpieczeniu emerytalnym.

Bardziej pewna siebie.

Bardziej asertywna.

Lepiej wykorzystywać czas.

Siedzieć w domu, czytając książki i słuchając muzyki poważnej, zamiast co wieczór gdzieś wychodzić.

Przeznaczać część zarobków na cele dobroczynne.

Milsza dla ludzi i bardziej uczynna.

Jeść więcej warzyw strączkowych.

Wstawać zaraz po obudzeniu.

Chodzić trzy razy w tygodniu na siłownię, nie tylko po to, żeby kupić kanapkę.

Wkładać zdjęcia do albumów.

Nagrywać kompilacje na różne nastroje, żeby mieć wszystkie ulubione romantyczne/taneczne/pobudzające/feministyczne itp. kawałki razem, zamiast jak pijany didżej grzebać w kasetach rozsypanych po całej podłodze.

Budować nietoksyczny związek z odpowiedzialnym partnerem.

Uczyć się programować magnetowid.

STYCZEŃ

Wyjątkowo zły początek

1 stycznia, niedziela

58,5 kg (wiadomo, święta), jedn. alkoholu 14 (ale właściwie przez dwa dni, bo cztery godziny sylwestra przypadły już na Nowy Rok), papierosy 22, kalorie 5424.

Co dziś zjadłam:

2 paczki ementalera w plasterkach,

14 młodych ziemniaków na zimno,

2 Krwawe Mary (liczą się jako jedzenie, bo zawierają sos Worcester i sok pomidorowy),

1/3 ciabatty* z serem brie,

1/2 paczki liści kolendry,

12 czekoladek z bombonierki Milk Tray (najlepiej pozbyć się wszystkich świątecznych słodyczy za jednym zamachem i jutro zacząć odchudzanie od nowa),

13 koreczków z sera i ananasa,

porcję indyka curry Uny Alconbury z groszkiem i bananami,

porcję „Malinowej niespodzianki" Uny Alconbury, zrobionej z biszkoptów Bourbon, puszkowych malin i 30 litrów bitej śmietany, a ozdobionej wisienkami koktajlowymi.

Południe. Londyn, moje mieszkanie. Uch! Nie czuję się na siłach, fizycznie, emocjonalnie ani psychicznie, żeby jechać do Grafton Underwood na noworocznego indyka curry Uny i Geof-

---

* Ciabatta — chleb włoski. (Wszystkie przypisy pochodzą od tłumaczki.)

freya Alconburych. Geoffrey i Una są najlepszymi przyjaciółmi rodziców i, o czym wujek Geoffrey niestrudzenie mi przypomina, znają mnie, odkąd biegałam na golasa po trawniku. Mama zadzwoniła o 8.30 w sierpniowy Bank Holiday* i wymogła na mnie obietnicę, że przyjadę. Doszła do tego tematu przebiegle okrężną drogą.

— Dzień dobry, kochanie. Dzwonię, żeby spytać, co chcesz na Gwiazdkę.

— Na G w i a z d k ę?!!!

— Chciałabyś jakąś niespodziankę?

— Nie! — ryknęłam. — To znaczy, dziękuję...

— Zastanawiam się nad wózkiem do walizki.

— Przecież nie mam walizki.

— To może kupię ci małą walizkę na kółkach? No wiesz, z takich, jakie mają stewardesy.

— Mam torbę.

— Kochanie, nie możesz podróżować z tym zielonym płóciennym wyciruchem. Wyglądasz jak zdeklasowana Mary Poppins. To mała zgrabna walizka z wysuwaną rączką. Niesamowite, ile się w niej mieści. Wolisz czerwoną z granatowym czy granatową z czerwonym?

— Mamo. Jest ósma trzydzieści. Jest lato. Jest bardzo gorąco. Nie chcę walizki stewardesy.

— Julie Enderby ma taką. Mówi, że jeździ z nią wszędzie.

— Kto to jest Julie Enderby?

— Znasz J u l i e, kochanie! To córka Mavis Enderby. Julie! Ta, która ma tę pierwszorzędną posadę u Arthura Andersena...

— Mamo...

— Zabiera ją na wszystkie wyjazdy...

— Nie chcę małej walizki na kółkach.

— Mam pomysł. Może Jamie, tata i ja złożymy się i kupimy ci porządną dużą walizkę, a do niej wózek?

---

* August Bank Holiday — sierpniowy Bank Holiday, drugi Bank Holiday jest w maju; dzień ustawowo wolny od pracy, nie będący świętem religijnym ani państwowym.

Odsunęłam słuchawkę od ucha, wyczerpana i zaskoczona tym misjonarskim zapałem bagażowo-prezentowym. Kiedy znów zaczęłam słuchać, mama mówiła:

— ...niektóre mają przegródki z butelkami na płyn do kąpieli i takie tam. Ewentualnie myślałam o wózku na zakupy.

— A co t y byś chciała na Gwiazdkę? — zapytałam z rozpaczą, mrużąc oczy, bo oślepiało mnie jasne sierpniowe słońce.

— Nic — odparła lekkim tonem. — J a mam wszystko, czego potrzebuję. Posłuchaj, kochanie — syknęła nagle — będziesz u Geoffreya i Uny na noworocznym indyku curry, prawda?

— Eee... Prawdę mówiąc... — Wpadłam w dziki popłoch. Co by tu skłamać? — ...chyba będę musiała pracować w Nowy Rok.

— Nic nie szkodzi. Możesz przyjechać po pracy. Och, mówiłam ci? Malcolm i Elaine Darcy też tam będą i przywiozą ze sobą Marka. Pamiętasz Marka, kochanie? Jest jednym z tych pierwszoligowych adwokatów. Mnóstwo pieniędzy. Rozwiedziony. Wszystko zaczyna się dopiero o ósmej.

Boże, tylko nie następny dziwacznie ubrany miłośnik opery z kudłatymi włosami i przedziałkiem z boku.

— Mamo, mówiłam ci, nie chcę, żebyś mnie swatała z...

— Nie marudź, kochanie. Una i Geoffrey wydają to przyjęcie noworoczne, odkąd biegałaś na golasa po trawniku! Oczywiście, że przyjedziesz. Będziesz mogła wypróbować swoją nową walizkę.

11.45 wieczorem. Uch! Pierwszy dzień nowego roku był istnym horrorem. Nie mogę uwierzyć, że znów zaczynam rok w jednoosobowym łóżku w domu rodziców. W moim wieku to upokarzające. Zastanawiam się, czy poczują, jeśli zapalę papierosa za oknem. Snułam się cały dzień po mieszkaniu z płonną nadzieją, że przejdzie mi kac, i w rezultacie wyruszyłam do Grafton o wiele za późno. Kiedy dotarłam do Alconburych i nacisnęłam ich dzwonek z melodyjką à la kuranty zegara z ratuszowej wieży, nadal przebywałam w dziwnym świecie własnych doznań — mdłości, migreny i zgagi. Nie minął mi też jeszcze szał drogowy, wywołany tym, że przez nieuwagę wjechałam na M6 zamiast na M1 i udało mi się zawrócić dopiero w połowie drogi do Birmingham. Żeby wyładować wściekłość, cały czas cisnęłam gaz do dechy, co jest bardzo niebezpieczne. Patrzyłam z rezygnacją, jak Una Alconbury — intrygująco zdeformowana przez faliste szkło drzwi — pruje ku mnie w garsonce koloru fuksji.

— Bridget! Prawie straciliśmy nadzieję! Szczęśliwego Nowego Roku! Mieliśmy już zacząć bez ciebie.

W jednej sekundzie udało jej się mnie pocałować, zabrać mi płaszcz, rzucić go na poręcz schodów, zetrzeć mi swoją szminkę z policzka i przyprawić mnie o okropne poczucie winy. Oparłam się o ozdobną półkę, żeby nie upaść.

— Przepraszam. Zgubiłam się.

— Zgubiłaś się? Uch! Co my z tobą zrobimy? Wchodź!

Przez drzwi z mlecznego szkła wprowadziła mnie do pokoju, krzycząc:

— Słuchajcie, zgubiła się!

— Bridget! Szczęśliwego Nowego Roku! — zawołał Geoffrey Alconbury, przyodziany w żółty sweter w romby.

Podszedł tanecznym krokiem i uścisnął mnie w taki sposób, że powinnam podać go do sądu.

— Hm... — mruknął, rumieniąc się i podciągając sobie spodnie. — Na której krzyżówce zjechałaś z autostrady?

— Na dziewiętnastej, ale był objazd...

— Na dziewiętnastej! Una, Bridget zjechała na dziewiętnastej krzyżówce! Na dzień dobry dodałaś sobie godzinę jazdy. Chodź, naleję ci drinka. Jak tam twoje sprawy sercowe?

B o ż e, dlaczego żonaci i mężatki nie mogą zrozumieć, że nie wypada już o to pytać?! My nie dopadamy ich z rykiem: „Jak tam wasze małżeństwo? Jeszcze ze sobą sypiacie?” Każdy wie, że chodzenie na randki po trzydziestce nie jest już łatwą i przyjemną konkurencją otwartą, jaką było dziesięć lat wcześniej, i że uczciwa odpowiedź będzie raczej brzmiała: „Wczoraj wieczorem mój żonaty kochanek przyszedł do mnie w podwiązkach i uroczym sweterku z angory, oznajmił mi, że jest gejem/seksoholikiem/narkomanem/związkofobem i zbił mnie sztucznym członkiem" niż: „Super, dzięki".

Nie będąc urodzoną kłamczuchą, wymamrotałam z zakłopotaniem, że dobrze, na co Geoffrey zagrzmiał:

— Więc n a d a l nie masz chłopaka!!!

— Bridget! Co my z tobą zrobimy?! — zatroskała się Una. — Ach, te pracujące dziewczyny! Nie rozumiem was! Nie możesz tego odkładać bez końca. Tik-tak, tik-tak.

— Właśnie, jak to możliwe, że w tym wieku nie jesteś jeszcze mężatką? — ryknął Brian Enderby (mąż Mavis, były prezes Klubu Rotarian w Kettering), wymachując kieliszkiem sherry.

Na szczęście tata ruszył mi na ratunek.

— Bardzo się cieszę, że cię widzę, Bridget — powiedział, biorąc mnie pod rękę. — Jeszcze trochę, a matka kazałaby policji przeczesać całe Northamptonshire szczoteczkami do zębów w poszukiwaniu twoich poćwiartowanych zwłok. Pokaż jej, że żyjesz, bo chcę się wreszcie zacząć bawić. Jak tam walizka na kółkach?

— Nieprzytomnie wielka. Jak tam nożyczki do wycinania włosów z uszu?

— Och, cudownie, no wiesz, n o ż y c z k o w e.

Dało się wytrzymać. Miałabym lekkie wyrzuty sumienia, gdybym nie przyjechała. Ale Mark Darcy... Yyy... Od tygodni, ilekroć matka do mnie dzwoniła, słyszałam: „Oczywiście pamiętasz D a r c y c h, kochanie? Odwiedzili nas, kiedy mieszkaliśmy w Buckingham, i bawiłaś się z Markiem w baseniku!" albo: „Och! Mówiłam ci, że Malcolm i Elaine przywożą Marka na noworocznego indyka curry Uny? Niedawno wrócił z Ameryki. Rozwiedziony. Szuka domu w Holland Park. Podobno straszliwie cierpiał przez swoją żonę. Japończycy. Bardzo okrutny naród".

I następnym razem, niby mimochodem: „Pamiętasz Marka Darcy'ego, kochanie? Syna Malcolma i Elaine? Jest jednym z tych pierwszorzędnych pierwszoligowych adwokatów. Rozwiedziony. Elaine mówi, że ciągle pracuje i jest okropnie samotny. Chyba przyjedzie na noworocznego indyka curry Uny".

Nie wiem, dlaczego nie powiedziała po prostu: „Kochanie, bzyknij się z Markiem Darcym przy indyku curry, dobrze? Jest bardzo bogaty".

— Chodź poznać Marka — zaświergotała Una Alconbury, zanim jeszcze zdążyłam łyknąć drinka.

Być swataną z facetem wbrew twojej woli jest dostatecznie upokarzające, ale zostać dosłownie wepchniętą mu w ramiona przez Unę Alconbury na oczach tłumu przyjaciół twoich rodziców, kiedy w dodatku leczy się kaca, to już szczyt poniżenia.

Bogaty i rozwiedziony z okrutną żoną Mark — dosyć wysoki — stał tyłem do pokoju, studiując zawartość regału Alconburych: głównie oprawne w skórę książki o Trzeciej Rzeszy, które Geoffrey zamawia w „Reader's Digest". Pomyślałam, że to trochę śmieszne, nosić nazwisko Darcy i stać samotnie na przyjęciu, z dumną i nieprzystępną miną. To tak jakby nazywać się Heathcliff i spędzić cały wieczór w ogrodzie, krzycząc: „Cathy" i waląc głową w drzewo.

— Mark! — zawołała Una niczym pomocnica świętego Mikołaja. — Chcę ci przedstawić kogoś miłego.

Kiedy się odwrócił, zobaczyłam, że to, co wyglądało z tyłu na przyzwoity granatowy pulower, jest w rzeczywistości wyciętym w serek swetrem w romby w różnych odcieniach żółci i błękitu — z takich, jakie uwielbiają podstarzali dziennikarze sportowi. Jak często mówi mój przyjaciel Tom, to niesamowite, ile czasu i pieniędzy mogliby zaoszczędzić randkowicze, gdyby zwracali uwagę na szczegóły. Białe skarpetki, czerwone szelki czy szare mokasyny to przeważnie dość, aby się zorientować, że nie ma sensu zapisywać numeru telefonu i szarpać się na drogi lunch, bo nic z tego nie będzie.

— Mark, to córka Colina i Pam, Bridget — powiedziała rozemocjonowana Una, cała w rumieńcach. — Bridget pracuje w wydawnictwie, prawda, Bridget?

— W rzeczy samej — odparłam idiotycznie, jakbym dzwoniła do radia i miała zaraz spytać Unę, czy mogę pozdrowić moich przyjaciół Jude, Sharon i Toma, mojego brata Jamiego, kolegów z pracy, rodziców i na koniec wszystkich ludzi na noworocznym indyku curry.

— Zostawię was młodych samych — powiedziała Una. — Pewnie macie po dziurki w nosie towarzystwa starych pryków.

— Ależ skąd — odparł Mark Darcy z zakłopotaniem w głosie, bezskutecznie próbując się uśmiechnąć, na co Una przewróciła oczami, położyła dłoń na sercu, parsknęła radosnym, perlistym śmiechem, kiwnęła głową i zostawiła nas w ohydnej ciszy.

— Yyy... Czytasz jakąś... Czytałaś ostatnio jakieś dobre książki? — zapytał.

Litości!

Na gwałt próbowałam sobie przypomnieć, kiedy ostatni raz miałam w ręku prawdziwą książkę. Jeśli pracujesz w wydawnictwie, raczej nie czytasz w wolnym czasie, tak jak śmieciarz nie grzebie wieczorami po śmietnikach. Jestem w połowie pożyczonego od Jude poradnika *Mężczyźni są z Marsa, kobiety z Wenus*, ale wątpiłam, aby Mark Darcy, choć ewidentnie dziwny, był gotów przyjąć do wiadomości, że jest Marsjaninem. Nagle mnie oświeciło.

— *Backlash* Susan Faludi — oznajmiłam triumfalnie.

Ha! Tyle się nasłuchałam o tej książce od Sharon, że mam wrażenie, jakbym ją czytała. Poza tym nic mi nie groziło, bo nie było siły, żeby picuś-glancuś w swetrze w romby sięgnął po pięćsetstronicowy traktat feministyczny.

— Naprawdę? — powiedział. — Czytałem *Backlash*, jak tylko wyszedł. Nie uważasz, że jest bardzo tendencyjny?

— Może trochę — odparłam i pospiesznie zmieniłam temat. — Spędziłeś całe święta z rodzicami?

— Tak — potwierdził skwapliwie. — Ty też?

— Tak. Nie. Na sylwestra byłam w Londynie. Szczerze mówiąc, jestem trochę skacowana. — Nawijałam nerwowo, żeby Una i mama nie pomyślały, że jestem tak beznadziejna w kontaktach z mężczyznami, że nie umiem porozmawiać nawet z Markiem Darcym. — Ale moim zdaniem nie można wymagać, żeby ludzie zaczynali realizować postanowienia noworoczne już w Nowy Rok. Jest to przedłużenie sylwestra, więc palacze są w ciągu i nie należy oczekiwać, że mając tyle nikotyny w organizmie, przestaną palić równo z wybiciem północy. Przechodzenie w Nowy Rok na dietę też nie jest dobrym pomysłem, bo nie możesz odżywiać się racjonalnie. Musisz mieć swobodę jedzenia tego, co w danej chwili pomaga ci na kaca. Myślę, że byłoby dużo sensowniej, gdyby realizacja postanowień noworocznych zaczynała się drugiego stycznia.

— Może powinnaś coś zjeść — powiedział Mark Darcy i rzucił się do bufetu, zostawiając mnie samą przy regale, a wszyscy wytrzeszczyli na mnie oczy, myśląc: „To dlatego Bridget nie wyszła za mąż. Budzi w mężczyznach odrazę".

Najgorsze było to, że Una Alconbury i mama nie dawały za wygraną. Zmuszały mnie do krążenia z półmiskami korniszonów i kieliszkami słodkiego sherry, w nadziei, że jeszcze nawiążę z Markiem rozmowę. W końcu ogarnęła je taka frustracja, że kiedy znalazłam się z korniszonami metr od niego, Una skoczyła przez pokój jak rugbista i powiedziała:

— Mark, przed wyjściem musisz wziąć od Bridget numer telefonu, żebyś mógł się z nią skontaktować, kiedy będziesz w Londynie.

Poczułam, że oblewam się jaskrawym rumieńcem. Teraz Mark pomyśli, że ją podpuściłam.

— Życie Bridget w Londynie jest na pewno dostatecznie wypełnione — powiedział.

Phi! Wcale nie chciałam, żeby wziął ode mnie numer telefonu, ale nie musiał tak jednoznacznie dawać wszystkim do zrozumienia, że nie ma na to ochoty. Spuściwszy wzrok, zobaczyłam, że ma białe skarpetki z żółtymi trzmielami na kostkach.

— Skusisz się na korniszona? — zapytałam, chcąc pokazać, że miałam autentyczny powód, aby do niego podejść, powód zdecydowanie korniszonowy, a nie telefoniczny.

— Nie, dziękuję — odparł lekko spłoszony.

— Na pewno? To może nadziewaną oliwkę? — naciskałam.

— Nie, naprawdę.

— Marynowaną cebulkę? — zachęcałam. — Buraczka?

— Dziękuję — powiedział z rezygnacją, biorąc oliwkę.

— Smacznego — odparłam triumfalnie.

Pod koniec przyjęcia zobaczyłam, że jego matka i Una o coś go piłują, po czym ta ostatnia przywlokła go do mnie i stanęła z tyłu jak strażnik.

— Masz jak wrócić do Londynu? — zapytał sztywno. — Ja tu zostaję, ale może cię odwieźć mój samochód.

— Jak to, sam? — zdziwiłam się.

Wybałuszył na mnie oczy.

— Uch! Mark ma służbową limuzynę z szoferem, głuptasie — wyjaśniła Una.

— Dziękuję, to bardzo miło z twojej strony — powiedziałam — ale wrócę rano którymś z moich pociągów.

2 w nocy. Dlaczego jestem taka nieatrakcyjna? Nie spodobałam się nawet facetowi, który nosi skarpetki w trzmiele. Nienawidzę Nowego Roku. Nienawidzę wszystkich ludzi. Oprócz Daniela Cleavera. Na szczęście została mi ze świąt olbrzymia tabliczka mlecznej czekolady Cadbury'ego i zabawna miniaturka ginu z tonikiem. Skonsumuję je i zapalę papierosa.

3 stycznia, wtorek

59 kg (przerażający obsuw w otyłość — dlaczego?), jedn. alkoholu 6 (wspaniale), papierosy 23 (bdb), kalorie 2472.

9 rano. Uch! Nie mogę znieść myśli o powrocie do pracy. Trochę pociesza mnie to, że znów zobaczę Daniela, ale właściwie nie powinnam mu się pokazywać, bo jestem gruba, mam pryszcza na brodzie i chcę tylko siedzieć przed telewizorem, obżerając się czekoladą i oglądając program świąteczny. To nieuczciwe i niesprawiedliwe, że święta, które przynoszą stresujące i trudne do pokonania wyzwania finansowe i emocjonalne, są nam najpierw narzucane całkowicie wbrew naszej woli, a potem brutalnie odbierane, ledwo trochę się z nimi oswoimy. Naprawdę zaczynałam się cieszyć, że normalny rozkład jazdy został zawieszony i wolno mi leżeć w łóżku tak długo, jak chcę, jeść wszystko, na co mam ochotę, i pić alkohol, kiedy tylko trafi się okazja, nawet rano. A teraz mam na trzy cztery odzyskać dyscyplinę wewnętrzną jak chudy młody chart.

10 wieczorem. Uch! Perpetua, która zajmuje nieco wyższe stanowisko i w związku z tym uważa się za moją szefową, była dziś wyjątkowo upierdliwa i ględziła do znudzenia o kolejnym domu za pół miliona funtów, który zamierza kupić ze swoim bogatym, ale przerasowanym chłopakiem Hugonem: „Tak, to prawda, okna wychodzą na północ, ale zrobili coś bardzo sprytnego ze światłem".

Spojrzałam na jej wielki, pękaty tyłek opięty czerwoną spódnicą i opasany dziwaczną prążkowaną kamizelką do pół uda. To prawdziwe błogosławieństwo urodzić się z taką sloaneyowską* arogancją. Perpetua mogłaby mieć wymiary renault espace i w ogóle się tym nie przejmować. Ile godzin, miesięcy i lat zamartwiałam się swoją wagą, podczas gdy ona beztrosko szukała w sklepach z antykami lamp o porcelanowych podstawach w kształcie kotów? Ale nie jest dla niej dostępne jedno ze źródeł szczęścia. Badania dowiodły, że szczęścia nie daje miłość, bogactwo czy władza, tylko dążenie do nieosiągalnych celów: a czymże jest dieta, jeśli nie tym?

W ramach buntu przeciwko końcowi świąt wracając do domu, kupiłam norweskie czy pakistańskie wino musujące za 3,69 i pudełko przecenionych ozdób choinkowych z czekolady. Pochłonęłam je przy świetle choinkowych lampek, razem z paroma keksami, resztką świątecznego ciasta i kawałkiem Stiltona, oglądając *Eastenders* i wyobrażając sobie, że to program świąteczny.

Teraz jednak jest mi wstyd. Autentycznie czuję, jak obrastam

---

* Sloanes (od Sloane Square, centrum eleganckiego Londynu) — termin używany na określenie młodych ludzi z klas wyższych, wykształconych w elitarnych szkołach i wyróżniających się konserwatyzmem poglądów, upodobaniem do ziemiańskich rozrywek oraz ubiorem niezależnym od mody.

tłuszczem. Trudno. Czasem trzeba osiągnąć nadir toksycznego otłuszczenia, żeby wyłonić się niczym feniks z chemicznej pustyni jako oczyszczona i zgrabna bliźniaczka Michelle Pfeiffer. Od jutra wprowadzam nowy spartański reżim dietetyczno-kosmetyczny.

Mmm. Daniel Cleaver. Podoba mi się, że mimo swojej pozycji zawodowej i inteligencji potrafi być frywolny. Dziś bardzo zabawnie opowiadał wszystkim, jak jego ciotka pomyślała, że onyksowy uchwyt do papierowych ręczników, który dała jej na Gwiazdkę jego matka, przedstawia penis. Naprawdę był bardzo dowcipny. W dość flirciarski sposób spytał mnie, czy dostałam jakiś ładny prezent. Chyba włożę jutro krótką czarną spódnicę.

4 stycznia, środa

59,5 kg (stan alarmowy, jakby tłuszcz był magazynowany przez święta w kapsule i teraz zaczynał się uwalniać), jedn. alkoholu 5 (lepiej), papierosy 20, kalorie 700 (bdb).

4 po południu. W pracy. Alarm. Przed chwilą Jude zadzwoniła z komórki cała we łzach i w końcu udało jej się wyjąkać, że musiała wyjść z posiedzenia zarządu (jest szefową transakcji terminowych u Brightlingsa), bo czuła, że się rozpłacze, i utknęła w toalecie z oczami Alice'a Coopera i bez kosmetyczki. Jej facet, Podły Richard (egocentryczny związkofob), z którym spotyka się z przerwami od półtora roku, rzucił ją, bo spytała, czy pojadą razem na wakacje. Typowe, ale Jude oczywiście uważa, że to jej wina.

— Jestem od niego uzależniona. Prosiłam o zbyt wiele, chcąc zaspokoić moją potrzebę bycia potrzebną. Och, gdyby tylko dało się cofnąć czas.

Natychmiast zadzwoniłam do Sharon i na 6.30 do Café Rouge zostało zwołane zebranie nadzwyczajne. Mam nadzieję, że cholerna Perpetua pozwoli mi wyjść.

11 wieczorem. Zebranie miało burzliwy przebieg. Sharon z miejsca wygłosiła swoją teorię na temat postępku Richarda: to emocjonalne popapranie, które szerzy się jak zaraza wśród mężczyzn po trzydziestce. Kiedy kobiety wchodzą w trzecią dekadę, twierdzi Shazzer, równowaga sił zostaje zachwiana. Nawet największe tupeciary tracą zimną krew, zmagając się z pierwszymi atakami egzystencjalnego lęku: obawy, że umrzesz w samotności i znajdą cię po trzech tygodniach na wpół zjedzoną przez owczarka alzackiego. Stereotypowe wyobrażenia półek, kołowrotków i seksualnych złomowisk sprawiają, że czujesz się jak idiotka, bez względu na to, ile czasu spędzasz, myśląc o Joannie Lumley* i Susan Sarandon.

— I tacy faceci jak Richard — pieniła się Sharon — wykorzystują tę szczelinę w zbroi, aby wymigać się od zaangażowania, dojrzałości, honoru i naturalnego rozwoju stosunków między mężczyzną i kobietą.

W tym momencie Jude i ja zaczęłyśmy mruczeć: „Szzz, szzz" i kulić się w sobie. W końcu nic tak nie odrzuca facetów jak wojujący feminizm.

— Jak śmie mówić, że traktujesz wasz związek zbyt poważnie, bo wspomniałaś o wspólnych wakacjach? — wrzeszczała Sharon. — Co on chrzani?

Myśląc z rozmarzeniem o Danielu Cleaverze, odważyłam się powiedzieć, że nie wszyscy faceci są tacy jak Richard. Wtedy Sharon wyjechała z długą poglądową listą przypadków emocjonalnego popaprania w związkach znajomych dziewczyn: jedna ma chłopaka, który po trzynastu latach nie chce nawet słyszeć o zamieszkaniu razem; druga została porzucona po czterech spotkaniach, bo sprawa robiła się za poważna; innej facet składał przez trzy miesiące namiętne propozycje małżeństwa, a kiedy się zgodziła, trzy tygodnie później ją rzucił i powtórzył całą zabawę z jej najlepszą przyjaciółką.

— Jesteśmy podatne na zranienie, bo należymy do pionierskiego pokolenia, które nie zgadza się na kompromisy w miłości i polega na własnej sile ekonomicznej. Za dwadzieścia lat żaden

---

* Joanna Lumley (ur. 1946) — aktorka brytyjska.

facet nie odważy się wyjechać z popapraniem, bo zwyczajnie go wyśmiejemy — ryczała Sharon.

W tym momencie do baru wmaszerował Alex Walker, który pracuje w firmie Sharon. Towarzyszyła mu boska blondynka jakieś osiem razy bardziej atrakcyjna od niego. Alex podszedł do nas, żeby się przywitać.

— To twoja nowa dziewczyna? — spytała Sharon.

— Eee... Uważa się za moją dziewczynę, ale to nic poważnego. Łączy nas tylko seks. Właściwie powinienem z nią zerwać, ale, no wiesz... — odparł zadowolony z siebie.

— Co mi tu pieprzysz, ty tchórzliwy, toksyczny dupku. Zaraz pogadam z tą kobietą — powiedziała Sharon, wstając z krzesła.

Jude i ja siłą posadziłyśmy ją z powrotem, a Alex, z przerażoną miną, pomknął do swojej blondynki nie zdemaskowany jako popapraniec.

W końcu opracowałyśmy we trzy strategię dla Jude. Ma dać spokój z biciem się po głowie *Kobietami, które kochają za bardzo* i zacząć myśleć w kategoriach *Mężczyźni są z Marsa, kobiety z Wenus*, dzięki czemu przestanie postrzegać zachowanie Richarda jako objaw tego, że jest uzależniona i kocha za bardzo, i zobaczy w nim marsjańską gumkę, która musi się rozciągnąć, żeby wrócić.

— Dobrze, ale czy to znaczy, że powinnam do niego zadzwonić czy nie? — spytała Jude.

— Nie — powiedziała Sharon, gdy ja mówiłam „tak".

Kiedy Jude wyszła — musi wstać o 5.45, żeby iść na siłownię i spotkać się ze swoim osobistym trenerem, zanim o 8.30 zacznie pracę (obłęd) — Sharon i mnie ogarnęły wyrzuty sumienia, że nie poradziłyśmy jej po prostu, żeby dała sobie spokój z Podłym Richardem, bo jest podły. Z drugiej strony, jak zauważyła Sharon, kiedy tak poprzednim razem zrobiłyśmy, Richard do niej wrócił i Jude w ramach koncyliacyjnej spowiedzi powtórzyła mu wszystko, co mówiłyśmy, i teraz mamy ochotę wleźć pod stół, ilekroć go widzimy, a on uważa nas za suki z piekła rodem — co, jak słusznie zaznacza Jude, jest nieporozumieniem, bo chociaż odkryłyśmy już w sobie suki, jeszcze ich nie wyzwoliłyśmy.

5 stycznia, czwartek

58,5 kg (wspaniały postęp — kilogram tłuszczu samorzutnie spalony z radości i nadziei na seks), jedn. alkoholu 6 (bdb jak na imprezę), papierosy 12 (tak trzymać), kalorie 1258 (miłość zabiła przymus obżerania się jak prosię).

11 rano. W pracy. O Boże! Daniel Cleaver właśnie przesłał mi wiadomość. Ukrywając się przed Perpetuą, próbowałam napisać CV (pierwszy krok do poprawienia pozycji zawodowej), gdy nagle u góry ekranu wyskoczył napis „Nowa wiadomość". Zachwycona — jak zawsze, kiedy mam pretekst, żeby zrobić sobie przerwę w pracy — szybko kliknęłam „Czytaj" i omal nie spadłam z krzesła, widząc podpis: Cleave. W pierwszej chwili pomyślałam, że wszedł do mojego komputera i zobaczył, czym się zajmuję. Ale wiadomość brzmiała:

Do Jones
Najwyraźniej zapomniałaś spódnicy. W Twojej umowie o pracę jest chyba jasno powiedziane, że personel winien być cały czas kompletnie ubrany.
Cleave

Ha! Niezaprzeczalnie flirciarskie. Zastanowiłam się chwilę, udając, że studiuję nieludzko nudny rękopis jakiegoś wariata. Jeszcze nigdy nie przesłałam wiadomości Danielowi Cleaverowi, ale co jest genialne w poczcie komputerowej, to że można pisać całkiem nieoficjalnie i bezczelnie, nawet do szefa. Można też ułożyć tysiąc wersji. Oto, co w końcu wysłałam:

Do Cleave'a
Sir, jestem oburzona. Choć spódnicę istotnie można nazwać nieco skąpą (oszczędność to nasze redakcyjne hasło), zarzucenie jej nieobecności uważam za skandaliczną obelgę i myślę o zawiadomieniu związku.
Jones

Czekałam podniecona na odpowiedź. I rzeczywiście, szybko wyskoczyła „Nowa wiadomość". Kliknęłam „Czytaj".

Niech osoba, która bezmyślnie zabrała z mojego biurka poprawiony maszynopis MOTOCYKLA KAFKI, będzie uprzejma NATYCHMIAST go oddać.
Diane

Aaaaa. A potem guzik.

Południe. Boże, Daniel nie odpowiedział. Musi być wściekły. Może pisał o spódnicy poważnie. Boże, Boże! Zmamiona nieoficjalnością środka przekazu byłam impertynencka wobec szefa.

12.10. Może jej jeszcze nie odebrał. Gdybym tylko mogła cofnąć tę wiadomość. Chyba pójdę się przejść i zobaczę, czy uda mi się wejść do pokoju Daniela i ją skasować.

12.15. Wszystko się wyjaśniło. Konferuje z Simonem z marketingu. Spojrzał na mnie, kiedy przechodziłam. Aha.
Ahahahaha. „Nowa wiadomość":

Do Jones
Jeżeli przejście obok pokoju było próbą zademonstrowania obecności spódnicy, mogę tylko stwierdzić, że wypadła ona (próba) niepomyślnie. Spódnica jest bezdyskusyjnie nieobecna. Czy jest chora?
Cleave

„Nowa wiadomość" wyskoczyła znowu — natychmiast:

Do Jones
Jeśli spódnica rzeczywiście jest chora, proszę sprawdzić, ile dni zwolnienia lekarskiego wykorzystała w minionym roku. Wysoka absencja spódnicy sugeruje symulanctwo.
Cleave

Wysyłam odpowiedź:

Do Cleave'a
Dysponuję dowodem, że spódnica nie jest ani chora, ani niebecna. Jestem obrzona faktem, że kierownictwo ocenia spódnicę po pozorach. Obsesyjne zainteresowanie spódnicą sugeruje, że to kierownictwo jest chore.
Jones

Hmm. Chyba skasuję ostatnie zdanie, bo delikatnie oskarża go o molestowanie seksualne, a ja bardzo chcę być molestowana seksualnie przez Daniela Cleavera.

Aaaaa. Perpetua stanęła z tyłu i zaczęła mi czytać przez ramię. Momentalnie nacisnęłam Alt Screen, ale był to duży błąd, bo na ekranie pojawiło się CV.

— Daj mi znać, kiedy skończysz czytać, dobrze? — powiedziała Perpetua z paskudnym uśmieszkiem. — Nie chciałabym, żebyś się m a r n o w a ł a.

Jak tylko znów zawisła na telefonie — „Doprawdy, panie Birkett, po co pisać w ogłoszeniu »3 do 4 sypialni«, kiedy na miejscu natychmiast się okaże, że czwartą sypialnią jest szafa w ścianie?" — wróciłam do pracy. Oto, co zamierzam wysłać:

Do Cleave'a
Dysponuję dowodem, że spódnica nie jest ani chora, ani niebecna. Jestem obrzona faktem, że kierownictwo ocenia spódnicę po pozorach. Zamierzam się odwołać do sądu przemysłowego, prasy brukowej itp.
Jones

O rany. Odpisał mi tak:

Do Jones
Nieobecna, Jones, nie niebecna. Oburzona, nie obrzona. Postaraj się opanować ortografię przynajmniej na podstawowym

poziomie. Język jest wprawdzie żywym, stale ewoluującym narzędziem komunikacji (por. Hoenigswald), niemniej warto korzystać ze spell checka.
Cleave

Byłam właśnie załamana, gdy Daniel przeszedł obok z Simonem z marketingu i, podniósłszy brew, obrzucił moją spódnicę bardzo seksownym spojrzeniem. Kocham pocztę komputerową. Ale muszę uważać na literówki. W końcu mam dyplom z anglistyki.

6 stycznia, piątek

5.45 po południu. Nie mogłabym być w lepszym humorze. Korespondencja w sprawie obecności/nieobecności spódnicy ciągnęła się całe popołudnie. Nie sądzę, aby szanowny szef zdołał choć trochę popracować. Niezręczna sytuacja z Perpetuą (szef nr 2), która widziała, co robię, i była bardzo zła, ale to, że koresponduję z szefem nr 1 rozstrzygnęło konflikt wewnętrzny — każdy rozsądny człowiek powiedziałby, że jestem winna lojalność szefowi nr 1.

Ostatnia wiadomość brzmiała:

Do Jones
Chciałbym w czasie weekendu posłać chorej spódnicy kwiaty. Podaj domowy numer kontaktowy, ponieważ nie mogę, z oczywistych względów, polegać na pisowni „Jones", i boję się, że nie znajdę go w książce.
Cleave

Hura! Hura! Daniel Cleaver poprosił mnie o numer telefonu. Jestem wspaniała. Jestem boginią seksu, której nie można się oprzeć.

8 stycznia, niedziela

58 kg (cholernie dobrze, ale co z tego?), jedn. alkoholu 2 (wspaniale), papierosy 7, kalorie 3100 (kiepsko).

2 po południu. Boże, dlaczego jestem taka nieatrakcyjna? Wmówiłam sobie, że trzymam cały weekend wolny, żeby pracować, kiedy *de facto* spędziłam go w stanie gotowości randkowej. Makabra. Zmarnowałam dwa dni, wpatrując się jak psychopatka w telefon i jedząc, co popadnie. Dlaczego nie zadzwonił? Dlaczego? Co jest ze mną nie tak? Po co prosił o telefon, jeśli nie zamierzał zadzwonić, a jeśli zamierzał, chyba zrobiłby to w weekend? Muszę wzmocnić swoją koncentrację. Poproszę Jude o stosowny poradnik, najlepiej oparty na religiach Wschodu.

8 wieczorem. Alarm telefoniczny, ale okazało się, że to tylko Tom, żeby spytać, czy jest jakiś postęp. Tom, który nazywa siebie homofeministą, cudownie podtrzymuje mnie na duchu w tym Danielowym dołku. Tom ma teorię, że homoseksualistów i samotne kobiety po trzydziestce łączy naturalna więź: obie grupy przywykły do tego, że rozczarowują swoich rodziców i że są traktowane przez społeczeństwo jak dziwolągi. Cierpliwie słuchał, jak marudzę o moim kryzysie poczucia nieatrakcyjności — wywołanym, jak mu powiedziałam, przez cholernego Marka Darcy'ego i pogłębionym przez cholernego Daniela — a potem zapytał, niezbyt taktownie: „Mark Darcy? Czy to nie ten sławny adwokat — ten od praw człowieka?"

Hmm. Nieważne. Co z moim prawem człowieka do niecierpienia na przerażający kompleks nieatrakcyjności?

11 wieczorem. Za późno na telefon Daniela. Bardzo smutna i zraniona.

9 stycznia, poniedziałek

58 kg, jedn. alkoholu 4, papierosy 29, kalorie 770 (bdb, ale za jaką cenę?).

Koszmarny dzień w pracy. Cały ranek obserwowałam drzwi, żeby nie przegapić przyjścia Daniela. O 11.45 byłam już poważnie zaniepokojona. Czy powinnam podnieść alarm? Aż nagle Perpetua ryknęła do telefonu:

— Daniel? Jest na spotkaniu w Croydon. Będzie jutro. — Z hukiem odłożyła słuchawkę i powiedziała: — Boże, czy te cholerne dziewczyny muszą tak do niego wydzwaniać?

W panice sięgnęłam po Silk Cuta. Jakie dziewczyny? Przetrwałam jakoś dzień, wróciłam do domu i w chwili niepoczytalności nagrałam Danielowi wiadomość na sekretarkę (Boże, nie mogę uwierzyć, że to zrobiłam): „Cześć, tu Jones. Byłam ciekawa, jak się miewasz i czy chcesz się umówić na konsylium lekarskie w sprawie spódnicy".

Jak tylko odłożyłam słuchawkę, uświadomiłam sobie, że to sytuacja krytyczna, i zadzwoniłam do Toma, który spokojnie powiedział, żebym zostawiła to jemu: jeśli połączy się z sekretarką kilkanaście razy, powinien rozszyfrować kod, który pozwoli mu odsłuchać i skasować wiadomość. Niestety, kiedy już prawie mu się udało, Daniel odebrał telefon, a Tom, zamiast powiedzieć: „Przepraszam, pomyłka", po prostu się rozłączył. Teraz Daniel nie tylko ma na sekretarce kretyńską wiadomość, lecz także pomyśli, że to ja dzwoniłam do niego czternaście razy, a kiedy go w końcu zastałam, odłożyłam słuchawkę.

10 stycznia, wtorek

57,5 kg, jedn. alkoholu 2, papierosy 0, kalorie 998 (bdb, wspaniale, istna święta).

Przywlokłam się do pracy zżerana wstydem. Postanowiłam traktować Daniela całkowicie obojętnie, ale kiedy przyszedł, wyglądając niemożliwie seksownie, i zaczął wszystkich rozśmieszać, rozsypałam się na kawałki.

Nagle u góry ekranu komputera wyskoczyła „Nowa wiadomość":

Do Jones
Dzięki za telefon.
Cleave

Ogarnęła mnie rozpacz. Ten telefon zawierał propozycję randki. Jeżeli ktoś poprzestaje na podziękowaniu... Ale po krótkim namyśle odpisałam:

Do Cleave'a
Proszę się zamknąć. Jestem bardzo zajęta ważną pracą.
Jones

Po kilku minutach odpowiedział:

Do Jones
Wybacz, że Ci przeszkodziłem, Jones. Te cholerne terminy. Bez odbioru.
PS. Twoim cycuszkom jest w tej bluzce bardzo ładnie.
Cleave

...i lawina ruszyła. Korespondowaliśmy jak szaleni cały tydzień, aż w końcu on zaproponował spotkanie w niedzielę wieczorem, a ja, nieprzytomna ze szczęścia, się zgodziłam. Czasem rozglądam się po redakcji, kiedy wszyscy bębnimy w komputery, i zastanawiam się, czy ktoś tu w ogóle pracuje.

(Czy coś sobie ubzdurałam — czy niedzielny wieczór to naprawdę dziwaczny termin na pierwszą randkę? Wszystko nie tak, jak w sobotę rano albo w poniedziałek o drugiej po południu.)

15 stycznia, niedziela

57 kg (wspaniale), jedn. alkoholu 0, papierosy 29 (b.b. źle, zwłaszcza przez dwie godziny), kalorie 3879 (niedobrze się robi), negatywne myśli 942 (rachunek przybliżony na podstawie średniej na min.), minuty poświęcone liczeniu negatywnych myśli 127 (około).

6 wieczorem. Kompletnie wyczerpana całodziennymi przygotowaniami do randki. Bycie kobietą jest gorsze od bycia rolnikiem — mamy tyle roboty z plewieniem i pryskaniem upraw:

trzeba depilować nogi woskiem, golić pachy, skubać brwi, ścierać pumeksem stopy, złuszczać i nawilżać naskórek, oczyszczać pory, farbować odrosty, malować rzęsy, piłować paznokcie, masować cellulitis, gimnastykować mięśnie brzucha. W dodatku wszystkie te zabiegi są tak precyzyjne, że wystarczy kilka dni przerwy, aby się całkiem zapuścić. Zastanawiam się czasem, jak bym wyglądała, gdybym zdała się na naturę — z bujnym włosem na łydkach, brwiami à la Breżniew, cmentarzyskiem martwych komórek na twarzy, eksplodującymi pryszczami, zakrzywionymi paznokciami czarownicy, sflaczałym ciałem drgającym przy każdym ruchu i ślepa jak kret bez szkieł kontaktowych. Brr! Czy można się dziwić, że dziewczynom brak pewności siebie?

7 wieczorem. Nie mogę w to uwierzyć. Idąc do łazienki, żeby wykonać ostatnie prace rolne, zauważyłam, że miga lampka sekretarki: Daniel.

— Posłuchaj, Jones. Strasznie mi przykro, ale nici z dzisiejszego wyjścia. Mam o dziesiątej rano prezentację i czterdzieści pięć arkuszy kalkulacyjnych do przejrzenia.

W głowie się nie mieści. Wystawił mnie do wiatru. Na marne całodzienna orka i wyprodukowana przez organizm energia hydroelektryczna. Ale nie wolno się realizować poprzez mężczyzn: należy być samowystarczalną jako pełnowartościowa kobieta.

9 wieczorem. Zajmuje wysokie stanowisko. Może nie chciał zepsuć pierwszej randki kierowniczym stresem.

11 wieczorem. Ale mógł, do cholery, jeszcze raz zadzwonić. Pewnie umówił się z kimś szczuplejszym.

5 rano. Co jest ze mną nie tak? Nie mam nikogo. Nienawidzę Daniela Cleavera. Nie chcę mieć z nim nic wspólnego. Pójdę się zważyć.

16 stycznia, poniedziałek

58 kg (skąd? dlaczego?), jedn. alkoholu 0, papierosy 20, kalorie 1500, pozytywne myśli 0.

10.30 rano. W pracy. Daniel jest nadal na zebraniu. Może jednak to nie był wykręt.

1 po południu. Przed chwilą Daniel wyszedł na lunch. Nie przesłał mi wiadomości ani nic. Bardzo przygnębiona. Idę na zakupy.

11.50 wieczorem. Byłam na kolacji z Tomem na piątym piętrze Harveya Nicholsa. Tom marudził o „niezależnym filmowcu" imieniem Jerome, na oko strasznym pozerze. Poskarżyłam mu się na Daniela, który całe popołudnie miał spotkania i o 4.30 rzucił mi tylko: „Cześć, Jones, jak spódnica?" Tom powiedział, żebym nie wpadała w paranoję i cierpliwie poczekała, ale czułam, że mnie nie słucha i chce rozmawiać wyłącznie o Jeromie, bo zaślepia go cielesna żądza.

24 stycznia, wtorek

Niebiański dzień. O 5.30, jak dar od Boga, Daniel usiadł na brzegu mojego biurka, tyłem do Perpetuy, wyjął terminarz i wymamrotał:

— Co robisz w piątek?

Hura! Hura!

27 stycznia, piątek

58,5 kg (ale napchana genueńskim żarciem), jedn. alkoholu 8, papierosy 400 (tak się czuję), kalorie 875.

Phi. Byłam na randce marzeń w intymnej genueńskiej knajpce niedaleko mieszkania Daniela.

— Yyy... Wezmę taksówkę — wybąkałam z zakłopotaniem, kiedy staliśmy potem na ulicy.

Wtedy delikatnie odgarnął mi kosmyk włosów z czoła, ujął mój policzek w dłoń i pocałował mnie, natarczywie, z desperacją. Po dłuższej chwili mocno przycisnął mnie do siebie i wyszeptał ochryple:

— Chyba nie będziesz potrzebowała tej taksówki, Jones.

Po wejściu do jego mieszkania rzuciliśmy się na siebie jak zwierzęta, znacząc butami i kurtkami drogę od drzwi do kanapy.

— Ta spódnica nie wygląda najlepiej — mruknął. — Chyba powinna się położyć na podłodze. — Zaczynając rozpinać suwak, wyszeptał: — Po prostu dobrze się bawimy, prawda? Nie będziemy się za bardzo angażować.

I ustaliwszy w ten sposób pryncypia, znów zabrał się do suwaka. Gdyby nie Sharon i popapranie, i to, że właśnie wypiłam ponad pół butelki wina, pewnie osunęłabym się bezwolnie w jego ramiona. A tak zerwałam się na równe nogi, podciągając spódnicę.

— Co mi tu pieprzysz — wybełkotałam. — Jak śmiesz być tak oszukańczo flirciarski, tchórzliwy i toksyczny? Nie chcę mieć nic wspólnego z emocjonalnym popaprańcem. Do widzenia.

To było świetne. Nigdy nie zapomnę jego miny. Ale po powrocie do domu ogarnęło mnie przygnębienie. Może i postąpiłam słusznie, ale w nagrodę skończę sama jak palec, na wpół zjedzona przez owczarka alzackiego.

LUTY

Masakra w Dniu św. Walentego

1 lutego, środa

57 kg, jedn. alkoholu 9, papierosy 28 (ale niedługo rzucę palenie w związku z Wielkim Postem, więc mogę się zakopcić do obrzydliwości), kalorie 3826.

Przez cały weekend próbowałam zachować lekceważącą pogodę ducha wobec faktu, że Daniel okazał się popaprańcem. Żeby nie krzyczeć: „Prrragnę go", powtarzałam w kółko: „poczucie własnej godności" i „phi", póki nie zakręciło mi się w głowie. Paliłam jak komin. Podobno w jakiejś książce Martina Amisa występuje bohater, który jest takim nałogowcem, że nawet kiedy pali, już marzy o następnym papierosie. To ja. Dobrze było zadzwonić do Sharon, żeby się pochwalić jaka to ze mnie żelazna dziewica, ale kiedy zadzwoniłam do Toma, od razu mnie przejrzał i powiedział: „moje biedactwo", na co musiałam zamilknąć, żeby się nie rozpłakać z żalu nad sobą.

— Zobaczysz — powiedział Tom. — Teraz będzie o to piszczał.

— Nie będzie — odparłam smutno. — Spieprzyłam sprawę.

W niedzielę pojechałam do rodziców na olbrzymi, ociekający smalcem lunch. Mama jest ruda jak marchewka i bardziej autorytatywna niż kiedykolwiek — skutek tygodnia wakacji w Albufeirze z Uną Alconbury i żoną Nigela Colesa, Audrey.

Mama była rano w kościele i doznała olśnienia à la św. Paweł na drodze do Damaszku, że proboszcz jest gejem.

— To zwykłe lenistwo, kochanie — brzmiał jej pogląd na

kwestię homoseksualizmu. — Po prostu nie chce im się nawiązywać głębszych kontaktów z płcią przeciwną. Weź swojego Toma. Naprawdę uważam, że gdyby miał choć odrobinę oleju w głowie, chodziłby z tobą jak chłopak z dziewczyną, zamiast bawić się w jakąś absurdalną „przyjaźń".

— Mamo — powiedziałam — Tom zrozumiał, że jest gejem, kiedy miał dziesięć lat.

— Kochanie! Doprawdy! Ludzie mają różne głupie pomysły, ale zawsze można im je wyperswadować.

— Czy to znaczy, że gdybym znalazła naprawdę przekonujące argumenty, opuściłabyś tatę i nawiązała romans z ciocią Audrey?

— Teraz jesteś niemądra, kochanie — odparła.

— Tak jest — włączył się tata. — Ciocia Audrey wygląda jak czajnik.

— Na litość boską, Colin — warknęła mama, co mnie zdziwiło, bo zazwyczaj nie warczy na tatę.

Tata też mnie zaskoczył, upierając się, że zrobi mi pełen przegląd samochodu, chociaż go zapewniałam, że wszystko jest w porządku. Przy okazji dałam plamę, bo nie pamiętałam, jak się otwiera maskę.

— Zauważyłaś, że mama jest jakaś dziwna? — zapytał sztywnym, zakłopotanym tonem, bawiąc się bagnecikiem do sprawdzania poziomu oleju: wyjmował go, wycierał w szmatę i wtykał z powrotem. Gdybym była freudystką, mogłabym się zaniepokoić.

— Masz na myśli to, że jest marchewkoworuda?

— To też, ale... Głównie, no wiesz, jej zachowanie.

— Faktycznie, pieniła się na homoseksualistów jak nigdy.

— To przez ten nowy ornat proboszcza. Rzeczywiście był trochę zbyt fikuśny, cały różowy. Proboszcz wrócił właśnie z pielgrzymki do Rzymu z opatem Dumfries... Nie, chodziło mi o to, czy zauważyłaś w niej jakąś zmianę

Zastanowiłam się.

— Raczej nie, poza tym, że wygląda kwitnąco i jest strasznie pewna siebie.

— Hmm — mruknął. — Mniejsza o to. Lepiej już jedź, bo zaraz się ściemni. Jak się miewa Jude? Pozdrów ją ode mnie.

I po tych słowach zamknął maskę z taką siłą, że zlękłam się, czy nie złamał sobie ręki.

Myślałam, że w poniedziałek coś się między mną i Danielem wyjaśni, ale nie było go w pracy. Wczoraj też nie. Czuję się w wydawnictwie tak, jakbym przyszła na imprezę, żeby się z kimś bzyknąć, i odkryła, że go nie ma. Martwię się o moje ambicje, perspektywy zawodowe i postawę moralną, bo najwyraźniej tylko seks mi w głowie. W końcu udało mi się wydusić z Perpetuy, że Daniel poleciał do Nowego Jorku. Do tej pory przespał się już pewnie z jakąś chudą amerykańską zdzirą, która ma na imię Winona, nosi broń i jest wszystkim, czym ja nie jestem.

Na domiar złego muszę iść dziś wieczorem do Magdy i Jeremy'ego na kolację szczęśliwych małżeństw. Takie imprezy zawsze redukują moje ego do rozmiarów ślimaka, co nie znaczy, że nie jestem wdzięczna za zaproszenie. Kocham Magdę i Jeremy'ego. Gdy czasem u nich nocuję, podziwiam wykrochmaloną pościel i baterię słoików z różnymi gatunkami makaronu i wyobrażam sobie, że są moimi rodzicami. Ale kiedy zapraszają inne zaprzyjaźnione pary, czuję się jak panna Havisham.

11.45 wieczorem. Boże! Byłam tam ja, cztery małżeństwa i brat Jeremy'ego (odpada, czerwone szelki i twarz. Mówi na dziewczyny „klaczki").

— No więc — ryknął Cosmo, przyjaciel Jeremy'ego, nalewając mi drinka. — Jak tam twoje sprawy sercowe?

O nie. Dlaczego to robią? Dlaczego? Może szczęśliwe małżeństwa zadają się wyłącznie z innymi szczęśliwymi małżeństwami i nie wiedzą już, jak mają traktować osoby samotne. Może naprawdę nami gardzą i chcą, żebyśmy się czuli jak życiowi bankruci. A może popadli w taką łóżkową rutynę, że myślą: „To zupełnie inny świat" i liczą na to, że opowieści o naszym bujnym życiu erotycznym dostarczą im zastępczych podniet.

— Tak, dlaczego nie wyszłaś jeszcze za mąż, Bridget? — spytała Woney (spieszczona Fiona, żona Cosma), powlekając szyderstwo cienką warstewką troski i gładząc się po ciężarnym brzuchu.

„Bo nie chcę skończyć tak jak ty, tłusta, nudna sloaneyowska mleczna krowo" albo: „Bo gdybym miała ugotować Cosmowi kolację i położyć się z nim do jednego łóżka, chociaż raz, a co dopiero noc w noc, urwałabym sobie głowę, a potem ją zjadła", albo: „Bo widzisz, Woney, pod ubraniem mam całe ciało pokryte łuską". Tak powinnam była powiedzieć, ale nie powiedziałam, bo, jak na ironię, nie chciałam jej urazić. Uśmiechnęłam się tylko przepraszająco, a wtedy niejaki Alex pisnął:

— Wiesz, że kiedy dojdziesz do pewnego wieku...

— Właśnie. Wszyscy porządni faceci są już zaobrączkowani — powiedział Cosmo, klepiąc się po grubym brzuchu i tak rechocząc, że zadrgały mu policzki.

Magda posadziła mnie przy stole między Cosmem i śmiertelnie nudnym bratem Jeremy'ego.

— Naprawdę, staruszko, powinnaś się jak najszybciej rozmnożyć — stwierdził Cosmo, po czym wlał sobie prosto do gardła 150 gramów Pauillaca rocznik 82. — Czas ucieka.

Sama zdążyłam już wypić dobre 300 gramów Pauillaca.

— Co trzecie małżeństwo kończy się rozwodem czy co drugie? — wybełkotałam, niepotrzebnie siląc się na ironię.

— Poważnie, staruszko — ciągnął Cosmo, ignorując moją uwagę. — U mnie w biurze jest pełno samotnych dziewczyn po trzydziestce. Wspaniałe okazy fizyczne. Nie mogą znaleźć faceta.

— Ja nie mam z tym problemu — mruknęłam, machając papierosem.

— Ooch! Powiedz nam coś więcej — poprosiła Woney.

— Bzykasz się z kimś, staruszko? — zapytał Jeremy.

— Kto to jest? — zainteresował się Cosmo.

Wszyscy wybałuszyli na mnie oczy. Miałam wrażenie, że z otwartych ust cieknie im ślina.

— Nie wasz interes — odparłam wyniośle.

— Wcale nie ma faceta! — zapiał Cosmo.

— O Boże, już jedenasta — wrzasnęła Woney. — Opiekunka!

Wszyscy zerwali się z miejsc i zaczęli zbierać do wyjścia.

— Boże, przepraszam cię za nich. Przeżyjesz to jakoś? — wyszeptała Magda, która wiedziała, jak się czuję.

— Odwieźć cię do domu? — zapytał brat Jeremy'ego, a potem soczyście beknął.

— Nie, idę jeszcze do nocnego klubu — zaszczebiotałam, wybiegając pospiesznie na ulicę. — Dzięki za superwieczór!

Kiedy wsiadłam do taksówki, wybuchnęłam płaczem.

Północ. Hłe, hłe. Zadzwoniłam do Sharon.

— Powinnaś była powiedzieć: „Nie wyszłam za mąż, bo jestem wolnym strzelcem, wy mieszczańscy, ograniczeni, przedwcześnie postarzali kretyni" — perorowała Shazzer. — „Nie istnieje tylko jeden cholerny sposób na życie. Co czwarte gospodarstwo domowe prowadzi osoba wolna, większość członków rodziny królewskiej jest wolna. Badania dowiodły, że młodzi Brytyjczycy kompletnie nie nadają się do małżeństwa, przez co powstało pokolenie wolnych dziewczyn, które mają własne dochody i mieszkanie, świetnie się bawią i nie muszą prać cudzych skarpetek. Byłybyśmy szczęśliwe jak norki, gdyby tacy jak wy z czystej zazdrości nie robili wszystkiego, żebyśmy czuły się jak idiotki".

— Wolny strzelec! — wykrzyknęłam radośnie. — Niech żyją wolni strzelcy!

5 lutego, niedziela

Daniel nadal się nie odzywa. Nie mogę znieść myśli o samotnej niedzieli, kiedy wszyscy ludzie oprócz mnie chichoczą z kimś w łóżku i uprawiają seks. Najgorsze jest to, że został już tylko tydzień z kawałkiem do nieuchronnej katastrofy walentynkowej. Na pewno nie dostanę żadnych kart. Przyszedł mi do głowy pomysł, żeby zacząć energicznie flirtować z każdym, kto mógłby dać się nakłonić do wysłania mi walentynki, ale odrzuciłam go jako niemoralny. Będę po prostu musiała znieść to upokorzenie z godnością.

Hmm. Już wiem. Chyba znów odwiedzę rodziców, bo martwię

się o tatę. Dzięki temu poczuję się jak anioł opiekuńczy albo święta.

2 po południu. Usunięto mi spod nóg ostatni maleńki kawałeczek bezpiecznego gruntu. Wielkoduszna propozycja złożenia niespodziewanej anielskiej wizyty spotkała się z dziwną reakcją taty.

— Eee... Nie wiem, skarbie. Możesz chwilę zaczekać?

Zdębiałam. Arogancja młodości (tak, „młodości") zakłada, że rodzice powinni wszystko rzucić i powitać cię z otwartymi ramionami, kiedy tylko raczysz się u nich zjawić. Tata wrócił do telefonu.

— Posłuchaj, Bridget, twoja matka i ja mamy pewne problemy. Możemy zadzwonić do ciebie w tygodniu?

Problemy? Jakie problemy? Próbowałam coś z taty wyciągnąć, ale bez skutku. Co się dzieje? Czy cały świat jest skazany na kryzys emocjonalny? Biedny tata. Czy do tego wszystkiego mam jeszcze zostać tragiczną ofiarą rozpadu rodziny?

6 lutego, poniedziałek

56 kg (cała nadwaga zniknęła — zagadka), jedn. alkoholu 1 (bdb), papierosy 9 (bdb), kalorie 1800 (db).

Dziś wraca Daniel. Zachowam spokój i równowagę wewnętrzną i będę pamiętać, że jestem pełnowartościową kobietą i nie potrzebuję mężczyzny jako dopełnienia, a już na pewno nie jego. Nie będę do niego pisać ani w ogóle zwracać na niego uwagi.

9.30. Hmm. Jeszcze go nie ma.

9.35. Nadal ani śladu Daniela.

9.36. Boże, a jeśli się zakochał i został w Nowym Jorku?

9.47. Albo pojechał do Las Vegas, żeby wziąć ślub?

9.50. Hmmm. Chyba pójdę poprawić makijaż, na wypadek gdyby jednak się zjawił.

10.05. Serce wykonało potężny skok, kiedy po wyjściu z kibelka zobaczyłam Daniela stojącego przy kopiarce z Simonem z marketingu. Kiedy go ostatni raz widziałam, leżał na kanapie z baranią miną, a ja zapinałam spódnicę, perorując o popapraniu. Teraz, z wypisanym na twarzy „wyjeżdżałem", wyglądał świeżo i kwitnąco. Gdy go mijałam, spojrzał znacząco na moją spódnicę i posłał mi szeroki uśmiech.

10.30. Na ekranie wyskoczyła „Nowa wiadomość". Kliknęłam „Czytaj".

Do Jones
Zimna krowa.
Cleave

Parsknęłam śmiechem. Nie mogłam się powstrzymać. Kiedy spojrzałam w stronę jego przeszklonego boksu, uśmiechał się do mnie z ulgą i czułością. Ale nie zamierzam mu odpisać.

10.35. Z drugiej strony — to trochę niegrzecznie.

10.45. Boże, ale nudno.

10.47. Wyślę mu króciutką uprzejmą wiadomość, nic frywolnego, po prostu, żeby odbudować dobre stosunki.

11.00. Chi, chi. Podpisałam się „Perpetua", żeby go nastraszyć.

Do Cleave'a
Nie utrudniaj mi realizacji zadań programowych wciąganiem personelu w irrelewantną korespondencję.
Perpetua

PS. Spódnica Bridget nie czuła się najlepiej i posłałam ją do domu.

10 wieczorem. Mmmm. Korespondowałam z Danielem cały dzień. Ale nadal nie zamierzam iść z nim do łóżka.

Zadzwoniłam do rodziców, ale nikt nie odebrał telefonu. Bardzo dziwne.

9 lutego, czwartek

58 kg (może obrastam tłuszczem na zimę), jedn. alkoholu 4, papierosy 12 (bdb), kalorie 2845 (b. zimno).

9 wieczorem. Bardzo mi się podoba ta zimowa zima i przypomnienie, że jesteśmy zdani na łaskę żywiołów i nie powinniśmy się zmuszać do intelektualnego wyrafinowania ani pracy, tylko siedzieć w cieple i oglądać telewizję.

Już trzeci raz w tym tygodniu zadzwoniłam do rodziców i nikt nie odebrał telefonu. Może śnieżyca zerwała kable? Zdesperowana wykręciłam numer mojego brata Jamiego w Manchesterze, ale odsłuchałam tylko jedno z jego komicznych nagrań na sekretarce: coś się leje i Jamie udaje prezydenta Clintona w Białym Domu, a potem spuszcza wodę i jego beznadziejna panienka chichocze w tle.

9.15. Zadzwoniłam do rodziców trzy razy pod rząd, za każdym przeczekując dwadzieścia sygnałów. W końcu mama podniosła słuchawkę i powiedziała dziwnym głosem, że nie może teraz rozmawiać i zadzwoni w weekend.

11 lutego, sobota

56,5 kg, jedn. alkoholu 4, papierosy 18, kalorie 1467 (ale spaliłam na zakupach).

Wróciwszy do domu z zakupów, zastałam na sekretarce wiadomość od taty. Pytał, czy zjem z nim w niedzielę lunch. Zrobiło mi się gorąco, a potem zimno. Mój ojciec nie przyjeżdża do mnie do Londynu na niedzielne lunche. Je rostbef albo łososia i młode ziemniaki w domu z mamą.

— Nie dzwoń — powiedział na koniec. — Porozmawiamy jutro.

Co się dzieje? Roztrzęsiona wyszłam do kiosku po Silk Cuty. Po powrocie zastałam wiadomość od mamy. Ona też przyjeżdża jutro na lunch. Przywiezie łososia i będzie u mnie koło pierwszej. Ponownie zadzwoniłam do Jamiego i usłyszałam 20 sekund Pink Floydów, a potem Jamie ryknął: „Czas minął, nagranie skończone, choć miałbym do powiedzenia coś więcej".

12 lutego, niedziela

56,5 kg, jedn. alkoholu 5, papierosy 23 (trudno się dziwić), kalorie 1647.

11 rano. Boże, nie mogą przyjechać jednocześnie. To czysta farsa. A może cała ta historia z lunchem jest rodzicielskim żartem, skutkiem zbyt dużej dawki Noela Edmondsa*, sitcomów itp. Może mama zjawi się z żywym łososiem na smyczy i oznajmi, że opuszcza dla niego tatę. Może tata, w ludowym kostiumie, zawiśnie do góry nogami za oknem, runie z hukiem do środka i zacznie bić mamę po głowie owczym pęcherzem albo wypadnie nagle z szafy z plastikowym nożem w plecach. Nie wytrzymam tego napięcia bez Krwawej Mary. Zresztą już prawie południe.

12.05 po południu. Zadzwoniła mama.

— Dobrze, niech o n przyjedzie — powiedziała. — Niech mu, do cholery, będzie. (Moja matka nigdy nie przeklina. Mówi najwyżej: „sakramencki" i „Boże święty".) Mogę, do cholery, zostać sama. Posprzątam w domu jak pieprzona Germaine Greer i Niewidzialna Kobieta.

---

* Noel Edmonds — brytyjski komik, gospodarz telewizyjnego programu rozrywkowego House Party.

(Czy to możliwe, czy to w ogóle do pomyślenia, żeby była pijana? Odkąd w 1952 roku lekko wstawiła się jabłecznikiem na dwudziestych pierwszych urodzinach Mavis Enderby, o czym nigdy nie pozwoliła ani sobie, ani nikomu innemu zapomnieć, wypija najwyżej jeden kieliszek słodkiego sherry w niedzielę wieczorem. „Nie ma nic gorszego niż pijana kobieta, kochanie".)

— Mamo, może porozmawiamy o tym we trójkę przy lunchu? — zaproponowałam, jakby to była *Bezsenność w Seattle* i lunch miał się skończyć tym, że rodzice wezmą się za ręce, a ja, z odblaskowym plecaczkiem na plecach, mrugnę uroczo do kamery.

— Tylko poczekaj — odparła ponuro. — Przekonasz się, jacy są mężczyźni.

— Ale ja już...

— Wychodzę, kochanie — przerwała mi. — Wychodzę, żeby pójść w tango!

O drugiej zjawił się tata ze starannie złożonym egzemplarzem „Sunday Telegraph" w ręku. Gdy usiadł na kanapie, skurczyła mu się twarz i po policzkach poleciały ciurkiem łzy.

— Jest taka od tego wyjazdu do Albufeiry z Uną Alconbury i Audrey Coles — załkał, wycierając policzek pięścią. — Po powrocie zaczęła mówić, że powinienem jej płacić za prowadzenie domu i że zmarnowała sobie życie, będąc naszą niewolnicą. (N a s z ą niewolnicą? Wiedziałam. To wszystko moja wina. Gdybym była lepszą córką, mama nie przestałaby kochać taty.) Chce, żebym się na jakiś czas wyprowadził i... i...

Rozszlochał się na dobre.

— I co, tato?

— Powiedziała, że według mnie *clitoris* to jakiś okaz z kolekcji motyli Nigela Colesa.

13 lutego, poniedziałek

57,5 kg, jedn. alkoholu 5, papierosy 0 (wzbogacające przeżycia duchowe zabijają potrzebę palenia — rewolucyjny przełom), kalorie 2845.

Muszę ze wstydem przyznać, że chociaż współczuję rodzicom, bardzo mi się podoba moja nowa rola opiekunki i, chyba nie przesadzam, życiowego doradcy. Od tak dawna nie zrobiłam niczego dla innych, że jest to dla mnie zupełnie nowe i podniecające doświadczenie. Tego właśnie brakowało w moim życiu. Może powinnam zostać samarytanką albo nauczycielką w szkółce niedzielnej i rozdawać bezdomnym zupę (lub, jak zasugerował mój przyjaciel Tom, urocze minibruschetty z sosem pesto), albo przekwalifikować się na lekarza. Jeszcze lepiej byłoby w y j ś ć za lekarza, bo wtedy realizowałabym się nie tylko duchowo, lecz także seksualnie. Zaczęłam nawet przemyśliwać, czy nie umieścić ogłoszenia w rubryce towarzyskiej „Lancetu". Mogłabym przekazywać wiadomości, spławiać pacjentów wzywających go w środku nocy, piec mu sufleciki z koziego sera i znienawidzić go po sześćdziesiątce jak mama tatę.

O Boże! Jutro walentynki. Dlaczego? Dlaczego cały świat staje na głowie, żeby ludzie, którzy nie mają szczęścia w miłości, czuli się jak idioci, skoro wszyscy świetnie wiedzą, że miłość się nie sprawdza. Spójrzcie na rodzinę królewską. Spójrzcie na moich rodziców.

Walentynki to czysto komercyjny i cyniczny wynalazek. Są mi całkowicie obojętne.

14 lutego, wtorek

57 kg, jedn. alkoholu 2 (romantyczna walentynkowa feta — dwie butelki Becksa wypite do lustra), papierosy 12, kalorie 1545.

8 rano. Oooch, jak fajowo. Walentynki. Ciekawe, czy był już listonosz. Może dostanę kartę od Daniela. Albo od tajemniczego wielbiciela. Albo kwiaty, albo bombonierkę w kształcie serca. Prawdę mówiąc, jestem trochę podniecona.

Krótka chwila dzikiej radości, kiedy zobaczyłam w holu bukiet róż. Daniel! Zbiegłam na dół i chwyciłam go rozpromieniona. W tym momencie otworzyły się drzwi mieszkania na parterze i wyszła z nich Vanessa.

— Ooch, jakie piękne — powiedziała z wyraźną zazdrością. — Od kogo?

— Nie wiem! — odparłam skromnie i spojrzałam na bilecik. — Ach... — Oklapłam. — Są dla ciebie.

— Nie przejmuj się. Zobacz, dostałaś kartę — powiedziała Vanessa pocieszającym tonem.

Był to wyciąg z konta karty Access.

W drodze do pracy dla poprawienia humoru wstąpiłam na cappuccino i czekoladowego croissanta. Nie ma sensu dbać o linię, skoro nikt mnie nie kocha ani nie uwodzi.

W metrze łatwo było zauważyć, kto dostał walentynkę, a kto nie. Ci pierwsi rozglądali się dookoła z cwanym uśmieszkiem, a drudzy wstydliwie spuszczali wzrok.

Po przyjściu do wydawnictwa zobaczyłam, że Perpetua ma na biurku bukiet wielkości owcy.

— No, Bridget! — ryknęła, żeby wszyscy słyszeli. — Ile kart dostałaś?

Opadłam na krzesło, mamrocząc pod nosem: „Zamknij sięęę" jak upokorzona nastolatka.

Pomyślałam, że zaraz zacznie mnie tarmosić za ucho albo coś w tym rodzaju.

— Całe to święto jest absurdalne i bezsensowne. Czysta komercyjna eksploatacja.

— W i e d z i a ł a m, że nie dostałaś ani jednej — zapiała Perpetua.

Dopiero wtedy spostrzegłam, że Daniel stoi w drugim końcu pokoju i śmieje się od ucha do ucha.

15 lutego, środa

Niespodzianka. Wychodząc do pracy, zauważyłam na stoliku w holu różową kopertę — ewidentnie spóźniona walentynka — zaadresowaną: „Dla Smagłej Ślicznotki". Na chwilę ogarnęło mnie podniecenie i ujrzałam się nagle jako tajemniczy, mroczny przedmiot męskiego pożądania. Aż przypomniała mi się cholerna Vanessa z jej południową urodą. Grr!

9 wieczorem. Właśnie wróciłam do domu i karta nadal leży na stoliku.

10.00. Nadal tam leży.

11.00. Niewiarygodne. Karta nadal tam leży. Może Vanessa jeszcze nie wróciła?

16 lutego, czwartek

56 kg (skutek biegania po schodach), jedn. alkoholu 0 (wspaniale), papierosy 5 (wspaniale), kalorie 2452 (nie za dobrze), kursy po schodach, żeby sprawdzić, czy walentynkowa koperta nie zniknęła 18 (źle z psychologicznego punktu widzenia, ale bardzo dobra gimnastyka).

Karta nadal leży na stoliku! Przypomina to problem ostatniej czekoladki z bombonierki albo ostatniego kawałka ciasta. Jesteśmy obie zbyt grzeczne, żeby ją wziąć.

17 lutego, piątek

56 kg, jedn. alkoholu 1 (bdb), papierosy 2 (bdb), kalorie 3241 (źle, ale spaliłam, kursując po schodach), karciane kontrole 12 (obsesja).

9 rano. Karta nadal tam leży.

9 wieczorem. Nadal tam leży.

9.30. Nadal tam leży. Nie mogłam tego dłużej znieść. Wiedziałam, że Vanessa jest w domu, bo z jej mieszkania dochodziły kuchenne zapachy, więc zapukałam do drzwi.

— To chyba do ciebie — powiedziałam, gdy otworzyła, podając jej kopertę.

— Myślałam, że do ciebie — odparła.

— Sprawdzimy? — spytałam.

— Dobrze.

Podałam jej kopertę, Vanessa mi ją oddała, chichocząc. Podałam ją ponownie. Kocham dziewczyny.

— Otwórz — powiedziałam i rozcięła kopertę kuchennym nożem.

Karta była artystyczna — jak z galerii. Vanessa zrobiła minę.

— Nic mi to nie mówi — stwierdziła, podając mi kartę.

W środku było napisane: „Egzemplarz absurdalnej i bezsensownej komercyjnej eksploatacji — dla mojej kochanej zimnej krowy".

Wydałam z siebie głośny pisk.

10.00. Zadzwoniłam do Sharon i opowiedziałam jej całą historię. Orzekła, że nie mogę pozwolić, aby Daniel zawrócił mi w głowie jakąś tanią kartą, i że mam dać z nim sobie spokój, bo nie jest przyzwoitym człowiekiem i nic dobrego z tego nie wyniknie.

Zadzwoniłam do Toma, żeby poznać opinię drugiej osoby, zwłaszcza w kwestii, czy powinnam zadzwonić do Daniela w weekend. „Nieeeee!" — wrzasnął i zadał mi rozmaite pytania kontrolne: na przykład, jak Daniel zachowywał się przez ostatnie dni, nie widząc żadnej reakcji na swoją kartę. Zameldowałam, że flirtował ze mną bardziej intensywnie niż zwykle. Tom kazał mi zachować rezerwę i zaczekać do poniedziałku.

18 lutego, sobota

57 kg, jedn. alkoholu 4, papierosy 6, kalorie 2746, trafienia w totolotka 2 (bdb).

Wreszcie odkryłam, co jest grane z moimi rodzicami. Zaczynałam podejrzewać powakacyjny scenariusz rodem z *Shirley Valentine* i bałam się, że zobaczę mamę na zdjęciu w „Sunday People", ufarbowaną na blond, ubraną w bluzkę z imitacji lamparciej skóry i siedzącą na kanapie z jakimś Gonzalesem w spranych dżinsach, a pod spodem przeczytam jej wypowiedź, że jeśli się kogoś kocha, czterdzieści sześć lat różnicy naprawdę nie ma znaczenia.

Dziś umówiła się ze mną na lunch w kafeterii u Dickensa i Jonesa i zapytałam ją wprost, czy spotyka się z kimś innym.

— Nie. Nie mam nikogo innego — odparła, spoglądając w dal z melancholijnie bohaterską miną, którą, przysięgam, podpatrzyła u księżnej Diany.

— Więc dlaczego jesteś taka niedobra dla taty? — spytałam.

— Kochanie, po prostu w momencie, kiedy twój ojciec przeszedł na emeryturę, uświadomiłam sobie, że przez trzydzieści pięć lat bez przerwy prowadziłam mu dom i wychowywałam jego dzieci...

— Jamie i ja jesteśmy również twoimi dziećmi — przerwałam jej urażona.

— ...i że on będzie teraz odpoczywał, a ja muszę pracować dalej. Dokładnie tak samo się czułam, kiedy byliście mali i przychodził weekend. Człowiek ma tylko jedno życie, więc postanowiłam wprowadzić pewne modyfikacje i spędzić resztę mojego, dla odmiany zajmując się sobą.

Idąc do kasy, żeby zapłacić, próbowałam to wszystko przemyśleć i, jako feministka, uznać racje mamy. Nagle mój wzrok przyciągnął wysoki, dystyngowany, siwowłosy mężczyzna w europejskiej skórzanej marynarce i z pederastką w dłoni. Zaglądał do kafeterii, pukając w zegarek i podnosząc brwi. Odwróciwszy się, zobaczyłam, jak mama mówi bezgłośnie: „Jeszcze chwileczkę" i przepraszająco pokazuje głową na mnie.

Nie powiedziałam mamie ani słowa, po prostu się z nią pożegnałam, a potem zawróciłam i poszłam za nią, żeby się upewnić, czy nie miałam omamów. Znalazłam ją w dziale perfum, spacerującą z tym wysokim czarusiem. Pryskała sobie nadgarstki wszystkim po kolei, podstawiała mu je do powąchania i śmiała się kokieteryjnie.

Po powrocie do domu zastałam na sekretarce wiadomość od mojego brata Jamiego. Natychmiast oddzwoniłam i wszystko mu opowiedziałam.

— Na litość boską, Bridge — odparł, rycząc ze śmiechu. — Masz obsesję na punkcie seksu. Gdybyś zobaczyła, jak mama przyjmuje komunię, pomyślałabyś, że obciąga księdzu laskę. Dostałaś w tym roku jakieś walentynki?

— Żebyś wiedział — syknęłam.

Jamie znów wybuchnął śmiechem, a potem powiedział, że musi kończyć, bo idą z Beccą do parku poćwiczyć tai chi.

19 lutego, niedziela

56,5 kg (bdb, ale wyłącznie ze zmartwienia), jedn. alkoholu 2 (ale jest Dzień Pański), papierosy 7, kalorie 2100.

Zadzwoniłam do mamy i zapytałam wprost, kim był ten podstarzały czaruś, z którym widziałam ją po lunchu.

— Och, masz na myśli Juliana — ćwierknęła.

W ten sposób się zdradziła. Moi rodzice nie mówią o swoich znajomych po imieniu. Zawsze jest to Una Alconbury, Audrey Coles, Brian Enderby: „Znasz Davida Rickettsa, kochanie — mąż Anthei Ricketts, która działa w Lifeboacie”*. To taka drobna grzeczność z ich strony, ponieważ wiedzą, że nie mam pojęcia, kim jest Mavis Enderby — co nie zmienia faktu, że potrafią opowiadać o Brianie i Mavis Enderbych przez czterdzieści minut, jakbym znała ich jak łyse konie od czwartego roku życia.

Od razu wiedziałam, że Julian nie bywa na żadnych lunchach Lifeboatu ani nie ma żony, która należałaby do Klubu Rotarian czy Bractwa św. Jerzego. Czułam też, że mama poznała go w Portugalii, zanim zaczęły się problemy z tatą, że wcale nie ma na imię Julian, tylko Julio, i że, spójrzmy prawdzie w oczy, to on jest przyczyną problemów z tatą.

Przedstawiłam jej te przeczucia. Zaprzeczyła im. Opowiedziała mi nawet skomplikowaną bajeczkę, jak to „Julian” wpadł na

---

* Royal National Lifeboat Institution — jedno z najstarszych i najpopularniejszych brytyjskich towarzystw dobroczynnych finansujące działalność służb ratowniczych na wodach przybrzeżnych.

nią u Marksa i Spencera koło Marble Arch, przez co upuściła sobie na nogę nową żaroodporną kamionkę Le Creuseta, i zaprosił ją na kawę do Selfridges, z czego wywiązała się platoniczna przyjaźń oparta wyłącznie na spotkaniach w kafeteriach domów towarowych.

Dlaczego, kiedy ludzie opuszczają swoich partnerów, bo mają romans z kimś innym, wydaje im się, że lepiej będzie skłamać, że nie ma nikogo innego? Czy uważają, że partner będzie mniej cierpiał, myśląc, że odeszli, bo nie mogli już z nim wytrzymać, i dwa tygodnie później, zupełnie przypadkowo, poznali wysokiego Omara Shariffa z pederastką, podczas gdy on (tzn. eks-partner) co wieczór wybucha płaczem na widok ich kubka do mycia zębów? Dlaczego ludzie usprawiedliwiają się kłamstwami, kiedy lepiej byłoby powiedzieć prawdę?

Słyszałam kiedyś, jak mój kumpel Simon odwoływał randkę z dziewczyną, na której mu naprawdę zależało, bo 1) tuż koło nosa wyskoczył mu pryszcz z żółtym czubkiem i 2) przyszedł do pracy w tandetnej marynarce à la lata siedemdziesiąte, zakładając, że w przerwie na lunch odbierze normalną marynarkę z pralni, ale jeszcze mu jej nie wyczyścili.

Powiedział dziewczynie, że nie może się z nią spotkać, bo niespodziewanie przyjechała jego siostra i musi ją zabawiać, i dodał, że musi też obejrzeć do rana kilka kaset z pracy. W tym momencie dziewczyna przypomniała mu, że mówił, że nie ma rodzeństwa, i zaproponowała, żeby obejrzał te kasety u niej, kiedy będzie szykowała kolację. Simon nie miał żadnych służbowych kaset do oglądania, więc musiał dalej tkać pajęczynę kłamstw. Skończyło się na tym, że dziewczyna przekonana, że romansuje z inną, chociaż miała to być dopiero ich druga randka, posłała go do diabła, i Simon spędził wieczór, zalewając robaka, ubrany w tandetną marynarkę i mając za całe towarzystwo swój pryszcz.

Próbowałam powiedzieć mamie, że nie mówi prawdy, ale cielesna żądza całkiem ją zaślepiła.

— Robisz się bardzo cyniczna i podejrzliwa, kochanie — odparła. — Julio — aha! ahahahahahaha! — to tylko przyjaciel. Po prostu potrzebuję przestrzeni.

I tak wyszło na jaw, że ustępliwy tata przenosi się do domku zmarłej babci Alconburych, stojącego w głębi ich ogrodu.

21 lutego, wtorek

Bardzo zmęczona. Tata nabrał zwyczaju wydzwaniania do mnie w środku nocy, żeby pogadać.

22 lutego, środa

57 kg, jedn. alkoholu 2, papierosy 19, jedn. tłuszczu 8 (niespodziewana reakcja wymiotna: zobaczyłam w wyobraźni, jak tyłek i uda obrastają mi sadłem. Od jutra wracam do liczenia kalorii).

Tom miał całkowitą rację. Byłam tak pochłonięta problemami rodziców i tak zmęczona nocnymi rozmowami z tatą, że prawie nie zwracałam na Daniela uwagi, co miało ten cudowny skutek, że on lgnął do mnie jak mucha do miodu. Ale dziś zrobiłam z siebie koncertową idiotkę. Wychodząc na lunch, spotkałam w windzie Daniela i Simona z marketingu, rozmawiających o aresztowaniu piłkarzy za sprzedawanie meczów.

— Słyszałaś o tym, Bridget? — zapytał Daniel.

— Tak — skłamałam, na ślepo szukając w głowie jakiejś opinii. — Moim zdaniem to lekka przesada. Jeśli tylko nie żądają więcej niż w kasie, co w tym złego, że trochę pohandlują biletami?

Simon spojrzał na mnie jak na nienormalną, a Daniel na chwilę zamarł, po czym wybuchnął śmiechem. Śmiał się i śmiał, póki obaj nie wysiedli, a wtedy odwrócił się do mnie i, w momencie gdy drzwi się zamykały, powiedział: „Wyjdź za mnie". Hmmmmm.

23 lutego, czwartek

56,5 kg (gdybym tylko mogła się utrzymać poniżej 57 kg, zamiast wyskakiwać i opadać jak tonące zwłoki — tonące w tłuszczu), jedn. alkoholu 2, papierosy 17 (nerwy przed bzykaniem — zrozumiałe), kalorie 775 (ostatni wysiłek, żeby zejść do jutra na 54 kg).

8 wieczorem. A niech mnie. Komputerowa korespondencja osiągnęła dziś temperaturę wrzenia. O szóstej zdecydowanie włożyłam płaszcz i wyszłam, ale Daniel wsiadł do mojej windy piętro niżej. Znaleźliśmy się sam na sam, schwytani w potężne pole elektryczne, bezradni wobec siły przyciągania jak dwa magnesy. Nagle winda stanęła, oderwaliśmy się zdyszani od siebie i wsiadł do nas Simon z marketingu w ohydnym beżowym prochowcu na tłustym cielsku.

— Bridget — powiedział, robiąc cwany ryj, gdy odruchowo wygładziłam spódnicę — wyglądasz, jakby ktoś cię przyłapał na sprzedawaniu meczu.

Kiedy wyszłam z budynku, Daniel wyskoczył za mną i spytał, czy zjem z nim jutro kolację. Tak!!!

Północ. Uch! Kompletnie wykończona. To chyba nie jest normalne, żeby przygotowywać się do randki jak do rozmowy w sprawie pracy? Mam obawy, że niesamowite oczytanie Daniela może być na dłuższą metę nieco uciążliwe. Może powinnam się zakochać w kimś młodszym i głupszym, kto by dla mnie gotował, prał moje ciuchy i we wszystkim mi przytakiwał. Od powrotu z pracy omal nie wybiłam sobie dysku, ćwicząc aerobik; przez siedem minut drapałam nagie ciało ostrą szczotką; sprzątnęłam mieszkanie; załadowałam lodówkę; wyskubałam brwi; przejrzałam prasę i *Sekrety seksu;* nastawiłam pranie i sama wydepilowałam sobie nogi, bo było za późno, żeby iść do kosmetyczki. Zakończyłam dzień, klęcząc na ręczniku i próbując oderwać plaster z woskiem, który przywarł mi do łydki na mur, jednocześnie oglądając *Panoramę*, żeby wyrobić sobie jakieś ciekawe poglądy na sprawy. Boli mnie krzyż, pęka mi głowa, a moje nogi są jaskrawoczerwone i oblepione woskiem.

Mądrzy ludzie powiedzieliby, że Daniel powinien mnie pragnąć taką, jaką jestem, ale wychowałam się na „Cosmopolitanie", zostałam wpędzona w kompleksy przez supermodelki i nadmiar psychotestów, i wiem, że ani moja osobowość, ani ciało nie sprostają żadnym standardom, jeśli pozostawię je samym sobie.

Nie wytrzymam tej presji. Odwołam randkę i spędzę wieczór, jedząc pączki, ubrana w sweter poplamiony jajkiem.

25 lutego, sobota

55 kg (cud: seks rzeczywiście jest najlepszą gimnastyką), jedn. alkoholu 0, papierosy 0, kalorie 200 (wreszcie odkryłam sekret niejedzenia: należy zastąpić posiłki seksem).

6 wieczorem. O radości. Przeżyłam dzień w stanie, który mogę określić wyłącznie jako upojenie pobzykankowe. Snułam się z uśmiechem po mieszkaniu, brałam do ręki różne przedmioty i odkładałam je z powrotem. Było cudownie. Jedyne minusy to: 1) kiedy było po wszystkim, Daniel mruknął: „Cholera, miałem odstawić samochód do serwisu" i 2) kiedy wstałam, żeby iść do łazienki, powiedział, że rajstopy przykleiły mi się do łydki.

Ale różowe obłoki zaczęły się rozchodzić i ogarnął mnie niepokój. Co dalej? Niczego nie ustaliliśmy. Nagle sobie uświadomiłam, że znów czekam na telefon. Dlaczego sytuacja po pierwszej nocy nadal jest tak nieznośnie niepewna? Czuję się, jakbym przystąpiła do egzaminu pisemnego i czekała na wyniki.

11 wieczorem. Boże, dlaczego Daniel nie zadzwonił? Jesteśmy ze sobą czy nie? Jak to możliwe, że moja mama prześlizguje się miękko z jednego związku w drugi, a ja nie mogę dociągnąć do drugiej randki. Może starsze pokolenie jest po prostu lepsze w te klocki? Może nie przeszkadza im niska samoocena. A może najlepsza rada to nie przeczytać w życiu żadnego poradnika.

26 lutego, niedziela

57 kg, jedn. alkoholu 5 (topienie smutków), papierosy 23 (wykurzanie smutków), kalorie 3856 (duszenie smutków poduszką tłuszczu).

Obudziwszy się w pustym łóżku, mimowolnie zaczęłam sobie wyobrażać moją matkę z Juliem. Wizja rodzicielskiego, a raczej półrodzicielskiego seksu napełniła mnie: 1) odrazą, 2) oburzeniem ze względu na tatę, 3) odurzającym, samolubnym optymizmem, bo sądząc z przykładu mamy (jak również Joanny Lumley i Susan Sarandon), mam przed sobą jeszcze trzydzieści lat nieokiełznanego popędu płciowego; ale głównie wściekłą zazdrością i poczuciem klęski, bo oto leżę sama w łóżku w niedzielny ranek, kiedy moja sześćdziesięcioparoletnia matka prawdopodobnie zaraz zrobi to drugi… O Boże, nie! Ta myśl jest nie do zniesienia.

MARZEC

Ciężka panika urodzinowa

4 marca, sobota

57 kg (po jaką cholerę odchudzałam się cały miesiąc, skoro na początku marca ważę dokładnie tyle samo, co na początku lutego? Przestanę się codziennie ważyć i liczyć kalorie, bo nie ma to sensu).

Moja matka stała się siłą, której nie poznaję. Wpadła dziś rano do mojego mieszkania, gdy siedziałam zgarbiona, jeszcze w szlafroku, posępnie malując paznokcie u nóg i oglądając początek wyścigów.

— Kochanie, mogę to tu zostawić na parę godzin? — zaćwierkała, rzuciła na podłogę naręcze reklamówek i pobiegła do sypialni.

Po paru minutach, lekko zaintrygowana, poczłapałam za nią, żeby zobaczyć, co robi. Siedziała przed lustrem w kawowym gorseciku, który wyglądał na bardzo drogi, i z otwartymi ustami tuszowała sobie rzęsy (konieczność otwierania ust podczas nakładania tuszu jest wielką, nie wyjaśnioną zagadką natury).

— Czy nie powinnaś się ubrać, kochanie?

Wyglądała olśniewająco: czysta cera, jedwabiste włosy. Zobaczyłam własne odbicie w lustrze. Naprawdę powinnam była zmyć makijaż przed pójściem spać. Włosy z jednej strony przylepiły mi się do czaszki, a z drugiej stanęły dęba. Zupełnie, jakby włosy na mojej głowie miały własne życie: w dzień zachowywały się rozsądnie, a kiedy usnę, zaczynały biegać i skakać jak dzieci, wołając: „To co teraz zrobimy?"

— Wiesz — powiedziała mama, spryskując sobie dekolt Givenchy II — przez te wszystkie lata twój ojciec robił wielkie halo z obliczania opłat i podatków, jakby go to zwalniało od zmywania naczyń. Był już najwyższy czas, żeby wypełnić zeznanie podatkowe, więc pomyślałam, do diabła, zrobię to sama. Naturalnie nie mogłam się w tym połapać, więc zadzwoniłam do urzędu skarbowego. Z początku facet potraktował mnie protekcjonalnie. „Doprawdy, pani Jones — powiedział — nie rozumiem, co w tym trudnego". Więc spytałam: „A czy pan umie upiec drożdżówkę?" To mu trafiło do przekonania. Wytłumaczył mi po kolei, co mam robić, i wypełniliśmy draństwo w ciągu kwadransa. Zabiera mnie dziś na lunch. Poborca podatkowy! Wyobrażasz sobie?!

— Co? — wyjąkałam, chwytając się futryny. — A Julio?

— To, że „przyjaźnię się" z Juliem, nie znaczy, że nie mogę mieć innych „przyjaciół" — odparła słodko, wkładając cytrynową garsonkę. — Podoba ci się? Właśnie ją kupiłam. Świetny kolor, prawda? Muszę już lecieć. Umówiłam się z nim w kafeterii Debenhama o pierwszej piętnaście.

Po jej wyjściu zjadłam trochę muesli, łyżką prosto z torebki, i wypiłam resztkę jakiegoś wina.

Wiem, na czym polega sekret mamy: odkryła władzę. Ma władzę nad tatą: chce, żeby do niego wróciła. Ma władzę nad Juliem i nad poborcą podatkowym i wszyscy wyczuwają tę jej władzę i chcą, żeby na nich spłynęła, co czyni ją jeszcze bardziej pociągającą. Muszę więc tylko znaleźć kogoś lub coś, nad kim/czym będę miała władzę i... Boże, nie mam władzy nawet nad własnymi włosami.

Jestem strasznie przygnębiona. Daniel był cały tydzień jak najbardziej rozmowny i miły, a nawet uwodzicielski, ale słowem nie wspomniał o tym, co się dzieje między nami, jakby przespanie się z koleżanką z wydawnictwa było czymś zupełnie normalnym. Praca — dawniej po prostu irytująca i uciążliwa — stała się nieznośną torturą. Cierpię męki, ilekroć Daniel idzie na lunch albo wkłada płaszcz, żeby wyjść pod koniec dnia: dokąd? z kim?

Perpetua zwaliła całą swoją robotę na mnie i godzinami wisi

na telefonie, rozmawiając z Arabellą albo Piggy o tym mieszkaniu w Fulham, które zamierzają kupić z Hugonem za pół miliona funtów. „Tak. Nie. Tak. Całkowicie się zgadzam. Ale pytanie brzmi: czy ktoś chce zapłacić trzydzieści patyków więcej za czwartą sypialnię?"

O 4.15 w piątek Sharon zadzwoniła do mnie do pracy.

— Spotkasz się jutro ze mną i z Jude?

— Eee... — Urwałam, myśląc spanikowana: chyba Daniel umówi się ze mną na weekend, zanim wyjdzie?

— Zadzwoń do mnie, jeśli się z tobą nie umówi — powiedziała kwaśno Sharon po dłuższej przerwie.

O 5.45 zobaczyłam Daniela w płaszczu, idącego do drzwi. Mój udręczony wyraz twarzy musiał go zawstydzić, bo uśmiechnął się chytrze, ruchem głowy wskazał komputer i zwiał.

Rzeczywiście, migała „Nowa wiadomość". Kliknęłam „Czytaj". Wiadomość brzmiała:

Do Jones
Miłego weekendu. Ćwir, ćwir.
Cleave

Bardzo nieszczęśliwa podniosłam słuchawkę i wykręciłam numer Sharon.

— O której się spotykamy? — wybąkałam z zakłopotaniem.

— O wpół do dziewiątej. W Café Rouge. Nie martw się, kochamy cię. Powiedz mu ode mnie, żeby spadał na bambus. Emocjonalny popapraniec.

2 w nocy. Fantstyczny wiecz z Shazzei Jude. Mam krwa gdieś teg dupka Daniela. Ale troch mi niedbrze. Oj

5 marca, niedziela

8 rano. Oj, chciałabym umrzeć. Do końca życia nie wypiję kropli alkoholu.

8.30. Oooch. Zjadłabym trochę frytek.

11.30. Bardzo chce mi się pić, ale muszę leżeć płasko, z zamkniętymi oczami, żeby nie uruchomić perkusji w mózgu.

Południe. Cholernie dobrze się bawiłam, ale mam mętlik w głowie z nadmiaru rad co do Daniela. Najpierw, jako poważniejsze, musiałyśmy omówić problemy Jude z Podłym Richardem — oni są ze sobą półtora roku, a my tylko raz się bzyknęliśmy. Czekałam więc pokornie na swoją kolej, żeby przedstawić najnowsze doniesienia na temat Daniela.

Jednogłośny werdykt wstępny brzmiał: „Drańskie popapranie". Potem jednak Jude wprowadziła ciekawe pojęcie męskiego czasu, zaczerpnięte z filmu *Clueless.* Otóż te pięć dni („siedem", sprostowałam), podczas których nowy związek pozostaje w zawieszeniu po seksie, samcom *homo sapiens* nie dłuży się boleśnie jak pięć/siedem lat, tylko jest normalnym okresem wycofania, w którym zbierają emocje przed zrobieniem następnego kroku. Daniel, argumentowała Jude, musiał się niepokoić o sytuację w pracy itd., itd., mam więc dać mu szansę, tzn. być miła i kokieteryjna, żeby zrozumiał, że mu ufam i nie stanę się zaborcza ani nie wpadnę w histerię.

Na to Sharon prychnęła w tarty parmezan i powiedziała, że trzymanie kobiety w niepewności przez dwa weekendy po seksie jest nieludzkim okrucieństwem oraz oburzającym nadużyciem zaufania i powinnam mu wygarnąć, co o nim myślę. Hmmm. Nie wiem. Chyba utnę sobie następną małą drzemkę.

2 po południu. Wróciłam zwycięsko z heroicznej wyprawy na dół po gazetę i szklankę wody. Czułam, jak woda płynie niczym krystaliczny strumień do tej części głowy, której była najbardziej potrzebna. Chociaż, jeśli się nad tym zastanowić, nie jestem pewna, czy woda może się dostać do głowy. Chyba że razem z krwią. Może, skoro przyczyną kaca jest odwodnienie, wciągają ją do mózgu naczynia włosowate.

2.15. Artykuł o dwulatkach poddawanych testom kwalifikacyjnym przed przyjęciem do żłobka sprawił, że wyskoczyłam z łóżka jak oparzona. Mam być na podwieczorku u Magdy z okazji urodzin mojego chrześniaka Harry'ego.

6 wieczorem. Jechałam przez szary, deszczowy Londyn na złamanie karku, z przystankiem u Waterstone'a po prezent, mając wrażenie, że umieram. Robiło mi się słabo na myśl o tym, że jestem spóźniona i skacowana, i że za chwilę znajdę się w towarzystwie pracujących dziewczyn przekwalifikowanych na rywalizujące ze sobą matki. Magda, dawniej makler towarowy, zaniża wiek Harry'ego, żeby dzieciak wydawał się bardziej rozwinięty. Już w ciąży próbowała prześcignąć inne kobiety, łykając osiem razy więcej kwasu foliowego i minerałów. Poród był świetny. Mówiła wszystkim od miesięcy, że chce urodzić „naturalnie", a po dziesięciu minutach w szpitalu poddała się i zaczęła wrzeszczeć: „Daj mi znieczulenie, ty tłusta krowo".

Podwieczorek był koszmarem: ja plus tabun zapatrzonych w swoje pociechy matek, z których jedna przyniosła czterotygodniowe niemowlę.

— Och, czyż nie jest słodki? — zagruchała Sarah de Lisle, po czym warknęła: — Ile miał punktów APGAR?

Nie wiem, dlaczego robią takie halo z testów dla dwulatków — APGAR to test, który przeprowadza się w drugiej m i n u c i e. Dwa lata temu Magda narobiła sobie wstydu, chwaląc się na jakimś przyjęciu, że Harry dostał jedenaście punktów, na co obecna wśród gości pielęgniarka zwróciła jej uwagę, że APGAR ma skalę dziesięciopunktową.

Nie zrażona, Magda zaczęła się ostatnio chwalić w kręgach opiekunek do dzieci, że jej syn jest mistrzem kontrolowanej defekacji, co uruchomiło lawinę kontrprzechwałek. W związku z tym maluchy — ewidentnie będące w wieku, kiedy należy je owijać pieluchami od stóp do głów, pełzały po pokoju w seksownych majteczkach z Baby Gapu. Nie minęło dziesięć minut, odkąd przyszłam, a na dywanie leżały trzy balaski. Wywiązał się na pozór żartobliwy, ale w gruncie rzeczy zajadły spór o to, kto je zrobił, po czym nastąpiło nerwowe ściąganie pieluchomajtek, co natychmiast dało impuls do nowego konkursu — porównywania rozmiarów genitaliów chłopców i, w konsekwencji, mężów.

— Nic na to nie poradzisz, to sprawa dziedziczna. Cosmo też jest dobrze wyposażony, prawda?

Myślałam, że od ich jazgotu pęknie mi głowa. W końcu przeprosiłam Magdę i pojechałam do domu, gratulując sobie tego, że jestem wolna.

6 marca, poniedziałek

11 rano. W pracy. Zupełnie wykończona. Wczoraj wieczorem leżałam w przyjemnej gorącej kąpieli z olejkiem z geranium i wódką z tonikiem, gdy ktoś zadzwonił do drzwi. W progu stała moja matka, cała we łzach. Przez dłuższą chwilę nie odpowiadała na moje pytania i miotała się po kuchni, płacząc coraz głośniej i powtarzając, że nie chce o tym mówić, aż zaczęłam podejrzewać, że fundament jej władzy seksualnej runął jak domek z kart, bo tata, Julio i poborca podatkowy jednocześnie puścili ją kantem. Ale nie. Zaatakował ją po prostu syndrom „daj kurze grzędę".

— Czuję się jak ten pasikonik, który śpiewał całe lato — wyznała w końcu, widząc, że tracę zainteresowanie tym spektaklem. — A teraz jest zima mojego życia i nie mam nic w spiżarni.

Chciałam zauważyć, że trzech napalonych absztyfikantów, pół domu i plan emerytalny to nie jest nic, ale ugryzłam się w język.

— Nie zrobiłam kariery — powiedziała.

Jakaś obrzydliwa, podła cząstka mnie poczuła się szczęśliwa i dumna, bo ja robię karierę. A w każdym razie, mam pracę. Jestem pasikonikiem, który zbiera trawę czy muchy, czy co tam pasikoniki jedzą przed zimą, mimo że nie mam faceta.

W końcu udało mi się rozweselić mamę, pozwalając jej przejrzeć moją garderobę i skrytykować wszystkie ciuchy, a potem wyjaśnić, dlaczego powinnam się ubierać wyłącznie w Jaegerze i Country Casuals. Odzyskała humor do tego stopnia, że zadzwoniła do Julia i umówiła się z nim na „drynia".

Kiedy ode mnie wyszła, było już po dziesiątej, więc szybko przekręciłam do Toma, żeby mu zakomunikować potworną wiadomość, że Daniel nie odezwał się przez cały weekend, i spytać, co sądzi o sprzecznych radach Jude i Sharon. Tom odparł, że mam nie słuchać żadnej z nich, nie flirtować ani nie prawić kazań, tylko zachować rezerwę jak wyniosła księżniczka.

Każdy mężczyzna, powiedział, widzi się cały czas na swego rodzaju seksualnej drabinie, na której wszystkie kobiety są wyżej albo niżej od niego. Jeśli kobieta jest niżej (tzn. chce się z nim przespać, leci na niego), wówczas, jak Groucho Marx, nie zamierza być członkiem jej „klubu". Cała ta mentalność strasznie mnie dołuje, ale Tom powiedział, żebym nie była naiwna, i jeśli naprawdę kocham Daniela i chcę zdobyć jego serce, muszę go ignorować i być wobec niego tak zimna i nieprzystępna, jak tylko potrafię.

Poszłam spać o dwunastej bardzo skołowana, a trzy razy w ciągu nocy obudziły mnie telefony taty.

— Kiedy ktoś cię kocha, jest tak, jakby otulił twoje serce kocem — powiedział. — I kiedy ci go potem odbierze... — wybuchnął płaczem.

Dzwonił z domku śp. babci Alconburych, gdzie zamieszkał, jak naiwnie twierdzi, „dopóki sprawa się nie wyjaśni". Nagle uświadomiłam sobie, że wszystko się zmieniło i teraz ja opiekuję się rodzicami, a nie oni mną, co wydaje mi się nienaturalne i niewłaściwe. Nie jestem chyba aż taka stara?

6 marca, poniedziałek

56 kg (bdb! — odkryłam sekret odchudzania: nie wolno się ważyć).

Mogę oficjalnie potwierdzić, że w dzisiejszych czasach kluczem do serca mężczyzny nie jest uroda, kuchnia, seks czy dobry charakter, tylko umiejętność sprawiania wrażenia, że nie jesteś nim zainteresowana.

Cały dzień nie zwracałam na Daniela najmniejszej uwagi, udając, że jestem zajęta (spróbujcie się nie śmiać). „Nowa wiadomość" wciąż migała, a ja tylko wzdychałam i potrząsałam włosami, jakbym była bardzo ważną osobą uginającą się pod nawałem pracy. Pod koniec dnia uświadomiłam sobie, że to działa — jak eksperyment na lekcji chemii (fosfor, papierek lakmusowy czy coś). Daniel gapił się na mnie i posyłał mi znaczące spojrzenia, a kiedy Perpetua gdzieś wyszła, przeszedł obok mojego biurka, zatrzymał się i wyszeptał:

— Jones, boska istoto. Dlaczego mnie ignorujesz?

W przypływie radości i wzruszenia miałam już wywalić całą prawdę o sprzecznych koncepcjach Toma, Jude i Shazzer, ale niebiosa nade mną czuwały i zadzwonił telefon. Przewracając przepraszająco oczami, podniosłam słuchawkę, w tym momencie do pokoju wpadła Perpetua, zrzuciła tyłkiem z biurka stos korekt, ryknęła: „Daniel! Posłuchaj..." i gdzieś go porwała. Na całe moje szczęście, bo dzwonił Tom, który powiedział, że mam dalej grać księżniczkę, i dał mi mantrę do powtarzania, kiedy poczuję, że słabnę: „zimna, nieprzystępna księżniczka; zimna, nieprzystępna księżniczka".

7 marca, wtorek

59, 58 czy 59,5 kg??, jedn. alkoholu 0, papierosy 20, kalorie 1500, zdrapki 6 (kiepsko).

9 rano. Aaaa. Jak mogłam przytyć 1,5 kg od środka nocy? Ważyłam 59, kiedy szłam spać, 58 o 4 rano i 59,5, kiedy wstałam. Rozumiem spadek wagi — mogłam ten kilogram wypocić albo wydalić do klozetu — ale skąd wziął się p r z y r o s t? Czyżby jedne pokarmy wchodziły w reakcję chemiczną z drugimi, podwajały ich gęstość i objętość i tężały w cięższy i gęstszy tłuszcz? Nie wyglądam grubiej. Mogę zapiąć guzik, ale, niestety, już nie suwak moich dżinsów z 89 roku. Więc może całe moje ciało staje się mniejsze, ale bardziej zbite? Zajeżdża to kulturystyką i dziwnie przyprawia mnie o mdłości. Zadzwoniłam do Jude, żeby się poskarżyć na dietetyczną klęskę. Powiedziała: „Uczciwie zapisz, co zjadłaś, i sprawdź, czy przestrzegałaś diety". Oto lista:

Śniadanie: słodka bułka (dieta Scarsdale'ów — bliski zamiennik przepisowej grzanki z żytniego chleba); batonik Mars (dieta Scarsdale'ów — bliski zamiennik przepisowej połówki grejpfruta).

Przegryzka: dwa banany, dwie gruszki (przerzuciłam się na dietę owocową, bo konałam z głodu, a nie przełknęłabym marchewkowych snacków z diety Scarsdale'ów); kartonik soku pomarańczowego (surowizna — dieta antycellulitisowa).

Lunch: ziemniaki w mundurkach (dieta wegetariańska Scarsdale'ów) i hummus (dieta Haya — ziemniaki pasują, bo to sama skrobia, a śniadanie i przegryzka były bogate w związki zasadowe, z wyjątkiem słodkiej bułki i Marsa, drobne odstępstwo).

Kolacja: cztery kieliszki wina, ryba z frytkami (dieta Scarsdale'ów i dieta Haya — dużo białek); tiramisu; miętowa czekolada Aero.

Zdaję sobie sprawę, że łatwo jest dziś znaleźć dietę, która będzie pasowała do tego, na co akurat mamy ochotę, i że diety są nie po to, żeby je mieszać, tylko po to, żeby się ich trzymać, co zamierzam zacząć robić, jak tylko skończę tego czekoladowego croissanta.

14 marca, wtorek

Katastrofa. Kompletna katastrofa. Rozzuchwalona powodzeniem rad Toma, przerzuciłam się na rady Jude i zaczęłam znów korespondować z Danielem, żeby zrozumiał, że mu ufam i nie stanę się zaborcza ani nie wpadnę w histerię bez uzasadnionego powodu. Taktyka połączenia nieprzystępnej księżniczki z *Mężczyźni są z Marsa, kobiety z Wenus* była strzałem w dziesiątkę, bo koło południa Daniel podszedł do mnie przy ekspresie do kawy i zapytał:

— Polecisz ze mną do Pragi w przyszły weekend?

— Co? Yyy... Aaaa... to znaczy, w następny po tym?

— Taaaaaak, w przyszły weekend — odparł z zachęcającym, nieco pobłażliwym uśmiechem, jakby uczył mnie mówić po angielsku.

— Oooch, bardzo chętnie — powiedziałam, zapominając z emocji o mojej mantrze.

Potem podszedł do mnie jeszcze raz i spytał, czy wyskoczę z nim na lunch. Umówiliśmy się przed budynkiem, żeby nikt niczego nie podejrzewał, i wszystko było szalenie podniecające i sekretne, dopóki nie powiedział, gdy szliśmy w stronę pubu:

— Posłuchaj, Bridge, strasznie cię przepraszam, dałem dupy.

— Co? — spytałam, zastanawiając się jednocześnie, czy nie powinnam powiedzieć: „Słucham?", jak wciąż poprawia mnie mama.

— Nie dam rady polecieć do Pragi w przyszły weekend. Nie wiem, gdzie miałem głowę. Ale może wybierzemy się tam kiedy indziej?

W mojej głowie ryknęła syrena i zaczął migać wielki neon z ustami Sharon mówiącymi: „POPAPRANIE, POPAPRANIE".

Stanęłam jak wryta i spiorunowałam go wzrokiem.

— Co jest? — zapytał, wyraźnie rozbawiony.

— Mam cię dość — odparłam wściekłym tonem. — Powiedziałam ci zupełnie wyraźnie, kiedy pierwszy raz próbowałeś rozpiąć mi spódnicę, że nie bawi mnie emocjonalne popapranie. To było bardzo nie w porządku, żeby nadal ze mną flirtować, zaciągnąć mnie do łóżka, a potem nawet nie zadzwonić i udawać, że nic między nami nie zaszło. Czy zaproponowałeś mi wyjazd do Pragi, żeby mieć gwarancję, że jeśli zechcesz, będziesz się jeszcze mógł ze mną przespać, jakbyśmy byli na jakiejś drabinie?

— Na drabinie, Bridge? — zdziwił się Daniel. — Na jakiej drabinie?

— Zamknij się — warknęłam. — Mam dosyć tej huśtawki. Albo bądź ze mną i dobrze mnie traktuj, albo daj mi spokój. Jak mówię, nie interesuje mnie popapranie.

— A jak ty się zachowujesz w tym tygodniu? Najpierw mnie ignorujesz jak jakaś żelazna dziewica z Hitlerjugend, potem zmieniasz się w uwodzicielskiego kociaka i posyłasz mi spojrzenia, które mówią: „Weź mnie, tu, zaraz, na tym biurku", a teraz nagle prawisz mi kazanie.

Mierzyliśmy się przez chwilę wzrokiem jak dwa afrykańskie drapieżniki przed walką w programie Davida Attenborough. Potem Daniel nagle odwrócił się na pięcie i poszedł do pubu, a ja wróciłam na chwiejnych nogach do redakcji, gdzie wpadłam do kibla, zamknęłam się, usiadłam i łypię teraz jednym okiem na drzwi. O Boże!

5 po południu. Hłe, hłe. Jestem wspaniała. I bardzo z siebie dumna. Zwołałam po pracy kryzysowe spotkanie na szczycie w Café Rouge z Sharon, Jude i Tomem, którzy byli zachwyceni rezultatem akcji Daniel i przekonani, każde z osobna, że zawdzięczam go ich radom. Poza tym Jude słyszała w radiu prognozę, że pod koniec stulecia jedną trzecią gospodarstw domowych będą prowadziły osoby wolne, co dowodzi, że nie jesteśmy już żałosnymi dziwolągami. Shazzer prychnęła i powiedziała: „Jedną trzecią? Raczej dziewięć dziesiątych". Sharon uważa, że mężczyźni — rzecz jasna z wyjątkiem obecnych, tzn. Toma — są tak katastrofalnie zapóźnieni w rozwoju ewolucyjnym, że wkrótce kobiety będą ich trzymać wyłącznie do celów seksualnych, co nie będzie się liczyło jako wspólne gospodarstwo domowe, bo mężczyźni będą mieszkać w psich budach na zewnątrz. W każdym razie, czuję się bardzo podniesiona na duchu. Może przeczytam kawałek *Backlashu* Susan Faludi.

5 rano. Boże, jestem taka nieszczęśliwa. Kocham Daniela.

15 marca, środa

57 kg, jedn. alkoholu 5 (wstyd: mocz szatana), papierosy 14 (ziele szatana — rzucę w urodziny), kalorie 1795.

Grr! Obudziłam się bardzo wkurzona. Jakby nie dość było innych nieszczęść, zostały już tylko dwa tygodnie do moich urodzin, kiedy to będę musiała przyjąć do wiadomości, że minął kolejny rok, podczas którego wszyscy oprócz mnie pozawierali szczęśliwe małżeństwa, postarali się o dzieci, zarobili setki tysięcy funtów i wdrapali się na sam szczyt establishmentu, kiedy ja dryfowałam bez steru i bez faceta przez toksyczne związki i stagnację zawodową.

Ciągle wypatruję na twarzy zmarszczek, nerwowo sprawdzam w „Hello!", ile kto ma lat, rozpaczliwie szukając wzorców osobowych (Jane Seymour ma czterdzieści dwa!), i zmagam się z głęboko zakorzenionym strachem, że któregoś dnia po trzydziestce nagle, bez ostrzeżenia, wyrośnie mi ohydna sukienka z krempliny, torba na zakupy i mocna trwała, a twarz zacznie się sypać jak w efektach specjalnych na filmach i będzie po wszystkim. Spróbuję częściej myśleć o Joannie Lumley i Susan Sarandon.

Martwię się też, co zrobić z urodzinami. Wielkość mieszkania i stan konta nie pozwalają urządzić hucznej imprezy. Może kolacja? Ale wtedy musiałabym tyrać cały dzień przy garach i nienawidziłabym gości od progu. Moglibyśmy pójść do restauracji, ale wtedy musiałabym poprosić, żeby każdy zapłacił za siebie, i miałabym wyrzuty sumienia, że samolubnie narażam ludzi na koszty i nudę, żeby uczcić własne urodziny. O Boże, co począć? Szkoda, że zamiast się urodzić, nie przyszłam na świat niepokalanie, podobnie, choć nie tak samo, jak Jezus. Wtedy nie musiałabym obchodzić urodzin. Współczuję Jezusowi zażenowania, jakie go pewnie ogarnia, i może powinno ogarniać, w związku z tym, że od dwóch tysiącleci nieelegancko zmusza dużą część ludzkości do świętowania swoich urodzin.

Północ. Wpadłam na bardzo dobry pomysł. Zaproszę wszystkich na koktajle, może Manhattany. W ten sposób podejmę gości jak wielka dama, a jeśli będą chcieli iść potem na kolację, to proszę uprzejmie.

Nie bardzo wiem, co to jest Manhattan. Ale mogę kupić książkę o koktajlach. Chociaż, jak znam siebie, pewnie nie kupię.

16 marca, czwartek

57,5 kg, jedn. alkoholu 2, papierosy 3 (bdb), kalorie 2140 (ale głównie owoce), minuty poświęcone na układanie listy gości 237 (źle).

Ja Shazzer
Jude Podły Richard
Tom Jerome (brr...)
~~Michael~~
Magda Jeremy
Simon
Rebecca Martin Przynudzacz
Woney Cosmo
Joanna
Daniel? Perpetua? (yyy...) i Hugo?

O nie. O nie. Co mam zrobić?

17 marca, piątek

Zadzwoniłam do Toma, który bardzo mądrze powiedział:

— To twoje urodziny i powinnaś zaprosić dokładnie i wyłącznie tych, których chcesz.

Więc zaproszę tylko:

Shazzer
Jude
Toma
Magdę i Jeremy'ego

i sama ugotuję dla nas kolację.

Zadzwoniłam do Toma jeszcze raz, żeby mu powiedzieć, jaki mam plan, a wtedy on zapytał:

— A Jerome?

— Co?

— A Jerome?

— Myślałam, że jak mówiliśmy, zaproszę tylko tych, których... — urwałam, uświadamiając sobie, że jeśli powiem „chcę", będzie to znaczyło, że „nie chcę", tzn. „nie lubię" irytującego, pretensjonalnego chłopaka Toma. — Och! — wykrzyknęłam o wiele za głośno. — Chodzi ci o twojego Jerome'a? No jasne, że

Jerome jest zaproszony, głuptasie. Uch! Ale czy myślisz, że mogę nie zaprosić Richarda Jude? I Sloaney Woney, chociaż tydzień temu byłam na jej urodzinach?

— Nie dowie się o tym.

Kiedy powiedziałam Jude, kto będzie, zawołała radośnie: „Och, więc przychodzimy z partnerami?", co oznacza Podłego Richarda. A skoro jest nas już ośmioro, będę musiała zaprosić Michaela. Trudno. Dziewięć osób może być. Dziesięć. Może być.

Potem zadzwoniła Sharon:

— Mam nadzieję, że nie strzeliłam gafy. Właśnie spotkałam Rebeccę i kiedy zapytałam, czy przychodzi na twoje urodziny, zrobiła obrażoną minę.

No nie, teraz będę musiała zaprosić Rebeccę i Martina Przynudzacza, co oznacza konieczność zaproszenia Joanny. Cholera. Powiedziałam już, że gotuję, więc nie mogę nagle oznajmić, że idziemy do restauracji, bo wyjdę na lenia i nieużytka.

Boże! Po powrocie do domu zastałam na sekretarce lodowatą wiadomość od wyraźnie obrażonej Woney.

— Zastanawiamy się z Cosmem, co byś chciała w tym roku na urodziny. Zadzwoń do nas, proszę.

Tak więc spędzę urodziny, gotując żarcie dla szesnastu osób.

18 marca, sobota

56,5 kg, jedn. alkoholu 4 (wkurzona), papierosy 23 (b.b. źle, zwłaszcza w ciągu dwóch godzin), kalorie 3827 (ohyda).

2 po południu. Grr! Tylko tego mi brakowało. Mama wpadła do mojego mieszkania jak burza, cudownie uleczona z pasikonikowego kryzysu sprzed tygodnia.

— Boże święty, kochanie! — wykrzyknęła zdyszana, prując do kuchni. — Miałaś ciężki tydzień czy co? Wyglądasz okropnie, jak stuletnia staruszka. Wiesz co, kochanie?

Odwróciła się do mnie z czajnikiem w ręku, spuściła skromnie oczy, a potem je podniosła, cała rozpromieniona.

— Co? — mruknęłam niechętnie.

— Dostałam pracę prezenterki w telewizji.
Idę na zakupy.

19 marca, niedziela
56 kg, jedn. alkoholu 3, papierosy 10, kalorie 2465 (ale głównie czekolada).

Hura! Zupełnie nowe, pozytywne spojrzenie na urodziny. Jude opowiedziała mi o książce, którą właśnie czyta, opisującej święta i obrzędy przejścia w kulturach prymitywnych, i spłynął na mnie błogi spokój.

Uświadomiłam sobie, jakie to płytkie i niewłaściwe uważać, że mieszkanie jest za małe, aby podjąć dziewiętnaście osób, i być wściekłą, że wrobiłam się w gotowanie, kiedy wolałabym się wystroić i iść do eleganckiej knajpy z bogiem seksu ze złotą kartą kredytową. Powinnam myśleć o moich przyjaciołach jako o licznej, kochającej się, afrykańskiej, albo może tureckiej, rodzinie.

Nasza kultura przywiązuje zbyt dużą wagę do wyglądu, wieku i pozycji społecznej, kiedy najważniejsza jest miłość. Te dziewiętnaście osób to moi przyjaciele; chcą do mnie przyjść, żeby uczcić moje święto w atmosferze serdeczności i przy prostym domowym posiłku — a nie po to, żeby mnie oceniać. Ugotuję dla nich zapiekankę pasterską — brytyjska kuchnia domowa. Będzie to cudowne, ciepłe, etniczne przyjęcie rodzinne w stylu trzeciego świata.

20 marca, poniedziałek
57 kg, jedn. alkoholu 4 (wprowadzam się w nastrój), papierosy 27 (ale jutro rzucam), kalorie 2455.

Postanowiłam wzbogacić menu o elegancki akcent i podać do zapiekanki pasterskiej belgijską sałatkę z endywii, ruloniki z boczku z rokforem i smażone kiełbaski chorizo (nigdy nie robiłam żadnego z tych dań, ale na pewno są łatwe), a na deser suflety z Grand Marnier. Bardzo się cieszę na to przyjęcie. Na pewno zyskam sławę wspaniałej kucharki i gospodyni.

21 marca, wtorek: urodziny

57 kg, jedn. alkoholu 9*, papierosy 42*, kalorie 4295*.

*Kiedy mam szaleć, jeśli nie w urodziny?

6.30 wieczorem. Muszę zrobić sobie przerwę. Właśnie wdepnęłam w rondel z purée ziemniaczanym nowymi czarnymi zamszowymi szpilkami z Pied à terre (teraz Pied-à-pomme-de-terre), zapomniawszy, że na podłodze i wszystkich kuchennych blatach stoją garnki z mielonym mięsem i purée. Jest 6.30, a muszę jeszcze wyjść do sklepu po ingrediencje do sufletów i inne brakujące rzeczy. O Boże, na umywalce leży tubka żelu antykoncepcyjnego. Muszę też schować tandetne kuchenne pojemniki z wiewiórkami i kartę urodzinową od Jamiego przedstawiającą małe owieczki, z których jedna mówi: „Sto lat, zgadnij, która to ty?", a w środku jest napis: „Ty jesteś już za górką". Grr!

Plan:

6.30. Iść do sklepu.

6.45. Wrócić z zapomnianymi zakupami.

6.45-7.00. Złożyć zapiekankę pasterską do kupy i wstawić do piekarnika (Boże, mam nadzieję, że się zmieści).

7.00-7.05. Przygotować suflety z Grand Marnier. (Chyba najpierw spróbuję tego Grand Marnier. W końcu są moje urodziny.)

7.05-7.10. Mmm. Grand Marnier wyborny. Sprawdzić, czy na talerzach i sztućcach nie ma śladów niechlujnego zmywania i ułożyć je w elegancki wachlarzyk. Aha, muszę też kupić serwetki.

7.10-7.20. Posprzątać i przesunąć meble pod ściany.

7.20-7.30. Zrobić sałatkę i ruloniki z boczku.

W ten sposób zostaje mi pół godziny, żeby się wyszykować, więc nie muszę wpadać w panikę. Mogę sobie zapalić. Aaaaa. Jest za kwadrans siódma. Jak to się stało? Aaaaa.

7.15. Właśnie wróciłam ze sklepu i odkryłam, że zapomniałam kupić masło.

7.35. Cholera. Zapiekanka nadal siedzi w rondlach na kuchennej podłodze, a ja jeszcze nie umyłam głowy.

7.40. O Boże, szukając mleka, odkryłam, że zostawiłam torbę z zakupami w sklepie. Były w niej też jajka. To oznacza, że... O Boże, i oliwa z oliwek... więc nie mogę zrobić belgijskiej endywii.

7.40. Hmm. Najlepiej będzie wejść do wanny z kieliszkiem szampana, a potem się ubrać. Dobrze się prezentując, będę mogła dokończyć gotowanie po przyjściu gości i może uda mi się wysłać Toma po brakujące składniki.

7.55. Aaaa! Dzwonek. Jestem w staniku i w majtkach i mam mokre włosy. Zapiekanka nadal na podłodze. Nienawidzę gości. Harowałam dwa dni, a teraz wszyscy tu wparują, domagając się żarcia jak głodne wilki. Mam ochotę otworzyć drzwi i wrzasnąć: „Spieprzajcie w cholerę".

2 w nocy. Bardzo wzruszona. Za drzwiami stali Magda, Tom, Shazzer i Jude z butelką szampana. Kazali mi się pospieszyć i kiedy suszyłam włosy i kończyłam się ubierać, posprzątali w kuchni i wyrzucili zapiekankę do śmieci. Okazało się, że Magda zarezerwowała duży stół w 192 i powiedziała wszystkim, żeby poszli tam zamiast do mnie, i że już czekają z prezentami i zamiarem postawienia mi kolacji. Magda wyjaśniła, że mieli dziwne, złowróżbne przeczucie, że nic nie wyjdzie z sufletów z Grand Marnier i rokforowych ruloników. Kocham moich przyjaciół, bardziej niż wielką turecką rodzinę w dziwacznych nakryciach głowy.

W świeżo rozpoczętym roku życia reaktywuję postanowienia noworoczne i dodam do nich poniższe:

BĘDĘ

Mniejszą neurotyczką i histeryczką.

NIE BĘDĘ

Sypiać z Danielem Cleaverem ani zwracać na niego uwagi.

KWIECIEŃ

Równowaga wewnętrzna

2 kwietnia, niedziela

57 kg, jedn. alkoholu 0 (wspaniale), papierosy 0, kalorie 2250.

Czytałam w jakimś artykule, że Kathleen Tynan, śp. żona śp. Kennetha*, odznaczała się równowagą wewnętrzną i pisała listy, siedząc w nieskazitelnym stroju przy małym stoliku na środku salonu i sącząc schłodzone białe wino. Gdyby Kathleen Tynan spóźniała się z recenzją dla Perpetuy, nie leżałaby przerażona i kompletnie ubrana pod kołdrą, paląc papierosa za papierosem, żłopiąc zimną sake z kufla i robiąc sobie makijaż (histeryczna czynność zastępcza). Kathleen Tynan nigdy by nie pozwoliła, żeby Daniel Cleaver z nią sypiał, ilekroć ma na to ochotę, ale nie był jej facetem. Ani nie przesadzałaby z piciem i potem chorowała. Chciałabym być taka jak Kathleen Tynan (tylko, oczywiście, żywa).

Dlatego też ostatnio, gdy zaczynam tracić kontrolę nad sytuacją, powtarzam zwrot: „równowaga wewnętrzna" i wyobrażam sobie, że siedzę w białej lnianej sukni przy stoliku ozdobionym kwiatami. Równowaga wewnętrzna. Nie palę od sześciu dni. Odnoszę się do Daniela godnie i wyniośle i nie koresponduję, nie flirtuję ani nie sypiam z nim od trzech tygodni. W zeszłym tygodniu wypiłam tylko trzy jednostki alkoholu, co było niechętnym ustępstwem na rzecz Toma, który narzekał, że spędzanie

---

* Kenneth Tynan (1927-1980) — najbardziej wpływowy brytyjski krytyk teatralny drugiej połowy XX w.

wieczoru z nową, wolną od nałogów mną przypomina pójście na kolację ze ślimakiem, przegrzebkiem albo innym flakowatym morskim stworzeniem.

Moje ciało jest świątynią. Zastanawiam się, czy mogę już iść spać. O nie, dopiero 8.30. Równowaga wewnętrzna. Ooch! Telefon.

9 wieczorem. Dzwonił mój ojciec, mówiący dziwnym, urywanym głosem, jakby był kosmitą.

— Bridget. Włącz telewizor. Na BBC1.

Zmieniłam kanał i aż mną rzuciło z przerażenia. Była to zapowiedź programu Anne i Nicka i na kanapie między nimi, znieruchomiała w romboidalnej stop-klatce, siedziała moja matka, wytapirowana i wymalowana jak jakaś cholerna Oprah Winfrey.

— Nick — odezwała się uprzejmie Anne.

— Zapowiadamy nasz nowy wiosenny cykl — powiedział Nick. — *Ponownie wolna*: problem, przed którym staje coraz więcej kobiet. Anne.

— I przedstawiamy naszą nową prezenterkę, Pam Jones — dodała Anne — która sama jest ponownie wolna i debiutuje w telewizji.

Kiedy Anne mówiła, romb z moją matką został odmrożony, świsnął na pierwszy plan, zasłaniając Anne i Nicka, i okazało się, że mama podtyka mikrofon pod nos jakiejś myszowatej kobiecie.

— Czy miewasz myśli samobójcze? — ryknęła mama.

— Tak — odparła myszowata i wybuchnęła płaczem, a wtedy obraz znów znieruchomiał, skurczył się i śmignął w róg ekranu, aby odsłonić Anne i Nicka, siedzących na kanapie z grobowymi minami.

Tata był zdruzgotany. Mama nie powiedziała mu o pracy w telewizji. Wygląda na to, że tata stosuje mechanizm zaprzeczania i wmówił sobie, że mama przeżywa zwyczajny kryzys wieku starczego i już zrozumiała, że popełniła błąd, ale za bardzo się wstydzi, żeby do niego wrócić.

Jestem jak najbardziej za zaprzeczaniem. Możesz sobie wmówić dowolny scenariusz i być szczęśliwy jak fretka — pod warunkiem, że twoja eks-partnerka nie pojawi się nagle na ekranie telewizora, budując nową karierę na porzuceniu roli twojej żony. Próbowałam pocieszyć tatę, że to nie znaczy, że nie ma już nadziei, i że mama może planować powrót do niego jako chwytliwe zakończenie cyklu, ale mi nie uwierzył. Biedaczek. Chyba nic nie wie o Juliu i facecie z urzędu skarbowego. Spytałam, czy chce, żebym przyjechała na weekend: moglibyśmy pójść w sobotę na jakąś miłą kolacyjkę i może wybrać się w niedzielę na spacer, ale powiedział, że da sobie radę. Uma i Geoffrey Alconbury urządzają w sobotę staroangielską kolację dla Lifeboatu.

4 kwietnia, wtorek

Postanowiłam zaradzić ciągłym spóźnieniom do pracy i rośnięciu pocztowej piramidy z ponagleniami z banku itp. Rozpocznę program samodoskonalenia od analizy czasowo-ruchowej.

7.00. Ważę się.

7.03. Wracam do łóżka przygnębiona wagą. Stan psychiczny zły. Dalsze spanie niemożliwe, wstanie też. Myślę o Danielu.

7.30. Głód wygania mnie z łóżka. Robię kawę, zastanawiam się nad grejpfrutem. Rozmrażam czekoladowego croissanta.

7.35-7.50. Wyglądam przez okno.

7.55. Otwieram szafę. Gapię się na ciuchy.

8.00. Wybieram bluzkę. Próbuję znaleźć czarną spódnicę mini z lycry. Wyciągam ciuchy z dna szafy. Przetrząsam szuflady i zaglądam za krzesło w sypialni. Przetrząsam kosz z rzeczami do prasowania. Przetrząsam kosz z rzeczami do prania. Spódnica zniknęła. Dla odprężenia zapalam papierosa.

8.20. Masaż skóry na sucho (walka z cellulitis), kąpiel i mycie głowy.

8.35. Zaczynam wybierać bieliznę. Na skutek kryzysu pralniczego do dyspozycji wyłącznie wielkie białe majtasy z bawełny. Zbyt nieestetyczne, nawet do pracy (złe oddziaływanie na psychikę). Wracam do kosza z rzeczami do prasowania. Znajduję bardzo małe czarne figi z koronki — kłujące, ale lepsze od bawełnianej ohydy.

8.45. Przechodzę do czarnych nieprześwitujących rajstop. Para nr 1 najwyraźniej się skurczyła — krok jest nieco powyżej kolan. W drugiej parze odkrywam dziurę na łydce. Wyrzucam. Przypominam sobie, że byłam w spódnicy z lycry, kiedy ostatni raz wróciłam do domu z Danielem. Idę do pokoju. Triumfalnie wyciągam spódnicę spomiędzy poduszek na kanapie.

8.55. Wracam do rajstop. Para nr 3 ma dziurę tylko w palcach. Wkładam. Z dziury robi się drabinka, która będzie wystawała z buta. Idę do kosza z rzeczami do prasowania. Znajduję ostatnią parę czarnych nieprześwitujących rajstop zwiniętą w kłębek i upstrzoną kłaczkami waty. Rozplątuję kłębek i wyskubuję watę.

9.05. Jestem już w rajstopach. Wkładam spódnicę. Zaczynam prasować bluzkę.

9.10. Spostrzegam, że włosy schną idiotycznie. Szukam szczotki. Znajduję ją w torebce. Suszę włosy suszarką. Nie chcą się ułożyć. Psikam na nie wodą ze spryskiwacza do kwiatów i suszę od nowa.

9.40. Wracam do prasowania i odkrywam uporczywą plamę na przodzie bluzki. Inne pasujące bluzki brudne. Panika — jestem już spóźniona. Próbuję sprać plamę i moczę całą bluzkę. Suszę ją żelazkiem.

9.55. Bardzo spóźniona. Zapalam papierosa i przez pięć minut czytam folder biura podróży, żeby uspokoić nerwy.

10.00. Próbuję znaleźć torebkę. Torebka zniknęła. Idę sprawdzić, czy listonosz przyniósł coś miłego.

10.07. Tylko pismo z Accessu, w sprawie niepłatności minimalnej płatności. Próbuję sobie przypomnieć, czego szukałam. Wznawiam poszukiwania torebki.

10.15. Katastrofalnie spóźniona. Przypominam sobie, że miałam torebkę w sypialni, kiedy szukałam szczotki, ale nie mogę jej znaleźć. W końcu odkrywam zgubę pod stertą ubrań. Chowam ubrania do szafy. Wkładam żakiet. Jestem gotowa do wyjścia. Nie mogę znaleźć kluczy. Wściekła przetrząsam mieszkanie.

10.25. Znajduję klucze w torebce. Odkrywam, że zapomniałam szczotki.

10.35. Wychodzę z domu.

Trzy godziny i trzydzieści pięć minut od przebudzenia do wyjścia z domu to za długo. W przyszłości muszę wstawać, jak tylko się obudzę, i zreformować system prania. Przeczytałam dziś w gazecie, że jakiś skazany za morderstwo Amerykanin jest przekonany, że władze wszczepiły mu mikroczujnik w tyłek, żeby kontrolować jego ruchy (nie robaczkowe), i przeraziła mnie myśl, co by było, zwłaszcza rano, gdybym sama miała taki mikroczujnik w tyłku.

5 kwietnia, środa

56,5 kg, jedn. alkoholu 5 (przez Jude), papierosy 2 (może się zdarzyć każdemu — nie znaczy, że znów zaczęłam palić), kalorie 1765, zdrapki 2.

Opowiedziałam dziś Jude o równowadze wewnętrznej, a ona na to, że czyta właśnie poradnik o zen. Wyjaśniła, że kiedy spojrzymy na życie, zen da się zastosować do wszystkiego — zen i sztuka robienia zakupów, zen i sztuka szukania mieszkania itp. Powiedziała, że trzeba poddać się prądowi, a nie walczyć. Jeżeli masz jakiś problem czy coś ci nie wychodzi, zamiast się wysilać czy wściekać, powinieneś się odprężyć i wyczuć kierunek prądu, a wszystko się ułoży. Weźmy sytuację, ciągnęła, kiedy nie możesz otworzyć zamka: jeśli będziesz przekręcać klucz na siłę, pogorszysz sprawę, ale jeśli go wyjmiesz, posmarujesz błyszczykiem do ust i zdasz się na wyczucie — eureka! Ale mam nie wspominać o tym Sharon, która uważa, że to bzdura.

6 kwietnia, czwartek

Umówiłam się z Jude na spokojnego drinka, żeby jeszcze pogadać o prądzie, i po wejściu do knajpy zobaczyłam w ustronnym kąciku znajomego superprzystojniaka w garniturze: był to Jeremy Magdy. Pomachałam do niego, a wtedy zbladł z przerażenia, co sprawiło, że spojrzałam na jego towarzyszkę, która a) nie była Magdą, b) nie skończyła trzydziestki, c) miała na sobie garsonkę, którą dwa razy przymierzałam w Whistles i której nie kupiłam, bo była za droga. Wredna małpa.

Czułam, że Jeremy chce się wykręcić miną typu: „Cześć, nie teraz", która potwierdza starą, zażyłą i wierną przyjaźń, ale jednocześnie daje do zrozumienia, że nie jest to właściwy moment, aby pieczętować tę przyjaźń całusami i długą pogawędką. Miałam już na to pójść, gdy nagle pomyślałam: zaraz, zaraz! Siostrzeństwo! Solidarność! Magda! Jeżeli mąż Magdy nie ma powodu, aby wstydzić się kolacyjki z tą wstrętną zdzirą w m o j e j garsonce, to mi ją przedstawi.

Ruszyłam do jego stolika, na co zagłębił się w rozmowie ze zdzirą, a kiedy ich mijałam, podniósł głowę i posłał mi szeroki, bezczelny uśmiech, który znaczył: „spotkanie służbowe". Odpowiedziałam spojrzeniem, które znaczyło: „Nie wciskaj mi kitu" i dumnie pomaszerowałam dalej.

Ale co mam teraz zrobić? Powiedzieć Magdzie? Nie mówić Magdzie? Zadzwonić do Magdy i zapytać, czy wszystko gra? Zadzwonić do Jeremy'ego i zapytać, czy wszystko gra? Zadzwonić do Jeremy'ego i zagrozić, że jeśli nie rzuci małpy w mojej garsonce, wysypię go Magdzie? Czy pilnować własnego nosa?

Przypomniawszy sobie o zen, Kathleen Tynan i równowadze wewnętrznej, wykonałam pozdrowienie słońca, które pamiętałam z dawnego kursu jogi, i koncentrowałam się, myśląc o wewnętrznym kole, póki nie przyszedł prąd. Wtedy spokojnie postanowiłam, że nic nikomu nie powiem, bo plotka to jadowita trucizna. Będę za to często dzwonić do Magdy, żeby wiedziała, że może na mnie liczyć, a wtedy, jeśli coś jest nie w porządku (co na pewno, dzięki kobiecej intuicji, wyczuje), sama mi się zwierzy. Wówczas, jeśli będzie to zgodne z prądem, powiem jej, co widziałam. Walką nie można osiągnąć nic wartościowego; trzeba poddać się prądowi. Zen i sztuka życia. Zen. prąd. Hmmm, ale co spowodowało, że wpadłam na Jeremy'ego i wstrętną zdzirę, jeśli nie prąd? I co to w takim razie znaczy?

11 kwietnia, wtorek

55,5 kg, jedn. alkoholu 0, papierosy 0, zdrapki 9 (to musi się skończyć).

U Magdy i Jeremy'ego wszystko po staremu, więc może naprawdę było to spotkanie służbowe. Może idea prądu jest słuszna, bo nie ma wątpliwości, że relaksując się i poddając wibracjom, podjęłam właściwą decyzję.

W przyszłym tygodniu jestem zaproszona na superelegancką premierę *Motocykla Kafki*. Postanowiłam, że zamiast się bać, chować po kątach i wrócić do domu nawalona i przygnębiona, rozwinę swoje talenty towarzyskie i wyciągnę korzyść z przyjęcia — zgodnie z wytycznymi artykułu, który właśnie przeczytałam.

Tina Brown z „New Yorkera" wspaniale sobie radzi na przyjęciach, sunąc z wdziękiem od grupki do grupki i wołając: „Martin Amis! Nelson Mandela! Richard Gere!" tonem, który oznacza: „Mój Boże, w życiu nie byłam tak zachwycona niczyim widokiem! Czy poznaliście już najbardziej fascynującą osobę na przyjęciu, nie licząc was? Rozmawiajcie! Muszę nawiązywać kontakty! Paaa!" Chciałabym być taka jak Tina Brown, tylko, oczywiście, mniej zapracowana.

Artykuł zawiera mnóstwo użytecznych wskazówek. Nie wolno z nikim rozmawiać dłużej niż dwie minuty. Kiedy czas mija, mówisz po prostu: „Chyba powinniśmy krążyć. Miło mi było pana/panią poznać" i odchodzisz. Jeśli zabraknie ci słów, gdy spytasz kogoś, co robi, a on odpowie: „Jestem przedsiębiorcą pogrzebowym" albo: „Zajmuję się ściąganiem zaległych alimentów", możesz spytać: „Lubi pan/pani tę pracę?" Kiedy poznajesz ze sobą dwie osoby, podaj kilka informacji o każdej z nich, żeby miały konwersacyjny punkt zaczepienia, np.: „To jest John, pochodzi z Nowej Zelandii i lubi windsurfing" albo: „Gina skacze ze spadochronem i mieszka na barce".

Co najważniejsze, nie wolno iść na przyjęcie bez ściśle określonego celu: może to być rozszerzenie sieci kontaktów zawodowych, zawarcie bliższej znajomości z konkretną osobą czy też

„zamknięcie" ważnej umowy. Teraz rozumiem, na czym polegał mój błąd. Chodziłam na przyjęcia uzbrojona tylko w jeden cel: żeby się za bardzo nie upić.

17 kwietnia, poniedziałek

56 kg, jedn. alkoholu 0 (bdb), papierosy 0 (bdb), zdrapki 5 (ale wygrałam 2 funty, więc w sumie wydałam tylko 3).

Dobrze. Jutro *Motocykl Kafki*. Zamierzam ułożyć listę celów. Za chwilę. Najpierw obejrzę reklamy i zadzwonię do Jude.

No dobrze.

1) Za bardzo się nie upić.
2) Rozszerzyć sieć kontaktów zawodowych.

Hmmm. Wymyślę następne później.

11 wieczorem. No dobrze.

3) Rozwinąć talenty towarzyskie wg wskazówek z artykułu.
4) ~~Sprawić, żeby Daniel zauważył, że posiadam równowagę wewnętrzną i zapragnął znów się ze mną przespać. Nie. Nie.~~
~~4)Poderwać boga seksu.~~
4) Nawiązać interesujące kontakty w środowisku wydawniczym i w miarę możliwości w innych środowiskach celem zmiany pracy.

O Boże, nie chcę iść na to okropne przyjęcie. Chcę zostać w domu z butelką wina i obejrzeć *Eastenders*.

18 kwietnia, wtorek

57 kg, jedn. alkoholu 7 (Boże!), papierosy 30, kalorie (wolę nie myśleć), zdrapki 1 (wspaniale).

Przyjęcie zaczęło się źle, bo nie widziałam żadnych osób, które mogłabym ze sobą poznać. Znalazłam jakiegoś drinka, a potem wypatrzyłam Perpetuę rozmawiającą z Jamesem z „Telegraphu". Odważnie do nich podeszłam, gotowa wkroczyć do akcji, ale Perpetua mnie zignorowała. Zamiast powiedzieć: „James, Bridget pochodzi z Northamptonshire i lubi gimnastykę" (zamierzam znów zacząć chodzić na siłownię), po prostu nawijała dalej, grubo ponad przepisowe dwie minuty.

Postałam chwilę obok, czując się jak kompletna kretynka, aż nagle dojrzałam Simona z marketingu. Sprytnie udając, że wcale nie chciałam się włączyć do rozmowy Perpetuy, ruszyłam w kierunku Simona, przygotowując się, by zawołać: „Simon Barnett!" w stylu Tiny Brown. Ale gdy znalazłam się parę kroków od niego, spostrzegłam, niestety, że rozmawia z Julianem Barnesem. Podejrzewając, że nie zdołam wykrzyknąć: „Simon Barnett! Julian Barnes!" odpowiednio radośnie i głośno, przystanęłam niepewnie, po czym zaczęłam się wycofywać, a wtedy Simon zapytał protekcjonalnym i podszytym irytacją tonem (jakiego, co ciekawe, nigdy nie używa, kiedy próbuje mnie obłapić przy kserokopiarce):

— Chciałaś coś, Bridget?

— A! Tak! — odparłam, zastanawiając się gorączkowo, czego mogłabym chcieć. — Yyy...

— Taaak?

Simon i Julian Barnes patrzyli na mnie wyczekująco.

— Wiecie, gdzie są toalety? — wypaliłam.

Cholera! Dlaczego? Dlaczego to powiedziałam? Zobaczyłam, że na wąskie, ale zmysłowe usta Juliana Barnesa wypływa lekki uśmiech.

— Ach, chyba są tam. Bomba. Dzięki — wybąkałam i rzuciłam się do wyjścia.

Za wahadłowymi drzwiami oparłam się o ścianę, łapiąc oddech i powtarzając w myślach: „równowaga wewnętrzna, równowaga wewnętrzna". Nie dało się ukryć, jak dotąd nie szło mi najlepiej.

Spojrzałam tęsknie na schody. Perspektywa powrotu do domu, włożenia koszuli nocnej i włączenia telewizora wydała mi się nagle nieodparcie pociągająca. Przypomniałam sobie jednak o liście celów, wzięłam głęboki oddech, wymamrotałam: „równowaga wewnętrzna” i wróciłam na salę. Perpetua nadal stała przy drzwiach, rozmawiając ze swoimi upiornymi przyjaciółkami Piggy i Arabellą.

— A, Bridget — powiedziała, podając mi swój kieliszek. — Idziesz po drinka?

Kiedy wróciłam z trzema kieliszkami wina i butelką Perriera, nawijały jak nakręcone.

— Moim zdaniem to skandaliczne. Prowadzi do tego, że tysiące ludzi poznają arcydzieła literatury — Austen, Eliot, Dickensa, Szekspira i tak dalej — wyłącznie za pośrednictwem telewizji.

— Masz zupełną rację. To absurdalne. Karygodne.

— Absolutnie. Myślą, że to, co widzą, skacząc po kanałach między *Noel's House Party* i *Randką w ciemno,* naprawdę j e s t Austen czy Eliot.

— *Randka w ciemno* jest w soboty — wtrąciłam.

— Słucham? — zwróciła się do mnie Perpetua.

— *Randka w ciemno* jest w soboty o siódmej piętnaście, po *Gladiatorach.*

— Co z tego? — spytała Perpetua drwiącym tonem, zerkając na Arabellę i Piggy.

— Adaptacje wielkich dzieł literackich nie są pokazywane w sobotnie wieczory.

— Spójrzcie, to Mark — przerwała mi Perpetua.

— Boże, rzeczywiście — pisnęła Arabella. — Rozwiódł się z żoną, prawda?

— Chciałam powiedzieć, że w tym czasie co arcydzieła literatury nie idzie nic tak dobrego jak *Randka w ciemno*, więc nie sądzę, żeby dużo ludzi skakało po kanałach.

— Och, więc *Randka w ciemno* jest „dobra”? — prychnęła Perpetua.

— Tak, jest bardzo dobra.

— Chyba zdajesz sobie sprawę, Bridget, że *Middlemarch* był pierwotnie książką, a nie operą mydlaną?

Nienawidzę Perpetuy, kiedy się tak zachowuje. Głupia stara prukwa.

— Myślałam, że książka powstała na podstawie scenariusza — odparłam ponuro, po czym złapałam z tacy garść koreczków z krewetek i wepchnęłam je do ust. Kiedy podniosłam wzrok, zobaczyłam tuż przed sobą jakiegoś bruneta w garniturze.

— Cześć, Bridget — powiedział.

Omal nie wyplułam wszystkich koreczków. Był to Mark Darcy. Ale bez swetra w romby à la sprawozdawca sportowy.

— Cześć — wymamrotałam przez koreczki, starając się nie wpaść w panikę. Przypomniawszy sobie artykuł, odwróciłam się do Perpetuy. — Mark, Perpetua jest... — zaczęłam i urwałam sparaliżowana. Co mam powiedzieć? Perpetua jest bardzo gruba i cały czas rozstawia mnie po kątach? Mark jest bardzo bogaty i miał żonę pochodzącą z okrutnej rasy?

— Tak? — powiedział Mark.

— ...jest moją szefową i kupuje mieszkanie w Fulham, a Mark — ciągnęłam, odwracając się z desperacją do Perpetuy — jest wybitnym obrońcą praw człowieka.

— Och, witaj, Mark. Oczywiście słyszałam o tobie — zagęgała Perpetua, jakby była Prunellą Scales z *Hotelu Zacisze*, a on księciem Edynburga.

— Cześć, Mark! — ćwierknęła Arabella, otwierając szeroko oczy i mrugając powiekami w sposób, który uważała zapewne za uwodzicielski. — Nie widziałam cię od wieków. Jak było w Big Apple?

— Rozmawiamy właśnie o hierarchiach kultury — ryknęła Perpetua. — Bridget należy do osób, które sądzą, że początek *Randki w ciemno* dorównuje monologowi „Spójrz, mam jednak broń" z *Otella* — powiedziała, pękając ze śmiechu.

— W takim razie Bridget jest wybitną postmodernistką — odrzekł Mark Darcy. — To Natasha — dodał, wskazując stojącą obok wysoką, chudą, elegancką dziewczynę — Natasha jest wybitną specjalistką od prawa rodzinnego.

Miałam wrażenie, że się ze mnie nabija. Bezczelny drań.

— Jeżeli chodzi o klasykę — powiedziała Natasha ze znaczącym uśmiechem — zawsze uważałam, że ludzie powinni dowieść, iż czytali książkę, zanim pozwoli im się obejrzeć ekranizację w telewizji.

— Całkowicie się zgadzam — odparła Perpetua, wydając z siebie kolejny ryk śmiechu. — Wspaniały pomysł!

Czułam, że w myślach usadza już Marka Darcy'ego i Natashę przy stole na swoim sloaneyowskim przyjęciu.

— Powinno się zabronić ludziom słuchać sygnału mistrzostw świata — zagrzmiała Arabella — póki nie udowodnią, że wysłuchali całej *Turandot*!

— Choć, oczywiście, pod wieloma względami — podjęła Natasha, nagle poważna, jakby się przestraszyła, że rozmowa zmierza w niewłaściwym kierunku — demokratyzacja kultury jest dobrą rzeczą...

— Oprócz pana Blobby'ego*, którego należało przekłuć w chwili narodzin — wrzasnęła Perpetua.

Mimowolnie zerknęłam na jej tyłek, myśląc: „Przyganiał kocioł garnkowi", i spostrzegłam, że Mark Darcy patrzy w tę samą stronę.

— Czego jednak nienawidzę — zaperzyła się Natasha, jakby przemawiała w klubie dyskusyjnym Oksfordu czy Cambridge — to tego aroganckiego indywidualizmu, który wyobraża sobie, że każde następne pokolenie może stworzyć świat od nowa.

— Kiedy naprawdę go stwarza — zauważył łagodnie Mark Darcy.

— No cóż, jeśli chcesz to rozpatrywać na tym poziomie... — obraziła się Natasha.

— Na jakim poziomie? — zapytał Mark. — To nie poziom, to słuszna uwaga.

— Nie. Nie. Wybacz, ale specjalnie udajesz, że mnie nie rozumiesz — odparła Natasha, stając w pąsach. — Nie mówię

---

* Pan Blobby — podobny do żaby stwór w kostiumie z różowego lateksu, jedno z wcieleń Noela Edmondsa w programie *Noel's House Party*.

o ożywczej dekonstrukcjonalistycznej świeżości wizji. Mówię o ostatecznej wandalizacji struktur kulturowych.

Mark Darcy zrobił taką minę, jakby miał wybuchnąć śmiechem.

— Chodzi mi o to, że jeśli ktoś zajmuje takie milusie, moralnie relatywistyczne stanowisko typu „*Randka w ciemno* jest świetna"... — ciągnęła Natasha, spoglądając z urazą w moją stronę.

— Nie zajmuję żadnego stanowiska — wpadłam jej w słowo. — Po prostu naprawdę lubię *Randkę w ciemno*. Chociaż uważam, że byłoby lepiej, gdyby kandydaci mogli sami odpowiadać na pytania, zamiast odczytywać te głupie gotowe odpowiedzi pełne gier słów i aluzji do seksu.

— Tak jest — wtrącił Mark.

— Ale nie znoszę *Gladiatorów*. Kiedy ich oglądam, czuję się gruba — dodałam. — Miło było was spotkać. Pa!

Czekałam w szatni na płaszcz, rozmyślając o wpływie nieobecności swetra w romby na męską atrakcyjność, gdy poczułam, że czyjeś dłonie obejmują mnie lekko w talii. Odwróciłam się.

— Daniel!

— Jones! Dlaczego uciekasz tak wcześnie? — Pochylił się i cmoknął mnie w policzek. — Mmmmmmm, ładnie pachniesz — dodał, podsuwając mi papierosy.

— Nie, dziękuję, odnalazłam równowagę wewnętrzną i rzuciłam palenie — wyrecytowałam niczym zaprogramowana stepfordzka żona, pragnąc, żeby Daniel nie był taki atrakcyjny, kiedy kobieta znajdzie się z nim sam na sam.

— Co ty powiesz? — Uśmiechnął się złośliwie. — Równowaga wewnętrzna?

— Tak — odparłam sztywno. — Byłeś na przyjęciu? Nie widziałam cię.

— Wiem. Ale ja widziałem ciebie. Rozmawiałaś z Markiem Darcym.

— Skąd znasz Marka Darcy'ego? — zapytałam zdumiona.

— Z Cambridge. Nie znoszę kretyna. Cholerny mięczak. Skąd ty go znasz?

— Jest synem Malcolma i Elaine Darcych — zaczęłam i omal nie powiedziałam: „Znasz Malcolma i E l a i n e, kochanie. Odwiedzili nas, kiedy mieszkaliśmy w Buckingham...”

— Kim, do diabła...

— To znajomi moich rodziców. Bawiłam się z Markiem w baseniku.

— Nie wątpię — mruknął. — Ty mała zbereźnico. Chcesz iść na kolację?

„Równowaga wewnętrzna”, powiedziałam sobie, „równowaga wewnętrzna”.

— No chodź, Bridge — ciągnął, nachylając się do mnie uwodzicielsko. — Musimy poważnie porozmawiać o twojej bluzce. Jest strasznie... chuda. Tak chuda, kiedy jej się przyjrzeć, że prawie jej nie ma. Przyszło ci kiedyś do głowy, że twoja bluzka może cierpieć na... b u l i m i ę?

— Jestem z kimś umówiona — wyszeptałam rozpaczliwie.

— Proszę, Bridge.

— Nie — odparłam ze stanowczością, która mnie zaskoczyła.

— Szkoda — powiedział miękko. — Do poniedziałku.

I odchodząc, omiótł mnie takim spojrzeniem, że omal nie rzuciłam się za nim z krzykiem: „Przeleć mnie! Przeleć mnie!”

11 wieczorem. Zadzwoniłam do Jude i opowiedziałam jej o incydencie z Danielem, jak również o synu Malcolma i Elaine Darcych, z którym mama i Una próbowały mnie wyswatać na noworocznym indyku curry — że pojawił się na przyjęciu i wyglądał całkiem apetycznie.

— Chwileczkę — powiedziała Jude. — M a r k Darcy? Ten prawnik?

— Tak. Co, ty też go znasz?

— No tak. To znaczy, pracował dla nas. Jest niesamowicie miły i atrakcyjny. Wydawało mi się, że mówiłaś, że ten facet z indyka curry był kompletnym bucem.

Grr! Cholerna Jude.

22 kwietnia, sobota
54 kg, jedn. alkoholu 0, papierosy 0, kalorie 1800.

To historyczny i radosny dzień. Po osiemnastu latach starań, żeby zejść na 54 kilogramy, wreszcie osiągnęłam cel. Waga nie oszukuje, potwierdzają to dżinsy. Jestem chuda. Nie da się tego racjonalnie wytłumaczyć. W zeszłym tygodniu byłam dwa razy na siłowni, ale nie był to żaden ewenement. Jadłam normalnie. To cud. Zadzwoniłam do Toma, który powiedział, że mogę mieć tasiemca. Aby się go pozbyć, mam sobie podstawić pod usta miskę ciepłego mleka i ołówek. (Podobno tasiemce uwielbiają ciepłe mleko.) Otworzyć usta i kiedy tasiemiec wystawi główkę, owinąć go ostrożnie wokół ołówka.

— Posłuchaj — odparłam — ten tasiemiec zostaje. Kocham mojego tasiemca. Nie tylko jestem chuda, ale nie mam już ochoty palić ani żłopać wina.

— Jesteś zakochana? — spytał Tom podejrzliwym, zazdrosnym tonem.

Zawsze jest taki. Oczywiście nie chodzi o to, że chciałby być ze mną, bo jest gejem. Ale kiedy jesteś samotny, nie chcesz, żeby twoja najlepsza przyjaciółka znalazła partnera. Zastanowiłam się chwilę i wstrząsnęło mną nagłe, niesamowite odkrycie. Nie jestem już zakochana w Danielu. Jestem wolna.

25 kwietnia, wtorek
54 kg, jedn. alkoholu 0 (wspaniale), papierosy 0 (bdb!), kalorie 995 (tak trzymać).

Grr! Bardzo z siebie dumna poszłam dziś wieczorem na imprezę do Jude w obcisłej małej czarnej, żeby pochwalić się figurą.

— Boże, dobrze się czujesz? — spytała Jude, gdy tylko weszłam. — Wyglądasz na bardzo zmęczoną.

— Czuję się świetnie — odparłam zbita z tropu. — Zrzuciłam trzy kilo. Bo co?

— Nic, nic. Pomyślałam tylko...

— Co?

— Może zrzuciłaś je trochę za szybko, zwłaszcza z... twarzy — dokończyła, patrząc na mój, przyznaję, nieco spłaszczony biust.

Simon był taki sam.

— Bridgiiiiiit! Masz fajki?

— Nie, rzuciłam.

— O rany, nic dziwnego, że wyglądasz tak...

— Jak?

— Trochę... mizernie.

I tak cały wieczór. Nie ma nic gorszego od słuchania, że sprawiasz wrażenie zmęczonej. Mogliby się już nie szczypać i powiedzieć, że wyglądam jak zmora. Byłam zadowolona z siebie, że nie piję, ale kiedy wszyscy się wstawili, poczułam się o tyle od nich lepsza, że drażniło to nawet mnie samą. Nie chciało mi się rozmawiać na żaden temat i po prostu siedziałam, kiwając głową z obojętną wyższością.

— Możesz mi zaparzyć rumianku? — poprosiłam w pewnym momencie Jude, która przechodziła koło mnie chwiejnym krokiem, czkając radośnie, po czym dostała ataku śmiechu, objęła mnie ramieniem i rąbnęła na podłogę. Stwierdziłam, że lepiej już pójdę.

W domu położyłam się do łóżka, przytknęłam głowę do poduszki... i nic. Przekładałam głowę z miejsca na miejsce, ale nie mogłam zasnąć. Normalnie już bym chrapała i śniła o czymś koszmarnym. Zapaliłam światło. Było raptem wpół do dwunastej. Może powinnam coś zrobić, na przykład... napić się? Równowaga wewnętrzna. Zadzwonił telefon. Był to Tom.

— Dobrze się czujesz?

— Tak. Doskonale. Dlaczego?

— Byłaś dziś jakaś taka... drętwa. Wszyscy stwierdzili, że nie byłaś sobą.

— Czułam się świetnie. Zauważyłeś, jak schudłam?

Cisza.

— Tom?

— Uważam, że przedtem wyglądałaś lepiej, kochanie.

Teraz czuję się pusta i oszołomiona — jakby ziemia usunęła mi się spod nóg. Osiemnaście lat poszło na marne. Osiemnaście lat liczenia kalorii i jednostek tłuszczu. Osiemnaście lat noszenia długich bluzek i workowatych swetrów i wychodzenia z pokoju rakiem w intymnych sytuacjach, żeby ukryć tyłek. Miliony nie zjedzonych serników i tiramisu, dziesiątki milionów plasterków ementalera. Osiemnaście lat zmagań, poświęceń i wysiłków — i po co? Wyglądam na „zmęczoną i drętwą". Czuję się jak naukowiec, który odkrył, że dzieło jego życia było kompletną pomyłką.

27 kwietnia, czwartek

Jedn. alkoholu 0, papierosy 0, zdrapki 12 (b.b. źle, ale za to się nie ważyłam i nie myślałam o odchudzaniu; bdb).

Muszę przestać kupować zdrapki, ale problem w tym, że naprawdę dość często wygrywam. Zdrapki są dużo lepsze od totolotka, bo nie podają już wyników losowania w trakcie *Randki w ciemno* (nie leci w tej chwili), a poza tym zwykle się okazuje, że nie wytypowałaś trafnie ani jednego numeru, przez co czujesz się bezsilna i oszukana, i możesz co najwyżej podrzeć kupon na strzępy.

Natomiast zdrapki są grą, w której bierze się czynny udział — musisz odsłonić sześć kwot pieniężnych, co jest nierzadko ciężkim i wymagającym wprawy zadaniem — i nigdy nie masz uczucia, że nie miałaś szans. Trzy takie same kwoty dają wygraną i wiem z doświadczenia, że często jest się bardzo blisko. Odsłaniałam już nawet po dwie pary na sumy rzędu 50 tysięcy funtów.

Poza tym nie można sobie odmawiać wszystkich przyjemności. Kupuję tylko cztery czy pięć zdrapek dziennie, a niedługo w ogóle przestanę.

28 kwietnia, piątek

Jedn. alkoholu 14, papierosy 64, kalorie 8400 (bdb, dopóki nie policzyłam. Ciężka obsesja dietetyczna), zdrapki 0.

Wczoraj wieczorem o 8.45 nalewałam sobie wodę do wanny na relaksującą aromaterapeutyczną kąpiel i sączyłam rumianek, gdy nagle zawył jakiś alarm samochodowy. Prowadzę na naszej ulicy kampanię przeciwko alarmom, które są nie do zniesienia i odnoszą wręcz odwrotny skutek, bo prędzej włamie ci się do samochodu wściekły sąsiad chcący draństwo wyłączyć niż złodziej.

Tym razem jednak, zamiast wpaść w szał i wezwać policję, zrobiłam tylko głęboki wdech i wymamrotałam: „równowaga wewnętrzna". Zadzwonił dzwonek. Podniosłam słuchawkę domofonu. Bardzo wytworny głos zabeczał: „On ma pieprzony romans", a potem rozległ się histeryczny szloch. Zbiegłam na ulicę, gdzie zalana łzami Magda gmerała pod kierownicą saaba kabrioletu, który wydawał przeraźliwie głośne „dołii-dołii-dołii" i migał wszystkimi światłami, a mały Harry darł się na tylnym siedzeniu, jakby zagryzał go kot.

— Wyłącz to! — wrzasnął ktoś z okna na piętrze.

— Nie mogę, do cholery! — odwrzasnęła Magda, szarpiąc za maskę samochodu. — Jerrers! — wydarła się do komórki. — Jerrers, ty pieprzony dziwkarzu! Jak się otwiera maskę saaba?

Magda ma bardzo wytworny akcent. Nasza ulica nie jest wytworna. Należy do tych, gdzie nadal wiszą w oknach plakaty „Wolność dla Nelsona Mandeli".

— Nie wrócę do ciebie, draniu! — ryczała Magda. — Powiedz mi tylko, jak się otwiera tę cholerną maskę!

Siedziałyśmy z Magdą w samochodzie, szarpiąc wszystkie możliwe dźwignie, a Magda pociągała od czasu do czasu z butelki Laurent-Perrier. Wkrótce nadjechał z rykiem silnika Jeremy na harleyu-davidsonie. Ale zamiast zgasić alarm, zaczął wywlekać dziecko z fotelika, więc Magda rozdarła się na niego. Nagle Dan, Australijczyk, który mieszka pode mną, otworzył okno.

— Hej, Bridgid — krzyknął. — Woda leje mi się przez sufit.

— Cholera! Wanna!

Poleciałam na górę, ale pod moimi drzwiami odkryłam, że zatrzasnęłam je, wychodząc, a klucz zostawiłam w środku. Zaczęłam walić w nie głową, wrzeszcząc: „Cholera!"

W korytarzu pojawił się Dan.

— Chryste — powiedział. — Lepiej sobie zapal.

— Dzięki — odparłam i prawie zjadłam papierosa, którym mnie poczęstował.

Po długich manipulacjach kartą kredytową, podczas których wypaliliśmy jeszcze z pół paczki fajek, dostaliśmy się do mieszkania, gdzie woda stała już po kostki i nie dawała się zakręcić. Dan pobiegł do siebie i wrócił z kombinerkami i butelką szkockiej. Udało mu się zakręcić krany i zaczął mi pomagać zbierać wodę mopem. W pewnym momencie alarm ucichł i dopadliśmy okna w samą porę, aby zobaczyć, jak saab odjeżdża, z harleyem na ogonie.

Oboje wybuchnęliśmy śmiechem — wypiliśmy już całkiem sporo whisky. I nagle — nie wiem, jak to się stało — zaczął mnie całować. Z punktu widzenia *savoir-vivre'u* sytuacja była dość niezręczna, bo zalałam mu mieszkanie i zepsułam wieczór, więc nie chciałam wydać się niewdzięczna, ale z drugiej strony nie dawało mu to prawa do molestowania mnie seksualnie. W sumie jednak było to całkiem przyjemne, po wszystkich tych dramatach i równowadze wewnętrznej itd. Wtem w otwartych drzwiach stanął facet w motocyklowej skórze i z pudełkiem z pizzą.

— O cholera — powiedział Dan. — Zapomniałem, że zamówiłem pizzę.

Więc zjedliśmy pizzę i wypiliśmy butelkę wina i jeszcze trochę szkockiej, i wypaliliśmy jeszcze kilka papierosów, po czym Dan znów wziął się do całowania, na co wybełkotałam:

— Nie, nie powinniśmy — a wtedy on zrobił się dziwny i zaczął mamrotać:

— O Jezu, o Jezu.

— Co się stało? — zapytałam.

— Mam żonę — odparł. — Ale chyba cię kocham, Bridged.

Kiedy wreszcie wyszedł, osunęłam się roztrzęsiona na podłogę pod drzwiami i zaczęłam dopalać pety. „Równowaga wewnętrzna", powiedziałam bez przekonania. Nagle zadzwonił dzwonek. Zignorowałam go. Zadzwonił ponownie. A potem już dzwonił bez przerwy. Podniosłam słuchawkę domofonu.

— Kochanie — odezwał się inny znajomy pijany głos.

— Zjeżdżaj, Daniel — syknęłam.

— Nie. Pozwól mi wyjaśnić.

— Nie.

— Bridge... Wpuść mnie.

Cisza. O Boże. Dlaczego Daniel nadal tak mi się podoba?

— Kocham cię, Bridge.

— Zjeżdżaj. Jesteś pijany — powiedziałam z przekonaniem, którego nie czułam.

— Jones?

— Co?

— Mogę skorzystać z ubikacji?

29 kwietnia, sobota

Jedn. alkoholu 12, papierosy 57, kalorie 8489 (wspaniale).

Dwadzieścia dwie godziny, cztery pizze, jedno hinduskie danie na wynos, trzy paczki papierosów i trzy butelki szampana później: Daniel nadal tu jest. Jestem zakochana. Jestem też prawdopodobnie:

a) znów w szponach nałogów,

b) zaręczona lub

c) głupia

d) i w ciąży.

11.45 wieczorem. Przed chwilą wymiotowałam i kiedy pochylałam się nad klozetem, usiłując robić to dyskretnie, Daniel ryknął z sypialni:

— Pozbywasz się swojej równowagi wewnętrznej, tłuściosz-ku. Moim zdaniem to najlepsze dla niej miejsce.

MAJ

Przyszła matka

1 maja, poniedziałek
Jedn. alkoholu 0, papierosy 0, kalorie 4200 (jem za dwoje).

Poważnie myślę, że jestem w ciąży. Jak mogliśmy być tacy głupi? W euforii, że znów jesteśmy razem, zapomnieliśmy o rzeczywistości, a kiedy się... Och, nie chcę o tym pisać. Dziś rano zdecydowanie miałam poranne mdłości, ale powodem mogło być to, że kiedy Daniel w końcu wczoraj wyszedł, byłam tak skacowana, że, próbując się ratować, zjadłam następujące rzeczy:

2 paczki ementalera w plasterkach,
1 litr świeżo wyciśniętego soku z pomarańcz,
1 pieczonego ziemniaka,
2 kawałki cytrynowego sernika na zimno (bardzo lekki, a poza tym być może jem za dwoje),
1 Milky Way (tylko 125 kcal.; entuzjastyczna reakcja organizmu na sernik sugerowała, że dziecko potrzebuje cukru),
1 czekoladowy deser wiedeński z kremem (dziecko niesamowicie żarłoczne),
brokuły na parze (próba zapchania dziecka czymś zdrowym, żeby nie wyrosło rozpieszczone),
4 frankfurterki (jedyna puszka w szafce — zbyt zmęczona ciążą, żeby jeszcze raz wyjść do sklepu).

O Boże! Zaczyna mi się podobać wizja siebie jako matki w ciuchach od Calvina Kleina, krótko ostrzyżonej, promiennie uśmiechniętej i podrzucającej dziecko do góry na reklamie kuchenek gazowych, romantycznej komedii czy czegoś takiego.

Dziś w pracy Perpetua dała prawdziwy popis, 45 minut dyskutując przez telefon z Desdemoną, czy do żółtych ścian pasują różowo-szare rolety, czy też powinni wybrać z Hugonem krwistoczerwone z motywem kwiatowym. Przez 15 minut mówiła tylko: „Absolutnie... tak, absolutnie...", a na koniec stwierdziła: „Ale w pewnym sensie te same argumenty przemawiają za czerwonymi".

Zamiast jednak chcieć walnąć ją w głowę zszywaczem, uśmiechałam się anielsko, myśląc, że już wkrótce wszystkie te sprawy będą dla mnie zupełnie nieważne, ponieważ będę się troszczyć o drugą, maleńką istotę ludzką. Potem odkryłam nowy świat fantazji o Danielu: Daniel noszący dziecko w nosidełku, Daniel spieszący się z pracy do domu, gdzie zastaje nas obie lśniące i różowe w wannie, i, parę lat później, Daniel robiący furorę na szkolnych wywiadówkach.

Ale wtedy Daniel się zjawił. Nigdy nie widziałam go w gorszym stanie. Mogłam to wytłumaczyć tylko tym, że wczoraj po wyjściu ode mnie poszedł dalej pić. Spojrzał na mnie przelotnie z miną sadystycznego mordercy i moje fantazje zostały wyparte przez obrazy z filmu *Ćma barowa*, gdzie para bohaterów jest cały czas pijana w trupa i rzuca w siebie butelkami, oraz serialu *Flejtuchy*: Daniel woła: „Bridge, dzieciak sie dże", a ja odpowiadam: „Daniel, daj mi wypalyć fajke".

3 maja, środa

58 kg* (Yyy. Dziecko rośnie w monstrualnym, nienaturalnym tempie), jedn. alkoholu 0, papierosy 0, kalorie 3100 (ale głównie ziemniaki).

*Muszę znów pilnować wagi dla dobra dziecka.

Ratunku. Przez poniedziałek i większą część wtorku myślałam, że jestem w ciąży, ale w to nie wierzyłam — uczucie podobne do tego, kiedy wracasz późnym wieczorem do domu i myślisz, że ktoś za tobą idzie, ale w to nie wierzysz. Aż nagle dostajesz w głowę... a teraz okres spóźnia mi się dwa dni. W poniedziałek Daniel ignorował mnie cały dzień, a potem złapał mnie o szóstej wieczór i powiedział: „Do końca tygodnia będę w Manchesterze. Zobaczymy się w sobotę wieczorem, dobrze?" Dotąd nie zadzwonił. Jestem samotną matką.

4 maja, czwartek

58,5 kg, jedn. alkoholu 0, papierosy 0, ziemniaki 12.

Poszłam do drogerii, żeby dyskretnie kupić test ciążowy. Podsuwałam już pudełko kasjerce, ze spuszczoną głową i żałując, że nie przełożyłam pierścionka na palec serdeczny, gdy sprzedawca ryknął:

— Chce pani test ciążowy?

— Szszsz — syknęłam, oglądając się przez ramię.

— Ile się pani spóźnia? — zagrzmiał. — Lepszy będzie test niebieski. Wykazuje ciążę już w pierwszym dniu po terminie miesiączki.

Złapałam test, zapłaciłam cholerne osiem funtów dziewięćdziesiąt pięć pensów i wybiegłam ze sklepu.

W pracy przez pierwsze dwie godziny wpatrywałam się w torebkę, jakby był w niej niewypał. O 11.30 nie wytrzymałam, chwyciłam ją i zjechałam windą do toalety dwa piętra niżej, by nie narażać się na to, że ktoś znajomy usłyszy podejrzany szelest. Nagle pomyślałam o Danielu z nienawiścią. On też za to odpowiadał, a nie musiał wydać prawie dziewięciu funtów, chować się w kiblu i sikać na plastikową pałeczkę. Z furią rozpakowałam test, wepchnęłam pudełko i papiery do kosza i zrobiłam to, co trzeba, a potem, bez patrzenia, położyłam pałeczkę wierzchem do dołu na spłuczce. Trzy minuty. Nie miałam najmniejszej ochoty przyglądać się, jak mój los zostaje przypieczętowany przez rysującą się powoli niebieską linię. Jakoś przetrwałam te sto osiemdziesiąt sekund — ostatnie sto osiemdziesiąt sekund mojej wolności — wzięłam test do ręki i omal nie krzyknęłam. W małym okienku widniała cienka niebieska linia, wyraźna jak cholera. Aaaaa! Aaaaa!

Po 45 minutach wpatrywania się tępo w komputer i udawania, że Perpetua jest rośliną doniczkową, kiedy pytała, co mi się stało, wypadłam z pokoju i poleciałam do budki telefonicznej, żeby zadzwonić do Sharon. Cholerna Perpetua. Gdyby ona zaszła w niechcianą ciążę, ma takie poparcie angielskiego establishmentu, że znalazłaby się przed ołtarzem w dziesięć minut i to w ślubnej sukni od Amandy Wakeley.

Na ulicy był taki hałas, że Sharon nie mogła mnie zrozumieć.

— Co? Bridget? Nic nie słyszę. Kto miał wypadek drogowy?

— Nikt — chlipnęłam. — Wyszedł mi test c i ą ż o w y.

— Jezu! Będę w Café Rouge za piętnaście minut.

Chociaż była dopiero 12.45, uznałam, że w tak krytycznej sytuacji mogę sobie pozwolić na wódkę z sokiem pomarańczowym, ale potem przypomniało mi się, że dziecko nie powinno pić wódki. Czekałam na Sharon, miotana biegunowo sprzecznymi uczuciami mężczyzny i kobiety jednocześnie, niczym jakiś dziwaczny hermafrodyta albo dwugłowiec z menażerii doktora Dolittle. Z jednej strony byłam rzewna i liryczna w stosunku do Daniela i dumna z tego, że jestem prawdziwą kobietą — płodną jak królica! — i wyobrażałam sobie różowiutkie dziecięce ciałko, maleńką istotkę do kochania w uroczych kaftanikach od Ralpha Laurena. Z drugiej strony myślałam: Boże, moje życie się skończyło, Daniel jest szalonym alkoholikiem i jak się dowie, zabije mnie, a potem rzuci. Koniec wyjść z dziewczynami, zakupów, flirtów, seksu, wina i papierosów. Stanę się ohydnym skrzyżowaniem inkubatora z mleczarnią, które nie będzie się nikomu podobać i nie wejdzie w żadne moje spodnie, zwłaszcza w nowiutkie wściekle zielone dżinsy od Agnes B. To rozdwojenie jest zapewne ceną, jaką muszę zapłacić za to, że zostałam nowoczesną kobietą, zamiast jak Pan Bóg przykazał w wieku lat osiemnastu poślubić Abnora Rimmingtona, kierowcę autobusu z Northampton.

Kiedy przyszła Sharon, smętnie podałam jej pod stołem test ciążowy ze zdradziecką niebieską linią.

— To to? — zapytała.

— Jasne, że to — mruknęłam. — A myślałaś, że co? Telefon komórkowy?

— Bridget — powiedziała — bijesz wszelkie rekordy. Nie przeczytałaś instrukcji? Powinny wyjść dwie linie. Ta linia pokazuje tylko, że test działa. Jedna linia znaczy, że nie jesteś w ciąży, głuptasie.

W domu zastałam na sekretarce wiadomość od mamy: „Kochanie, natychmiast do mnie zadzwoń. Mam nerwy w strzępach".

Ona ma nerwy w strzępach!

5 maja, piątek

57 kg (chrzanię to, po tylu latach nie odzwyczaję się od ważenia, zwłaszcza po stresie ciążowym — pójdę w przyszłości na jakąś terapię), jedn. alkoholu 6 (hura!), papierosy 25, kalorie 1895, zdrapki 3.

Spędziłam ranek w żałobie po straconym dziecku, ale poweselałam, kiedy zadzwonił Tom z propozycją lunchu i Krwawej Mary na dobry początek weekendu. W domu zastałam wiadomość od obrażonej mamy, że wyjechała do ośrodka odnowy biologicznej i zadzwoni do mnie po powrocie. Ciekawe, o co chodzi. Pewnie dostała za dużo biżuterii Tiffany'ego od schnących z miłości wielbicieli albo ofert pracy prezenterki od konkurencyjnych stacji telewizyjnych.

11.45 wieczorem. Daniel zadzwonił przed chwilą z Manchesteru.

— Miałaś dobry tydzień? — zapytał.

— Świetny, dziękuję — odparłam pogodnie

Świetny, dziękuję. Uch! Czytałam gdzieś, że najlepszym darem, jaki kobieta może ofiarować mężczyźnie, jest spokój, więc nie mogłam się przyznać, na samym początku naszego bycia razem, że jak tylko zniknął z horyzontu, dostałam histerii z powodu urojonej ciąży.

Mniejsza z tym. Jutro wieczorem go zobaczę. Hura! Lalalala.

6 maja, sobota: początek obchodów Dnia Zwycięstwa w Europie

57,5 kg, jedn. alkoholu 6, papierosy 25, kalorie 3800 (czciłam rocznicę końca racjonowania żywności), trafione numery totolotka 0 (kiepsko).

Obudziłam się w zupełnie niemajowym upale i próbuję wykrzesać z siebie entuzjazm w związku z końcem wojny, wolnością w Europie itd., itd. Prawdę mówiąc, czuję się okropnie przygnębiona. „Wyrzucona poza nawias" może być wyrażeniem, którego szukam. Nie mam żadnych dziadków. Tata jest przejęty imprezą w ogrodzie Alconburych, na której, z jakichś tajemniczych powodów, będzie brał udział w konkursie podrzucania naleśników. Mama jedzie do Cheltenham, gdzie się wychowała, na festyn uliczny, prawdopodobnie z Juliem. (Dobrze, że nie ma romansu z jakimś Niemcem.)

Nikt z moich przyjaciół niczego nie urządza. Byłoby to w pewnym sensie niewłaściwe jako próba podstępnego zaanektowania czegoś, co nie ma z nami nic wspólnego. Kiedy wojna się skończyła, prawdopodobnie nie byłam nawet komórką jajową. Byłam niczym, podczas gdy oni walczyli i smażyli marmoladę z marchwi czy co tam się wtedy robiło.

Nie podoba mi się ta wizja i mam ochotę zadzwonić do mamy, żeby spytać, czy kiedy wojna się skończyła, już miesiączkowała. Czy komórki jajowe giną, czy też są magazynowane, póki nie zostaną zapłodnione? Czy wyczułabym koniec wojny jako zmagazynowana komórka? Gdybym miała dziadka, mogłabym wziąć udział w świętowaniu pod płaszczykiem bycia miłą dla niego. Och, chrzanić to, idę na zakupy.

7 wieczorem. Daję słowo, od upału moje ciało dwukrotnie zwiększyło objętość. Nigdy więcej nie wejdę do wspólnej przymierzalni. W Warehouse sukienka utknęła mi pod pachami, gdy próbowałam ją zdjąć, i szarpałam się z nią dłuższą chwilę, mając wywrócony na lewą stronę materiał zamiast głowy i pokazując uda oraz falujący brzuch gromadzie rozchichotanych piętnastolatek. A kiedy pociągnęłam głupią kieckę w dół, żeby się z niej wydostać drugą stroną, nie chciała mi przejść przez biodra.

Nienawidzę wspólnych przymierzalni. Wszyscy gapią się ukradkiem na cudze ciała i nie patrzą sobie w oczy. Zawsze są tam dziewczyny, które wiedzą, że wyglądają fantastycznie, cokolwiek na siebie włożą, więc tańczą rozpromienione dookoła, trzepią włosami i wyginają się przed lustrem jak modelki, mówiąc: „Czy nie jestem w tym gruba?" do swoich obowiązkowo tęgich przyjaciółek, które wyglądają we wszystkim jak indyjskie bawoły.

Cała ta wyprawa była zresztą katastrofą. Wiem, że powinnam kupować wybrane artykuły w Nicole Farhi, Whistles i Josephie, ale tamtejsze ceny tak mnie przerażają, że wracam z podkulonym ogonem do Warehouse'u i Miss Selfridge, grzebię w stertach sukienek po 34,99, które nie chcą mi przejść przez głowę, a potem kupuję parę rzeczy u Marksa i Spencera, bo nie muszę ich przymierzać.

Wróciłam do domu z czterema rzeczami, których nigdy nie włożę. Jedna przeleży dwa lata za krzesłem w sypialni w torbie M&S. Trzy pozostałe wymienię na kupony kredytowe Boulesa, Warehouse'u itp., które następnie zgubię. W ten sposób przepuściłam 119 funtów, za które mogłam kupić coś naprawdę ładnego w Nicole Farhi, na przykład bardzo mały T-shirt.

Zdaję sobie sprawę, że jest to kara za moją płytką, materialistyczną obsesję na punkcie zakupów, kiedy powinnam nosić całe lato jedną kieckę ze sztucznego jedwabiu i malować sobie kreski na łydkach; jak również za to, że nie świętuję Dnia Zwycięstwa. Może powinnam zadzwonić do Toma i zorganizować uroczą imprezkę na poniedziałkowy Bank Holiday? Czy można urządzić kiczowate, ironiczne przyjęcie z okazji DZ, jak z okazji ślubu w rodzinie królewskiej? Nie, nie można ironizować na temat poległych. Poza tym byłby problem z flagami. Kumple Toma należą do Ligi Antyfaszystowskiej i mogliby pomyśleć, że obecność Union Jacka oznacza, że spodziewamy się skinheadów. Ciekawe, co by było, gdyby wojna wybuchła za życia naszego pokolenia? No dobrze, czas na małego drynia. Niedługo przyjdzie Daniel. Muszę zacząć się szykować.

11.59 wieczorem. Rany. Chowam się w kuchni z papierosem. Daniel śpi. Albo udaje, że śpi. Przedziwny wieczór. Uświadomiłam sobie, że cały nasz związek opierał się dotąd na założeniu, że któreś z nas powinno się bronić przed seksem. Toteż wspólny wieczór, który z założenia miał się seksem zakończyć, był idiotyczny. Oglądaliśmy w telewizji obchody Dnia Zwycięstwa i Daniel obejmował mnie niezdarnie, jakbyśmy byli parą czternastolatków w kinie. Jego ramię wbijało mi się w kark, ale uznałam, że nie wypada poprosić, aby je zabrał. Zwlekaliśmy z pójściem do łóżka jak długo się dało, po czym staliśmy się okropnie oficjalni i angielscy. Zamiast jak dzikie bestie zdzierać z siebie nawzajem ubrania, daliśmy popis uprzejmości:

— Proszę, idź pierwszy do łazienki.

— Nie, ty pierwsza!

— Nie, nie, nie! Ty pierwszy!

— Nie ma mowy! Ty pierwsza.

— Nie, nie chcę o tym słyszeć. Znajdę ci tylko gościnny ręcznik i miniaturowe mydełka w kształcie muszelek.

Potem leżeliśmy obok siebie, w ogóle się nie dotykając, jakbyśmy byli Morecambe'em i Wise'em* albo Johnem Noakesem i Valerie Singleton w *Błękitnym Piotrusiu***. Jeżeli Bóg istnieje, chciałabym pokornie Go poprosić — podkreślając, że jestem Mu głęboko wdzięczna za nagłe i niewytłumaczalne podarowanie mi Daniela na stałe po tak długim okresie popaprania — by sprawił, aby Daniel przestał kłaść się do łóżka w piżamie i okularach, gapić w książkę przez 25 minut, a potem gasić światło i odwracać się do mnie plecami, i znów był nagim, opętanym żądzą zwierzęciem, które znałam i kochałam.

---

* Morecambe i Wise — duet komików telewizyjnych.

** *Błękitny Piotruś* — cykliczny program telewizyjny dla dzieci.

Z góry dziękuję, Panie Boże, za pozytywne rozpatrzenie mojej prośby.

13 maja, sobota

57,75 kg, papierosy 7, kalorie 1145, zdrapki 5 (wygrałam dwa funty, więc w sumie wydałam tylko trzy, bdb), totolotek 2 funty, trafione numery 1 (lepiej).

Jak to możliwe, że po wczorajszej orgii konsumpcyjnej przytyłam tylko ćwierć kilo? Może z jedzeniem i wagą jest tak samo jak z czosnkiem i cuchnącym oddechem? Jeżeli zjesz całą główkę czosnku, nic od ciebie nie czuć, więc może naprawdę wielkie obżarstwo nie powoduje przyrostu wagi. Teoria podnosząca na duchu, aczkolwiek bardzo niebezpieczna. Powinnam ją gruntownie przemyśleć. Tak czy inaczej, był to cudowny wieczór pijackich feministycznych jeremiad z Sharon i Jude.

Pochłonęłyśmy niesamowite ilości jedzenia i alkoholu, ponieważ miłe dziewczęta przyniosły nie tylko po butelce wina, lecz także drobne przekąski z M&S. Tak więc oprócz moich dwóch win (1 musujące, 1 białe) i trzydaniowej kolacji, którą kupiłam w M&S (tzn. ugotowałam, tyrając cały dzień w gorącej kuchni), miałyśmy:

1 tubkę humusu & paczkę minipitt,
12 ruloników z wędzonego łososia i żółtego sera,
12 minipizz,
1 torcik bezowy z malinami,
1 tiramisu (duże pudełko),
2 batoniki Swiss Mountain.

Sharon prezentowała szczytową formę.

— Dranie! — wydarła się już o 8.35, po czym wlała sobie prosto do gardła trzy czwarte kieliszka Kir Royal. — Głupi, zarozumiali, aroganccy, egoistyczni manipulatorzy i dranie. Uważają, że wszystko im się należy. Podaj mi jedną minipizzę, dobrze?

Jude była przygnębiona, bo Podły Richard, z którym jest aktualnie w separacji, wciąż do niej wydzwania i, żeby podtrzymać jej zainteresowanie, zarzuca drobne przynęty słowne sugerujące, że chce znów zacząć się z nią spotykać, ale asekuruje się deklaracjami, że chodzi mu wyłącznie o „przyjaźń" (oszukańczy, toksyczny koncept). Poprzedniego dnia wykonał wyjątkowo bezczelny, protekcjonalny telefon z pytaniem, czy Jude idzie na przyjęcie do wspólnego znajomego.

— W takim razie ja nie przyjdę — powiedział. — Nie, to naprawdę nie byłoby w porządku wobec ciebie. Widzisz, chciałem przyprowadzić moją... no wiesz, dziewczynę. To nic poważnego. Po prostu panienka, która jest na tyle głupia, że od paru tygodni pozwala mi się bzykać.

— Co?! — eksplodowała Sharon, która zaczynała się już robić różowa. — W życiu nie słyszałam, żeby ktoś powiedział o kobiecie coś tak obrzydliwego. Arogancki dupek! Jak śmie nazywać przyjaźnią traktowanie cię jak mu się żywnie podoba i łechtać swoje ego kosztem twoich nerwów? Gdyby naprawdę nie chciał cię zranić, trzymałby gębę na kłódkę i przyszedł na to przyjęcie sam, a nie machał ci przed nosem swoją nową dziewczyną.

— „Przyjaciel?" Raczej wróg numer jeden! — wykrzyknęłam radośnie i przegryzłam kolejnego Silk Cuta paroma rulonikami z łososia. — Drań!

O 11.30 Sharon perorowała już na pełnych obrotach.

— Dziesięć lat temu uważano ludzi, którzy dbali o środowisko, za brodatych dziwaków w sandałach, a spójrzcie, jaką władzę ma zielony konsument dzisiaj — krzyczała, wtykając palce w tiramisu, żeby je potem oblizać. — Za parę lat to samo będzie z feminizmem. Mężczyźni nie będą już porzucać rodzin i poklimakteryjnych żon dla młodych kochanek ani podrywać kobiet, popisując się arogancko swoim wzięciem, ani sypiać z kobietami bez subtelności i zobowiązań, bo wszystkie te młode kochanki i kobiety odwrócą się na pięcie i powiedzą im, żeby spadali na bambus, i mężczyźni będą się musieli obejść bez seksu i bez kobiet, póki nie nauczą się postępować przyzwoicie, zamiast zanieczyszczać kobiece środowisko swoim GÓWNIARSKIM, BEZCZELNYM, EGOISTYCZNYM ZACHOWANIEM!

— Dranie! — wrzasnęła Jude, siorbnąwszy Pinot Grigio.

— Dranie! — zawtórowałam z ustami pełnymi mieszanki bez i tiramisu.

— Cholerne dranie! — dodała Jude, odpalając nowego Silk Cuta od poprzedniego.

I wtedy zadzwonił dzwonek.

— To pewnie Daniel, cholerny drań — powiedziałam. — Czego? — krzyknęłam do domofonu.

— Cześć, kochanie — odparł Daniel swoim najłagodniejszym, najuprzejmiejszym głosem. — Wybacz, że zawracam ci głowę. Dzwoniłem wcześniej i zostawiłem wiadomość na sekretarce. Cały wieczór tkwiłem na przeraźliwie nudnym zebraniu i bardzo chciałem cię zobaczyć. Jeśli chcesz, dam ci tylko buziaka i sobie pójdę. Mogę wejść?

— Wrr! No dobra — mruknęłam niechętnie, nacisnęłam guzik i wróciłam zygzakiem do stołu. — Cholerny drań.

— Cholerny patriarchat — ryknęła Sharon. — Gotowanie, wspieranie, piękne młode ciała, kiedy oni są starzy i grubi. Myślą, że rolą kobiety jest dawanie im tego, co ich zdaniem słusznie im się... Skończyło się wino?

Wtedy Daniel stanął w drzwiach uroczo uśmiechnięty.

Wyglądał na zmęczonego, ale był gładko ogolony i w garniturze. W rękach miał trzy bombonierki Milk Tray.

— Kupiłem wam po jednej do kawy — powiedział, unosząc seksownie brew. — Nie przeszkadzajcie sobie. Zrobiłem zakupy na weekend.

Wniósł do kuchni osiem reklamówek z Cullensa i zaczął chować wszystko do szafek.

W tym momencie zadzwonił telefon. Było to radio taxi, które dziewczyny zamówiły pół godziny wcześniej, z informacją, że na Ladbroke Grove był okropny karambol, a w dodatku wszystkie ich wozy wyleciały w powietrze i nie przyjadą wcześniej niż za trzy godziny.

— Gdzie mieszkacie? — zapytał Daniel. — Odwiozę was. Nie możecie o tej porze łapać taksówki na ulicy.

Kiedy dziewczyny miotały się, szukając torebek i szczerząc głupio zęby do Daniela, zaczęłam wyjadać z mojej bombonierki wszystkie czekoladki z nadzieniem orzechowym, kakaowym, migdałowym i karmelowym, jednocześnie dumna, że mam idealnego faceta, z którym moje koleżanki chętnie by się bzyknęły, i wściekła, że ten z reguły obrzydliwie seksistowski pijak zepsuł nam feministyczne zrzędzenie, ni stąd, ni zowąd udając księcia z bajki. Hmm. Zobaczymy, jak długo wytrzyma, pomyślałam, czekając na jego powrót.

Kiedy wrócił, wbiegł po schodach, porwał mnie w ramiona i zaniósł do sypialni.

— Dostaniesz jeszcze jedną czekoladkę, bo jesteś urocza, nawet kiedy się wstawisz — powiedział, wyjmując z kieszeni owinięte w złotko czekoladowe serce.

A potem... Mmmmmm.

14 maja, niedziela

7 wieczorem. Nienawidzę niedzielnych wieczorów. Czuję się tak, jakbym nadal chodziła do szkoły. Mam napisać dla Perpetuy tekst do katalogu. Ale najpierw zadzwonię do Jude.

7.05. Nie ma jej. Grr! No to do roboty.

7.10. Zadzwonię jeszcze do Sharon.

7.45. Shazzer wkurzyła się, że dzwonię, bo dopiero przyszła do domu i chciała zadzwonić pod 1471, żeby sprawdzić, czy facet, z którym się spotyka, dzwonił, kiedy jej nie było, a teraz będzie tam zapisany mój numer.

1471 podaje numer telefonu ostatniej osoby, która do ciebie dzwoniła, co uważam za genialny wynalazek. Rozbawiła mnie reakcja Sharon, bo kiedy we trzy dowiedziałyśmy się o 1471, była mu całkowicie przeciwna i stwierdziła, że British Telecom żeruje na osobach mających skłonność do uzależnień i na panującej w społeczeństwie epidemii rozpadu związków. (Podobno niektórzy dzwonią pod 1471 po dwadzieścia razy dziennie.) Natomiast Jude jest jego zdecydowaną zwolenniczką, chociaż przyznaje, że jeśli właśnie się z kimś rozstałaś albo zaczęłaś z kimś sypiać, przez 1471 możesz być podwójnie nieszczęśliwa, kiedy wrócisz do domu: do nieszczęścia „żadnej wiadomości na sekretarce" dochodzi nieszczęście „żadnego numeru w pamięci 1471" albo „numer w pamięci okazuje się numerem twojej matki".

Podobno amerykański odpowiednik 1471 podaje numery wszystkich osób, które dzwoniły, odkąd ostatni raz sprawdzałaś, i ile razy. Drżę z przerażenia na myśl, że w ten sposób mogłyby wyjść na jaw moje obsesyjne telefony do Daniela za dawnych czasów. U nas dobre jest to, że jeśli wykręcisz 141, zanim zadzwonisz, twój numer nie zostanie zapisany. Jude mówi jednak, że trzeba uważać, bo jeśli przypadkiem zastaniesz kogoś w domu i odłożysz słuchawkę, a w pamięci nie będzie żadnego numeru, mogą się domyślić, że to byłaś ty. Muszę pilnować, żeby Daniel się o tym wszystkim nie dowiedział.

9.30. Wyskoczyłam za róg po papierosy i wracając, usłyszałam na schodach, że dzwoni telefon. Uświadomiwszy sobie, że po rozmowie z Tomem nie włączyłam sekretarki, popędziłam na górę, wysypałam zawartość torebki na podłogę, żeby znaleźć klucz, i rzuciłam się do telefonu, który w tym momencie przestał dzwonić. Zadzwonił ponownie, kiedy poszłam do łazienki, i przestał, jak tylko go dopadłam. Kiedy odeszłam, rozdzwonił się znowu, i tym razem zdążyłam go odebrać.

— Dobry wieczór, kochanie. Wiesz co?

Mama.

— Co? — zapytałam smętnie.

— Zabieram cię do kolorystki! I przestań mówić „co", kochanie. Nie mogę patrzeć, jak się snujesz w tych ponurych brązach i szarościach. Wyglądasz jak klon przewodniczącego Mao.

— Mamo, nie mogę teraz rozmawiać. Czekam na…

— Proszę cię, Bridget. Nie bądź niemądra — przerwała mi tonem Czyngis-chana pałającego żądzą mordu. — Mavis Enderby męczyła się w bladych żółciach i beżach, a odkąd poszła do kolorystki, nosi cudowny wściekły róż i butelkową zieleń i wygląda dwadzieścia lat młodziej.

— Ale ja nie chcę nosić wściekłego różu i butelkowej zieleni — wycedziłam przez zaciśnięte zęby.

— Kochanie, Mavis jest zimą i ja jestem zimą, ale ty możesz być latem jak Una i wtedy dostaniesz swoje pastele.

— Mamo, nie pójdę do kolorystki — syknęłam z rozpaczą.

— Bridget, nie będę tego dłużej słuchać. Ciocia Una powiedziała wczoraj, że gdybyś przyszła na tego indyka curry w czymś choć trochę żywszym i weselszym, Mark Darcy mógłby się tobą zainteresować. Nikt nie chce mieć dziewczyny, która wygląda jak wypuszczona z Oświęcimia.

Chciałam się pochwalić, że mam chłopaka, chociaż ubieram się od stóp do głów w brązy, ale na myśl, że staniemy się z Danielem gorącym tematem dyskusji, tudzież będę musiała wysłuchiwać „dobrych matczynych rad", ugryzłam się w język. W końcu zamknęłam jej usta, mówiąc, że się nad tą kolorystką zastanowię.

17 maja, wtorek

58 kg (hura!), papierosy 7 (bdb), jedn. alkoholu 6 (ale nie mieszałam).

Daniel nadal jest cudowny. Jak wszyscy mogli tak się co do niego mylić? Mam głowę pełną różowych fantazji o wspólnym mieszkaniu, bieganiu razem po plaży z nieletnim potomstwem jak na reklamach Calvina Kleina i byciu szczęśliwą małżonką zamiast nieszczęśliwym wolnym strzelcem. Idę właśnie na spotkanie z Magdą.

11 wieczorem. Hmmm. Dająca do myślenia kolacja z Magdą, bardzo przygnębioną w związku z Jeremym. Wieczór alarmu samochodowego i awantury na mojej ulicy był skutkiem uwagi Sloaney Woney, że widziała Jeremy'ego w Harbour Club z jakąś dziewczyną, z opisu podejrzanie podobną do małpy, z którą ja widziałam go dobry miesiąc temu. Wyjaśniwszy to, Magda spytała mnie wprost, czy coś słyszałam lub widziałam, więc powiedziałam jej o małpie w garsonce z Whistles.

Okazało się, że Jeremy przyznał, że ta dziewczyna bardzo mu się podoba i że z nią flirtował. Twierdzi, że nie spali ze sobą, ale Magda była naprawdę wkurzona.

— Używaj życia, póki jesteś wolna, Bridge — powiedziała. — Kiedy zostaniesz matką i zrezygnujesz z posady, znajdziesz się na straconej pozycji. Wiem, że Jeremy uważa, że moje życie to jedne wielkie wakacje, ale zajmowanie się dwojgiem małych dzieci jest bardzo ciężką i nie mającą końca pracą. Kiedy Jeremy wraca wieczorem do domu, chce dostać kolację, leżeć do góry brzuchem i, jak sobie teraz bez przerwy wyobrażam, marzyć o dziewczynach w obcisłych trykotach w Harbour Club. Miałam kiedyś posadę. Wiem z doświadczenia, że o wiele zabawniej jest pracować poza domem, stroić się, uprawiać biurowe flirty i chodzić na miłe lunche, niż robić zakupy w supermarkecie i odbierać Harry'ego ze żłobka. Ale Jeremy widzi we mnie niewdzięcznicę, która ma obsesję na punkcie Harveya Nicholsa i potrafi tylko wydawać jego ciężko zarobione pieniądze.

Magda jest taka piękna. Patrząc, jak bawi się melancholijnie kieliszkiem od szampana, zastanawiałam się, czy istnieje dla nas, dziewczyn, jakieś rozwiązanie. To prawda, że na cholernym cudzym polu zboże jest zawsze lepsze. Ciągle wpadam w depresję na myśl o tym, jaka jestem beznadziejna, co sobota upijam się na sztywno i jęczę Jude i Shazzer albo Tomowi, że nie mam faceta, ledwo wiążę koniec z końcem i padam ofiarą kpin jako niezamężny dziwoląg, podczas gdy Magda mieszka w wielkim domu, ma w spiżarni osiem gatunków makaronu i może cały dzień chodzić po sklepach. A mimo to jest zgorzkniała, rozżalona, niepewna siebie i uważa mnie za szczęściarę...

— Ooch, à propos Harveya Nicksa — powiedziała, ożywiając

się nieco — kupiłam tam dzisiaj cudowną lejbę Josepha: czerwona, dwa guziki przy szyi, bardzo ładny krój, 280 funtów. Boże, tak bym chciała być wolna jak ty, Bridge, i móc mieć romans. Albo leżeć dwie godziny w wannie w niedzielę rano. Albo nie wrócić na noc do domu i nie musieć się tłumaczyć. Pewnie nie miałabyś ochoty pójść jutro rano na zakupy?

— Eee. Muszę iść do pracy.

— Och — bąknęła Magda, wyraźnie zaskoczona. — Wiesz — podjęła, bawiąc się kieliszkiem — kiedy podejrzewasz, że twój mąż woli inną, naprawdę trudno jest ci wysiedzieć w domu, bo wyobrażasz sobie wszystkie kobiety jej typu, które może spotkać w szerokim świecie. Nie masz nad tym żadnej władzy.

Pomyślałam o mojej matce.

— Mogłabyś sięgnąć po władzę w bezkrwawym zamachu. Wróć do pracy. Weź sobie kochanka. Przystopuj Jeremy'ego.

— Mając dwoje dzieci poniżej trzech lat? — spytała z rezygnacją. — Posłałam sobie łóżko i teraz już muszę w nim spać.

O Boże! Jak Tom niestrudzenie powtarza grobowym głosem, trzymając dłoń na moim ramieniu i patrząc mi w oczy z niepokojącym wyrazem: „Tylko kobiety krwawią".

19 maja, piątek

56,25 kg (zrzuciłam 1,75 kg dosłownie z dnia na dzień — widocznie jadłam rzeczy, które mają mniej kalorii, niż spala się przy ich konsumpcji, np. wymagającą długiego żucia sałatę), jedn. alkoholu 4 (skromnie), papierosy 21 (źle), zdrapki 4 (nie za dobrze).

4.30 po południu. Kiedy Perpetua stała mi nad głową, żeby nie spóźnić się na swój weekend w Gloucestershire, zadzwonił telefon.

— Dzień dobry, kochanie! — Mama. — Wiesz co? Mam dla ciebie życiową szansę.

— Jaką? — mruknęłam ponuro.

— Będziesz w telewizji — wypaliła, a ja walnęłam głową w biurko. — Przyjdę do ciebie z ekipą jutro o dziesiątej rano. Prawda, że się cieszysz, kochanie?

— Mamo, jeśli przyjdziesz do mnie z ekipą telewizyjną, nie będzie mnie w domu.

— Och, ależ musisz być — zaprotestowała urażonym tonem.

— Nie — odparłam, ale próżność zaczęła już brać nade mną górę. — A o co w ogóle chodzi?

— Och, kochanie — ćwierknęła. — Chcą, żebym porozmawiała z kimś m ł o d s z y m. Z kimś w okresie przedklimakteryjnym i ponownie wolnym, kto mógłby opowiedzieć o, no wiesz, kochanie, presji nieuchronnej bezdzietności i tak dalej.

— Nie jestem w okresie przedklimakteryjnym, mamo! — wybuchnęłam. — I nie jestem też ponownie wolna. Właśnie się z kimś ponownie związałam.

— Nie bądź niemądra, kochanie — syknęła matka.

— Mam chłopaka.

— Kto to?

— Nieważne — mruknęłam, zerkając przez ramię na Perpetuę, która uśmiechała się złośliwie.

— Proszę cię, kochanie. Już im powiedziałam, że kogoś znalazłam.

— Nie.

— Proooooszę. Poświęciłam karierę zawodową dla rodziny, a teraz jestem w jesieni życia i chcę mieć coś własnego — zatrajkotała, jakby czytała z kartki.

— Mógłby mnie zobaczyć ktoś znajomy. A poza tym, czy się nie zorientują, że jestem twoją córką?

Usłyszałam, że matka kogoś o coś pyta. Po chwili wróciła do słuchawki.

— Moglibyśmy zasłonić ci twarz.

— Jak? Wkładając mi worek na głowę? Wielkie dzięki.

— Są takie specjalne techniczne sztuczki. Zgódź się, Bridget. Pamiętaj, że dałam ci życie. Gdzie byś była beze mnie? Nigdzie. Byłabyś niczym. Martwą komórką jajową. Fragmentem przestrzeni, kochanie.

Rzecz w tym, że w głębi duszy zawsze chciałam wystąpić w telewizji.

20 maja, sobota

58,5 kg (dlaczego? jak? skąd?), jedn. alkoholu 7 (sobota), papierosy 17 (tyle co nic, zważywszy na to, co się działo), trafione numery totolotka 0 (bardzo rozproszona filmowaniem).

Teletechnicy z miejsca wdeptali mi w dywan parę kieliszków do wina, ale nie przejmuję się takimi rzeczami. Dotarło do mnie, co zrobiłam, dopiero kiedy jeden z nich wtoczył się do mieszkania, niosąc olbrzymi reflektor z klapkami i krzycząc: „Uwaga, uwaga", ryknął: „Trevor, gdzie drania postawić?", stracił równowagę, stłukł reflektorem szklane drzwiczki kuchennej szafki i przewrócił otwartą butelkę wyborowej oliwy z oliwek na książkę kucharską River Café.

Tłukli się po mieszkaniu trzy godziny, mówiąc co chwila: „Możesz się trochę przesunąć, skarbie?", i kiedy wreszcie zaczęli kręcić, usadziwszy nas naprzeciwko siebie w półmroku, było prawie wpół do drugiej.

— Powiedz mi — zaczęła mama ciepłym, troskliwym tonem, jakiego nigdy u niej nie słyszałam — czy kiedy mąż cię opuścił, miałaś... — zniżyła głos do szeptu — myśli samobójcze?

Wytrzeszczyłam oczy z niedowierzaniem.

— Wiem, że to dla ciebie bolesne. Jeśli czujesz, że się rozpłaczesz, możemy na chwilę przerwać — dorzuciła z nadzieją w głosie.

Zatkało mnie z wściekłości. Jaki mąż?

— To musi być straszne. Żadnego partnera na horyzoncie, a twój zegar biologiczny tyka — ciągnęła mama, kopiąc mnie pod stołem.

Oddałam jej kopniaka, aż podskoczyła, wydając lekki okrzyk.

— Nie chcesz mieć dziecka? — zapytała, wtykając mi papierową chusteczkę.

W tym momencie w głębi pokoju rozległ się głośny wybuch śmiechu. Sądziłam, że mogę zostawić Daniela śpiącego w sypialni, bo nigdy nie budzi się w sobotę przed lunchem, i położyłam mu papierosy na poduszce.

— Gdyby Bridget miała dziecko, to by je zgubiła — prychnął.

— Miło mi panią poznać, pani Jones. Bridget, nie mogłabyś się ubierać i malować w soboty jak twoja mama?

21 maja, niedziela

Mama jest obrażona za to, że ją skompromitowaliśmy i zdemaskowaliśmy przed ekipą telewizyjną. Może dzięki temu zostawi nas na trochę w spokoju. Nie mogę się doczekać lata. Cudownie będzie mieć faceta, kiedy jest ciepło. Będziemy mogli wyjeżdżać na romantyczne weekendy. Bardzo szczęśliwa.

CZERWIEC

Ha! Facet

3 czerwca, sobota

56,5 kg, jedn. alkoholu 5, papierosy 25, kalorie 600, minuty poświęcone przeglądaniu folderów: dłuższe wyjazdy 45, weekendy 87, telefony pod 1471: 7 (db).

Przez ten upał nie mogę się skupić na niczym prócz fantazji o weekendowych wyjazdach z Danielem. Wyobrażam sobie, jak leżymy na łące nad rzeką, ja w długiej białej powiewnej sukience, albo siedzimy na werandzie starego kornwalijskiego pubu w identycznych koszulkach w paski, sącząc piwo i podziwiając zachód słońca nad morzem, albo jemy kolację przy świecach na dziedzińcu hotelu mieszczącego się w zabytkowym wiejskim pałacu, a potem idziemy do naszego pokoju, żeby bzykać się przez całą upalną letnią noc.

W każdym razie wybieramy się dziś wieczorem na przyjęcie do kumpla Daniela, Wicksy'ego, a jutro pójdziemy pewnie do parku albo pojedziemy na lunch do jakiegoś uroczego wiejskiego pubu. Cudownie jest mieć faceta.

4 czerwca, niedziela

57 kg, jedn. alkoholu 3 (db), papierosy 13 (db), minuty poświęcone przeglądaniu folderów: dłuższe wyjazdy 30 (db), weekendy 52, telefony pod 1471: 3 (db).

7 wieczorem. Grr! Przed chwilą Daniel poszedł do domu. Prawdę mówiąc, jestem trochę wkurzona. Była naprawdę urocza gorąca niedziela, a on nie chciał nigdzie wyjść ani rozmawiać o weekendowych wyjazdach i spędziliśmy całe popołudnie przy zasłoniętych oknach, oglądając w telewizji krykieta.

Wczorajsze przyjęcie było całkiem miłe do momentu, gdy podeszliśmy do Wicksy'ego, rozmawiającego z jakąś bardzo ładną dziewczyną, która na nasz widok wyraźnie się spięła.

— Daniel — powiedział Wicksy — znasz Vanessę?

— Nie — odparł Daniel, przybierając swój najbardziej uwodzicielski uśmiech i wyciągając rękę. — Bardzo mi miło.

— Daniel — syknęła wściekle Vanessa, krzyżując ramiona na piersiach. — S p a l i ś m y ze sobą.

Boże, jak gorąco. Miło jest wychylić się przez okno. Ktoś gra na saksofonie, udając, że jesteśmy na filmie, którego akcja rozgrywa się w Nowym Jorku; zewsząd dochodzą mnie głosy, bo wszyscy mają otwarte okna, i restauracyjne zapachy. Hmm. Chyba chciałabym mieszkać w Nowym Jorku. Chociaż, jeśli się zastanowić, nie jest to ciekawy rejon na wyjazdy weekendowe. Chyba że celem wyjazdu jest sam Nowy Jork, co byłoby bez sensu, gdyby już się tam mieszkało.

Zadzwonię do Toma, a potem wezmę się do roboty.

8 wieczorem. Idę do Toma na szybkiego drinka. Tylko na pół godziny.

6 czerwca, wtorek

58 kg, jedn. alkoholu 4, papierosy 3 (bdb), kalorie 1326, zdrapki 0 (wspaniale), telefony pod 1471: 12 (źle), godziny przespane 15 (źle, ale wina upału).

Udało mi się przekonać Perpetuę, żeby pozwoliła mi pracować w domu. Jestem pewna, że zgodziła się wyłącznie dlatego, że sama też chce się opalać. Mmmm. Mam uroczy nowy folder: „Duma Brytanii: najlepsze pałace-hotele Wysp Brytyjskich". Cudo. Przeglądam go strona po stronie, wyobrażając sobie, jak Daniel i ja jesteśmy na przemian erotyczni i romantyczni we wszystkich sypialniach i jadalniach.

11 rano. Dobrze: teraz się skupię.

11.25. Hmmm, mam zadarty paznokieć.

11.35. Boże, zaczęłam sobie wyobrażać, że Daniel mnie zdradza, i wymyślać pełne godności, ale cięte uwagi mające go zawstydzić. Skąd mi się to wzięło? Czyżbym wyczuła kobiecą intuicją, że ma romans?

Problem ze związaniem się z kimś, kiedy jesteś starsza, polega na tym, że masz okropne obciążenia psychiczne. Kiedy jesteś sama po trzydziestce, drobne minusy nieposiadania partnera — brak seksu, puste niedziele, samotne powroty z imprez — wyolbrzymia paranoidalna myśl, że powodem, dla którego nie masz faceta, jest twój wiek, już nigdy się z nikim nie prześpisz ani nie zwiążesz, i jest to twoja własna wina, bo byłaś zbyt rozwydrzona albo zbyt uparta, żeby wyjść za mąż zaraz po maturze.

Zupełnie zapominasz, że kiedy miałaś 22 lata i nie poznawałaś nikogo, kto choć trochę by ci się podobał, przez dwadzieścia trzy miesiące, nie robiłaś z tego tragedii. Teraz problem urasta do Bóg wie jakich rozmiarów i znalezienie partnera wydaje ci się niemal nieosiągalnym celem, a kiedy już zaczniesz się z kimś spotykać, nie ma siły, żeby ten związek spełnił twoje oczekiwania.

Czy o to chodzi? Czy też naprawdę między mną i Danielem jest coś nie tak? Czy Daniel ma romans?

11.50. Hmmm. Paznokieć jest naprawdę zadarty. Jeśli go nie spiłuję, zacznę go ogryzać i nic z niego nie zostanie. Lepiej pójdę poszukać pilniczka. Prawdę mówiąc, lakier też nie wygląda za dobrze. Powinnam go zmyć i pomalować paznokcie na nowo. Właściwie mogłabym to zrobić od razu.

Południe. Do czego to podobne, żeby mój tak zwany facet nie chciał nigdzie ze mną wyjechać, kiedy jest tak gorąco? Pewnie myśli, że próbuję go usidlić, jakby nie chodziło o wyjazd na weekend, tylko o małżeństwo, trójkę dzieci i czyszczenie klozetu w podmiejskim domku wyłożonym sosnową boazerią. Chyba zaczynam mieć kryzys psychiczny. Zadzwonię do Toma (mogę zrobić ten katalog dla Perpetuy wieczorem).

12.30. Hmmm. Tom stwierdził, że kiedy człowiek wyjedzie na weekend z partnerem, cały czas się denerwuje, czy wszystko jest w porządku z jego związkiem, więc lepiej jest wybrać się z przyjacielem. Pomijając seks, uściśliłam. Pomijając seks, przyznał Tom. Umówiliśmy się na wieczór na planowanie fikcyjnego wyjazdu weekendowego, więc muszę się przyłożyć do pracy.

12.40. Te szorty i T-shirt nie nadają się na upał. Przebiorę się w długą powiewną sukienkę.

O rany, przez tę sukienkę widać mi majtki. Lepiej włożę jakieś cieliste, bo ktoś może przyjść. Moje Gossard Glossies byłyby idealne. Ciekawe, gdzie są.

12.45. Mogłabym włożyć do kompletu stanik Glossies, jeśli uda mi się go znaleźć.

12.55. Tak lepiej.

1.00. Lunch! Wreszcie chwila przerwy.

2.00. Dobra, teraz naprawdę wezmę się do pracy i zrobię wszystko przed wieczorem, żebym mogła wyjść. Ale bardzo chce mi się spać. Jest tak gorąco. Może się pięć minut zdrzemnę. Podobno drzemki wspaniale regenerują. Zażywali ich z powodzeniem Margaret Thatcher i Winston Churchill. Dobry pomysł. Położę się na kanapie.

7.30. Cholera jasna!

9 czerwca, piątek

58 kg, jedn. alkoholu 7, papierosy 22, kalorie 2145, minuty poświęcone szukaniu zmarszczek na twarzy 230.

9 rano. Hura! Wieczorem wyjście z dziewczynami.

7 wieczorem. O nie! Będzie też Rebecca. Wieczór z Rebeccą przypomina kąpiel w morzu pełnym meduz: jest bardzo przyjemnie, aż nagle czujesz bolesne ukłucie, które momentalnie niszczy twoją pewność siebie. Kłopot w tym, że strzały Rebeki w twoje pięty achillesowe są wypuszczane tak subtelnie — jak pociski podczas wojny w Zatoce Perskiej lecące z fzzzzzz łuussssz po korytarzach hotelu w Bagdadzie — że zawsze cię zaskakują. Sharon mówi, że nie mam już 24 lat i powinnam być dostatecznie dojrzała, aby poradzić sobie z Rebeccą. Ma rację.

Północ. Boż to strasne. Jeste stara izużyta. Sypie msię twarz.

10 czerwca, sobota

Uch! Obudziłam się szczęśliwa (wciąż pijana), a potem przypomniałam sobie, jakim koszmarem był wczorajszy babski wieczór. Po pierwszej butelce Chardonnay chciałam poruszyć temat wyjazdów weekendowych, gdy Rebecca niespodziewanie zapytała:

— Jak tam Magda?

— Świetnie — odparłam.

— Jest niesamowicie atrakcyjna, prawda?

— Mmm — mruknęłam.

— I wygląda niewiarygodnie młodo. Nie dałabym jej więcej niż dwadzieścia cztery, dwadzieścia pięć lat. Chodziłyście razem do szkoły, prawda, Bridget? Była trzy czy cztery klasy niżej?

— Jest ode mnie pół roku starsza — sprostowałam, czując pierwsze ukłucie przerażenia.

— Naprawdę? — zdziwiła się Rebecca, po czym zrobiła długą, kłopotliwą pauzę. — No cóż, Magda ma szczęście. Natura dała jej naprawdę dobrą cerę.

Dotarła do mnie straszliwa prawda słów Rebeki i poczułam, że krew odpływa mi z mózgu.

— I nie uśmiecha się tak często jak ty. Pewnie dlatego nie ma tylu zmarszczek.

Przytrzymałam się stolika, próbując złapać oddech. Starzeję się przedwcześnie, jak winogrono zmieniające się w rodzynek na przyspieszonym filmie.

— Jak tam twoja dieta, Rebecco? — zapytała Shazzer.

Aaaaa... Zamiast zaprzeczyć, Jude i Shazzer uznały moje przedwczesne starzenie się za fakt i taktownie próbują zmienić temat, żeby oszczędzić mi przykrości. Siedziałam przerażona, trzymając się za obwisłe policzki.

— Idę do toalety — powiedziałam jak brzuchomówca przez zaciśnięte zęby i z nieruchomą twarzą, żeby zredukować zmarszczki.

— Dobrze się czujesz, Bridge? — spytała Jude.

— Śwtnie — odparłam sztywno.

Zachwiałam się przed lustrem, widząc w ostrym górnym świetle moją grubą, stwardniałą i obwisłą skórę. Wyobraziłam sobie, jak dziewczyny besztają teraz Rebeccę za to, że ujawniła coś, co wszyscy od dawna przede mną ukrywali.

Nagle ogarnęło mnie nieprzeparte pragnienie, aby wybiec na salę i zapytać wszystkich gości, na ile lat wyglądam — jak pewnego razu w szkole, gdy doszłam do wniosku, że cierpię na chorobę umysłową i obeszłam boisko, pytając wszystkich, czy jestem nienormalna, i dwadzieścia osiem osób odpowiedziało, że tak.

Kiedy dotrze do ciebie, że się starzejesz, nie możesz już przed tą myślą uciec. Życie zaczyna nagle przypominać wakacje, kiedy to od półmetka czas przyspiesza i galopuje ku końcowi. Chciałabym jakoś powstrzymać proces starzenia, ale co mam zrobić? Nie stać mnie na lifting. Jestem między młotem a kowadłem, bo zarówno otyłość, jak i odchudzanie postarzają.

Dlaczego wyglądam staro? Dlaczego? Przyglądam się staruszkom na ulicy, próbując rozpracować wszystkie drobne procesy, które zniszczyły ich twarze. Sprawdzam w gazetach, ile kto ma lat, i zastanawiam się, czy wygląda na swój wiek.

11 rano. Przed chwilą zadzwonił Simon, żeby mi powiedzieć o dziewczynie, która ostatnio wpadła mu w oko.

— Ile ma lat? — zapytałam podejrzliwie.

— Dwadzieścia cztery.

Aaaaa aaaaa... Osiągnęłam wiek, kiedy moi rówieśnicy oglądają się za młodszymi kobietami.

4 po południu. Idę z Tomem na herbatę. Stwierdziłam, że muszę poświęcić więcej czasu swojemu wyglądowi i jak hollywoodzka gwiazda spędziłam wieki przed lustrem, kładąc korektor pod oczy, róż na policzki i podkreślając rozmywające się rysy.

— Rany boskie — powiedział Tom na mój widok.

— Co? — spytałam. — Co?

— Twoja twarz. Wyglądasz jak Barbara Cartland.

Zaczęłam szybko mrugać powiekami, usiłując pogodzić się z myślą, że wybuch ohydnej podskórnej bomby zegarowej nagle i nieodwracalnie zmarszczył mi skórę na całej twarzy.

— Wyglądam strasznie staro, prawda? — powiedziałam żałośnie.

— Nie. Wyglądasz jak pięciolatka, która dorwała się do kosmetyków matki — odparł Tom. — Spójrz.

Zerknęłam w pseudowiktoriańskie pubowe lustro i zobaczyłam klauna, który miał jaskraworóżowe policzki, dwie zdechłe wrony zamiast brwi i białe klify Dover pod oczami.

Nagle zrozumiałam, dlaczego stare kobiety są często umalowane tak przesadnie, że wszyscy się z nich śmieją, i postanowiłam, że ja nie będę się już śmiała.

— Co się dzieje? — zapytał Tom.

— Przedwcześnie się starzeję — mruknęłam.

— Na litość boską. To ta cholerna Rebecca? Shazzer powtórzyła mi waszą rozmowę o Magdzie. To absurd. Wyglądasz na szesnaście lat.

Kocham Toma. Chociaż podejrzewam, że skłamał, bardzo podniosło mnie to na duchu, bo chyba nawet Tom nie powiedziałby, że wyglądam na szesnaście lat, gdybym wyglądała na czterdzieści pięć.

11 czerwca, niedziela

56,5 kg (bdb, za gorąco, żeby jeść), jedn. alkoholu 3, papierosy 0 (bdb, za gorąco, żeby palić), kalorie 759 (wyłącznie lody).

Kolejna zmarnowana niedziela. Jestem chyba skazana na spędzenie całego lata na oglądaniu krykieta przy zasłoniętych oknach. Czuję się dziwnie nieswojo i to nie tylko z powodu zasłoniętych okien i szlabanu na wyjazdy weekendowe. Kiedy po jednym długim gorącym dniu przychodzi następny długi gorący dzień, uświadamiam sobie, że cokolwiek robię, w gruncie rzeczy uważam, że powinnam robić coś innego. Uczucie to pochodzi z tej samej rodziny uczuć, co nawiedzająca cię okresowo myśl, że skoro mieszkasz w Londynie, powinnaś chodzić do Royal Shakespeare Company/Albert Hall/Tower/Akademii Królewskiej/Madame Tussaud, a nie włóczyć się dla rozrywki po barach.

Im bardziej świeci słońce, tym bardziej oczywiste wydaje mi się to, że inni wykorzystują je pełniej i lepiej: na meczu softballowym, na który zaproszono wszystkich oprócz mnie; z kochankiem na sielskiej polance przy wodospadach, gdzie pasą się Bambi, albo na jakiejś dużej publicznej imprezie (z udziałem Królowej Matki i jednego ze słynnych tenorów) zorganizowanej dla uczczenia tego niezwykłego lata, z którego ja mam tak niewiele. Może winna jest nasza klimatyczna przeszłość. Może jeszcze nie umiemy radzić sobie psychicznie ze słońcem i bezchmurnym błękitnym niebem, które n i e s ą anomalią pogodową. Instynkt każe nam wpaść w panikę, wybiec z biura, zdjąć większość ciuchów i położyć się na schodach awaryjnych.

Ale tu także pojawiają się wątpliwości. Hodowanie raka skóry jest już niemodne, więc co mamy robić? Urządzać grille w cienistych ogrodach i głodzić przyjaciół, majstrując godzinami przy ruszcie, a potem truć ich spalonymi, ale wciąż krwistymi kawałkami prosiaka? Czy organizować pikniki w parkach, żeby kobiety zeskrobywały rozgniecioną mozzarellę z folii aluminiowej i wrzeszczały na swoje astmatyczne dzieci, a mężczyźni pili ciepłe białe wino, przyglądając się zawistnie rozgrywanemu obok meczowi softballowemu?

Zazdroszczę letniego życia ludziom z kontynentu, gdzie mężczyźni w eleganckich płóciennych garniturach i markowych ciemnych okularach jeżdżą bez pośpiechu eleganckimi wozami z klimatyzacją, zatrzymują się, aby wypić *citron pressé* w ocienionej markizą ulicznej kawiarni na zabytkowym rynku i całkowicie ignorują słońce, gdyż wiedzą z doświadczenia, że będzie nadal świeciło w weekend i spokojnie poleżą sobie na jachcie.

Sądzę, że właśnie odkąd zaczęliśmy podróżować i zwracać na to uwagę, straciliśmy naszą narodową pewność siebie. Chociaż sytuacja może się zmienić. Coraz więcej stolików wychodzi na zewnątrz. Ludziom udaje się siedzieć przy nich spokojnie, tylko od czasu do czasu przypominają sobie o słońcu i zamknąwszy oczy, wystawiają do niego twarze albo uśmiechają się podekscytowani do przechodniów — „Spójrzcie, my też możemy się delektować napojem chłodzącym w ulicznej kawiarni" — i tylko przelotnie pojawia się na ich obliczach wyraz egzystencjalnego lęku, mówiący: „Czy nie powinniśmy być na plenerowym przedstawieniu *Snu nocy letniej*?"

Kiełkuje mi w głowie drżąca myśl, że może Daniel ma rację: kiedy jest gorąco, należy spać pod drzewem albo oglądać krykieta przy zasłoniętych oknach. Ale moim zdaniem, żeby móc pod tym drzewem usnąć, trzeba mieć pewność, że jutro też będzie gorąco, i pojutrze, i że czeka nas jeszcze w życiu dostatecznie dużo gorących dni na oddawanie się rozmaitym gorącodniowym zajęciom w spokoju ducha i bez pośpiechu. Marne szanse.

12 czerwca, poniedziałek

57,5 kg, jedn. alkoholu 3 (bdb), papierosy 13 (db), minuty poświęcone próbom zaprogramowania magnetowidu 210 (kiepsko).

7 wieczorem. Przed chwilą zadzwoniła mama.

— Dobry wieczór, kochanie. Wiesz co? W *Newsnight* będzie Penny Husbands-Bosworth!!!

— Kto?

— Znasz Husbands-Bosworthów, kochanie. Ursula była w liceum klasę wyżej od ciebie. Herbert umarł na białaczkę.

— Co?

— Nie mówi się „co", Bridget, tylko „słucham". Chodzi o to, że nie będzie mnie w domu, bo Una chce iść na pokaz slajdów o Nilu, więc zastanawiamy się z Penny, czy nie mogłabyś tego nagrać... Ooch, muszę kończyć, przyszedł rzeźnik!

8.00. Do dzieła. To śmieszne, żeby mieć magnetowid dwa lata i nigdy niczego nie nagrać. Zwłaszcza że jest to wspaniały FV 67 HV VideoPlus. Na pewno wystarczy przeczytać instrukcję obsługi, znaleźć odpowiednie przyciski itd.

8.15. Grr! Nie mogę znaleźć instrukcji obsługi.

8.35. Ha! Instrukcja leżała pod „Hello!" Do dzieła. „Programowanie magnetowidu jest równie łatwe jak korzystanie z telefonu". Wspaniale.

8.40. „Skieruj pilota w stronę magnetowidu". Bardzo łatwe. „Zajrzyj do indeksu". Aaaaa, przerażająca lista: „Nagrywanie z timerem w systemie hi-fi", „Dekoder do programów zakodowanych" itd. Chcę nagrać ględzenie Penny Husbands-Bosworths, a nie kształcić się w technikach szpiegowskich.

8.50. Diagram. „Przyciski funkcji IMC". Ale co to są funkcje IMC?

8.55. Postanawiam pominąć tę stronę i przechodzę do „Nagrywania z timerem": „1) Sprawdź, czy są spełnione wymagania VideoPlus". Jakie wymagania? Głupi magnetowid. Czuję się dokładnie tak samo, jak kiedy próbuję się połapać w drogowskazach. Wiem w głębi duszy, że drogowskazy i instrukcja obsługi nie mają sensu, ale wciąż nie mogę uwierzyć, że władze są tak okrutne, aby z rozmysłem wpuszczać nas w maliny. Czuję się jak niekompetentna idiotka, bo najwyraźniej wszyscy inni ludzie na świecie rozumieją coś, co mnie przerasta.

9.10. „Po włączeniu magnetowidu sprawdź, czy zegar jest nastawiony na prawidłowy czas (przy przejściu z czasu letniego na zimowy możesz skorzystać z funkcji szybkiego regulowania zegara). Aby wywołać menu zegara, wciśnij przycisk czerwony i numer 6”. Naciskam czerwone i nic się nie dzieje. Naciskam cyfry i nic się nie dzieje. Żałuję, że w ogóle wynaleziono magnetowid.

9.25. Aaaaa... Na ekranie wyświetliło się menu, napis „Wciśnij 6”. O rany! Przez pomyłkę używałam pilota do telewizora. Teraz pojawiły się wiadomości.

Zadzwoniłam do Toma i spytałam, czy mógłby nagrać Penny Husbands-Bosworth, ale powiedział, że też nie umie obsługiwać magnetowidu.

Nagle w magnetowidzie coś prztyknęło i zamiast wiadomości leci *Randka w ciemno*. Nic z tego nie rozumiem.

Zadzwoniłam do Jude, ale ona też nie umie obsługiwać magnetowidu. Aaaaaa... Aaaa... Jest 10.15. *Newsnight* za 15 minut.

10.17. Kaseta nie chce wejść.

10.18. Prawda, w środku jest *Thelma i Louise*.

10.19. Thelma i Louise nie chce wyjść.

10.21. Gorączkowo wciskam wszystkie przyciski. Kaseta wychodzi i chowa się z powrotem.

10.25. Mam już w środku czystą kasetę. Dobrze. Czytam „Nagrywanie": „Nagrywanie z tunera rozpocznie się po wciśnięciu dowolnego przycisku (oprócz Mem)". Z jakiego znowu tunera? „Nagrywając z kamery, naciśnij 3 razy AV Prog. W przypadku transmisji dwujęzycznej trzymaj przycisk 1/2 wciśnięty przez 3 sekundy, aby wybrać język".

Boże! Ta głupia instrukcja przypomniała mi mojego profesora lingwistyki z Bangor, którego tak pochłaniały drobne kwestie językowe, że nie potrafił powiedzieć zdania, nie zagłębiając się w analizę poszczególnych słów: „Dzisiaj chciałbym... Chciałbym, widzicie, w 1570 roku..."

Aaaaa... aaaaa... Zaczyna się *Newsnight*.

10.31. OK, OK, spokojnie. Penny Husbands-Bosworth nie mówi jeszcze o poazbestowej białaczce.

10.33. Hura! NAGRYWANIE BIEŻĄCEGO PROGRAMU. Udało się!

Aaaaaa... Magnetowid zwariował. Kaseta przewinęła się do początku i wyszła. Dlaczego? Cholera. Z podniecenia usiadłam na pilocie.

10.35. Panika. Dzwoniłam do Shazzer, Rebeki, Simona i Magdy. Żadne nie umie programować magnetowidu. Jedyną znaną mi osobą, która to potrafi, jest Daniel.

10.45. O Boże, Daniel omal nie pękł ze śmiechu, kiedy mu powiedziałam, że nie umiem zaprogramować magnetowidu. Obiecał nagrać mi Penny H-B. W każdym razie, zrobiłam dla mamy, co mogłam. To podniecająca i historyczna chwila, gdy ktoś znajomy występuje w telewizji.

11.15. Grr. Telefon mamy: „Wybacz, kochanie. To nie *Newsnight*, tylko jutrzejsze *Breakfast News*. Możesz nastawić magnetowid na siódmą rano, BBC1?"

11.30. Telefon Daniela: „Eee, przepraszam, Bridge. Nie wiem, co się stało. Nagrał mi się Barry Norman”.

18 czerwca, niedziela
56 kg, jedn. alkoholu 3, papierosy 17.

Przesiedziawszy w półmroku trzeci weekend z rzędu z Danielem bawiącym się moim sutkiem, jakby był paciorkiem antystresowym, pytając od czasu do czasu słabym głosem: „Zdobyli punkt?”, nagle wybuchnęłam:

— Dlaczego nie możemy wyjechać na weekend? Dlaczego? Dlaczego?

— Dobry pomysł — odparł łagodnie Daniel, wyjmując dłoń z mojego stanika. — Zarezerwuj coś na przyszły weekend. Miły wiejski hotel. Ja zapłacę.

21 czerwca, środa
55,5 kg (bdb!), jedn. alkoholu 1, papierosy 2, zdrapki 2 (bdb), minuty poświęcone przeglądaniu folderów 237 (źle).

Daniel nie chce przeglądać folderów i zabronił mi wspominać o wyjeździe, dopóki w sobotę nie wyruszymy w drogę. Jak może wymagać, żebym nie była podniecona, jeśli od tak dawna o tym marzyłam? Dlaczego mężczyźni nie nauczyli się fantazjować o wakacjach, wybierać ich z folderów i planować, tak jak nauczyli się (przynajmniej niektórzy) gotować i szyć? Przeraża mnie konieczność samodzielnego podjęcia decyzji. Wovingham Hall wydaje się idealny — elegancki, ale bez przesady, ma łóżka z baldachimami, jezioro, a nawet fitness center (nie wybieram się), ale co będzie, jeśli nie spodoba się Danielowi?

25 czerwca, niedziela
55,5 kg, jedn. alkoholu 7, papierosy 2, kalorie 4587 (oj!).

O Boże! Daniel z miejsca uznał, że to hotel dla nuworyszy, bo przed wejściem stały trzy rolls-royce'y, w tym jeden żółty. Natomiast ja walczyłam z przykrą prawdą, że jest przeraźliwie zimno, a spakowałam się na dziewięćdziesięciostopniowy upał. Oto, co zabrałam:

kostiumy kąpielowe 2,
bikini 1,
długa powiewna biała sukienka 1,
sukienka plażowa 1,
różowe plastikowe klapki na obcasie 1 para,
różowa zamszowa sukienka mini 1,
czarna jedwabna kombinacja 1,
staniki, majtki, pończochy, pasy (różne).

Akurat zagrzmiało, kiedy drżąc z zimna, wkuśtykałam za Danielem do holu, aby stwierdzić, że roi się tam od druhen i mężczyzn w kremowych garniturach i że jesteśmy jedynymi ludźmi w hotelu, którzy nie są gośćmi weselnymi.

— To straszne, co dzieje się w Srebrenicy, prawda? — zatrajkotałam nerwowo, próbując sprowadzić problemy do właściwych rozmiarów. — Szczerze mówiąc, nie bardzo mogę się zorientować, o co chodzi w tej Bośni. Myślałam, że Bośniacy to ci w Sarajewie, a Serbowie ich atakują, więc kim są bośniaccy Serbowie?

— Gdybyś poświęciła ciut mniej czasu na czytanie folderów, a więcej na czytanie gazet, może byś wiedziała — odparł złośliwie Daniel.

— Więc o co tam chodzi?

— Boże, spójrz na cycki tej druhny.

— I kim są bośniaccy muzułmanie?

— Jakie ten facet ma wielkie klapy.

Nagle dotarło do mnie, że Daniel próbuje zmienić temat.

— Czy bośniaccy Serbowie to ci, którzy atakowali Sarajewo? — zapytałam.

Milczenie.

— Więc na czyim terytorium jest Srebrenica?
— Srebrenica leży w strefie bezpieczeństwa — odparł Daniel tonem bezmiernej wyższości.
— Więc jak to możliwe, że ludzie ze strefy bezpieczeństwa atakowali Sarajewo?
— Zamknij się.
— Powiedz mi tylko, czy Bośniacy w Srebrenicy to ci sami ludzie, którzy byli w Sarajewie.
— To muzułmanie — odrzekł triumfalnie Daniel.
— Serbowie czy Bośniacy?
— Zamkniesz się wreszcie?
— Ty też nie wiesz, co się dzieje w Bośni.
— Wiem.
— Nie wiesz.
— Wiem.
— N i e w i e s z.
W tym momencie szwajcar, ubrany w pumpy, białe podkolanówki, skórzane buty ze sprzączkami, surdut i upudrowaną perukę, nachylił się do nas i powiedział:
— Wydaje mi się, że dawni mieszkańcy Srebrenicy i Sarajewa to bośniaccy muzułmanie, sir. — I dodał zjadliwie: — Czy życzy pan sobie rano gazetę?
Myślałam, że Daniel go uderzy. Zaczęłam głaskać jego ramię, mrucząc: „Już dobrze, spokojnie, spokojnie", jakby był koniem wyścigowym, który przestraszył się ciężarówki.

5.30 po południu. Brr... Zamiast leżeć obok Daniela w gorącym słońcu nad brzegiem jeziora ubrana w długą powiewną suknię, wylądowałam w wiosłowej łodzi, sina z zimna i otulona hotelowym ręcznikiem. W końcu wróciliśmy do pokoju, żeby wziąć gorącą kąpiel i aspirynę, odkrywając po drodze, że wieczorem mamy dzielić nie weselną jadalnię z inną parą, której żeńską połową jest niejaka Eileen, którą Daniel dwa razy przeleciał, niechcący ugryzł za mocno w pierś i od tamtej pory się nie widzieli.

Kiedy wyszłam po kąpieli z łazienki, Daniel leżał na łóżku i chichotał.

— Mam dla ciebie nową dietę — oznajmił.

— Więc jednak uważasz, że jestem gruba.

— Posłuchaj, to bardzo proste. Wystarczy, że nie będziesz jadła niczego, za co musisz sama zapłacić. Na początku diety jesteś trochę przy kości i nikt nie zaprasza cię na kolacje. Więc chudniesz i robisz się bardziej apetyczna, i faceci zaczynają cię zabierać do restauracji. Wtedy tyjesz, zaproszenia się urywają i znów zaczynasz chudnąć.

— Daniel! — wybuchnęłam. — To najbardziej oburzająca seksistowska, grubasistowska i cyniczna propozycja, jaką kiedykolwiek słyszałam.

— Nie obrażaj się, Bridge — odparł. — To logiczne rozwinięcie tego, co naprawdę myślisz. Wciąż ci powtarzam, że nikt nie lubi szkieletów. Kobieta powinna mieć tyłek, na którym można zaparkować motor i postawić kufel piwa.

Byłam rozdarta między obrzydliwą wizją siebie z motocyklem i kuflem piwa na tyłku a wściekłością na Daniela za jego rażąco prowokacyjny seksizm i nagłą myślą, że może jednak ma rację co do sposobu postrzegania mojego ciała przez mężczyzn, a jeśli tak, to czy powinnam natychmiast zjeść coś pysznego i co by to mogło być.

— Włączę telewizor — powiedział Daniel, wykorzystując moje oszołomienie, aby zagarnąć pilota, i podszedł do grubych, typowo hotelowych zasłon.

Chwilę później w pokoju zaległy kompletne ciemności, nie licząc migającego na ekranie krykieta. Daniel zapalił papierosa i zamówił przez telefon sześć puszek Fostera.

— Chcesz coś, Bridge? — zapytał ze złośliwym uśmieszkiem. — Może herbatę z mleczkiem? Ja zapłacę.

LIPIEC

Phi!

2 lipca, niedziela

55 kg (tak trzymać), jedn. alkoholu 0, papierosy 0, kalorie 995, zdrapki 0: idealnie.

7.45 rano. Telefon mamy.

— Dzień dobry, kochanie. Wiesz co?

— Zaczekaj, przełączę się do drugiego pokoju — powiedziałam, zerkając nerwowo na Daniela.

Odłączyłam telefon, na palcach przeszłam z sypialni do pokoju i podłączyłam się na nowo, aby stwierdzić, że mama cały czas mówiła, nie zauważając mojej nieobecności.

— ...i co ty na to, kochanie?

— Nie wiem. Przenosiłam telefon do drugiego pokoju, jak ci powiedziałam.

— Ach, więc nic nie słyszałaś?

— Nie.

Na chwilę zapadła cisza.

— Dzień dobry, kochanie. Wiesz co?

Czasami mam wrażenie, że moja matka żyje w innej epoce. Na przykład, kiedy nagrywa mi się na sekretarkę, mówi tylko bardzo głośno i wyraźnie: „Tu matka Bridget Jones".

— Halo? Dzień dobry, kochanie. Wiesz co? — powiedziała jeszcze raz.

— Co? — zapytałam z rezygnacją.

— Una i Geoffrey urządzają 29 lipca ogrodową maskaradę

„Kokoty i księża". Cudowny pomysł, prawda? „Kokoty i księża"! Wyobraź sobie!

Wolałam nie. Una Alconbury w botkach do pół uda, kabaretkach i gorsecie?! Organizowanie takiej imprezy przez sześćdziesięciolatków wydało mi się rzeczą nienaturalną i niewłaściwą.

— Byłoby super, gdybyście ty i... — niby nieśmiała, pełna napięcia pauza — ...Daniel mogli przyjść. Wszyscy bardzo chcemy go poznać.

Zrobiło mi się słabo na myśl, że mój związek z Danielem miałby być rozbierany na intymne części pierwsze na lunchach northamptonshirskiej sekcji Lifeboatu.

— Nie sądzę, żeby Daniel...

W tym momencie krzesło, na którym się huśtałam, runęło z hukiem na podłogę. Kiedy podniosłam słuchawkę, mama nadal mówiła.

— To super. Podobno przyjdzie też Mark Darcy z jakąś dziewczyną, więc...

— Co się dzieje? — W drzwiach stał kompletnie nagi Daniel. — Kto dzwoni?

— Moja matka — bąknęłam z rozpaczą kącikiem ust.

— Dawaj — rozkazał, zabierając mi słuchawkę.

Lubię, kiedy jest autorytatywny, nie będąc taki zły.

— Pani Jones — powiedział swym najbardziej czarującym tonem — tu Daniel.

Zobaczyłam w wyobraźni, jak mama dostaje wypieków.

— To dość wczesna pora na telefon, zwłaszcza w niedzielę rano. Tak, zgadzam się, jest bardzo piękny dzień. Czym możemy pani służyć?

Patrzył na mnie, kiedy mama trajkotała, a potem odwrócił się do słuchawki.

— Z przyjemnością. Zapiszę to sobie w terminarzu i poszukam mojej koloratki. A teraz pozwoli pani, że wrócimy do łóżka. Do widzenia. Tak. Do widzenia — powiedział nie znoszącym sprzeciwu tonem i odłożył słuchawkę. — Widzisz? — zwrócił się do mnie, bardzo z siebie zadowolony. — Wystarczy trochę stanowczości.

22 lipca, sobota

55,5 kg (muszę zrzucić te pół kilo), jedn. alkoholu 2, papierosy 7, kalorie 1562.

Strasznie się cieszę, że Daniel pojedzie ze mną w przyszłą sobotę na „Kokoty i księży". Wreszcie nie będę musiała jechać do domu sama i tłumaczyć się przed lifeboatową inkwizycją, dlaczego nie mam chłopaka. Synoptycy zapowiadają cudowny, gorący dzień. Moglibyśmy zrobić z tego wyjazd weekendowy i przenocować w jakimś pubie (albo w hotelu bez telewizorów w pokojach). Cieszę się, że Daniel pozna tatę. Mam nadzieję, że się polubią.

2 w nocy. Obudziłam się we łzach, bo znów przyśnił mi się ten koszmarny sen, że zdaję pisemną maturę z francuskiego i przerzucając strony testu odkrywam, że nie powtórzyłam materiału, a poza tym mam na sobie tylko fartuch z zajęć gospodarstwa domowego i rozpaczliwie usiłuję się nim owinąć, żeby panna Chignall nie zauważyła, że nie mam majtek.

Oczekiwałam, że Daniel okaże mi odrobinę współczucia. Wiem, że to wszystko dlatego, że martwię się swoją karierą (to znaczy tym, że jej nie robię). Ale on tylko zapalił papierosa i poprosił, żebym powtórzyła mu fragment o fartuchu.

— Tobie to dobrze, masz dyplom cholernego Cambridge — wyjąkałam, pociągając nosem. — Nigdy nie zapomnę chwili, kiedy spojrzałam na tablicę wyników, zobaczyłam mierny z francuskiego i zrozumiałam, że nie będę mogła studiować w Manchesterze. To całkowicie zmieniło bieg mojego życia.

— Powinnaś dziękować Bogu, Bridge — odparł, kładąc się na plecach i wydmuchując dym w sufit. — Wyszłabyś pewnie za jakiegoś nudnego ziemianina i przez resztę życia sprzątała boksy jego chartów. A poza tym... — zaczął się śmiać — to nic złego mieć dyplom z... z... — był już tak rozbawiony, że ledwo mówił — ...z Bangor.

— Dosyć tego. Idę spać na kanapę — wrzasnęłam, wyskakując z łóżka.

— Hej, nie bądź taka, Bridge — powiedział, ciągnąc mnie z powrotem. — Wiesz, że uważam cię za... intelektualnego giganta. Musisz się tylko nauczyć interpretować sny.

— Więc co oznacza ten sen? — zapytałam smętnie. — Że zmarnowałam moje intelektualne możliwości?

— Niezupełnie.

— No to co?

— Fartuch bez majtek to zupełnie oczywisty symbol.

— Czego?

— Tego, że próżne ambicje intelektualne przesłaniają ci prawdziwe powołanie.

— A co nim jest?

— Gotowanie mi obiadów, skarbie — odparł, znów szalenie rozbawiony własnym dowcipem. — I chodzenie po moim mieszkaniu bez majtek.

28 lipca, piątek

56 kg, (muszę jeszcze schudnąć przed jutrem), jedn. alkoholu 1 (bdb), papierosy 8, kalorie 345.

Mmmm. Daniel był dziś wieczorem naprawdę uroczy i pomógł mi wybrać przebranie na „Kokoty i księży". Podpowiadał mi różne kombinacje, które przymierzałam, a on je oceniał. Dosyć mu się podobałam jako skrzyżowanie księdza z kokotą, w koloratce, czarnym T-shircie i wykończonych czarną koronką pończochach samonośnych, ale ostatecznie, kiedy pochodziłam jakiś czas po mieszkaniu w obu strojach, zdecydował, że najlepsze będzie czarne koronkowe body od Marksa i Spencera, pończochy z paskiem, fartuszek à la francuska pokojówka zrobiony z dwóch chustek do nosa i kawałka wstążki, muszka i króliczy ogon z waty. To naprawdę miło z jego strony, że poświęcił mi tyle czasu. Czasem myślę, że w gruncie rzeczy jest bardzo troskliwy. Miał też dzisiaj wyjątkową ochotę na seks.

Ooch, nie mogę się doczekać jutra.

29 lipca, sobota

55,5 kg (bdb), jedn. alkoholu 7, papierosy 8, kalorie 6245 (cholerna Una, Mark Darcy, Daniel, mama, wszyscy).

2 po południu. W głowie się nie mieści. O pierwszej Daniel jeszcze spał i zaczynałam się denerwować, bo zaproszono nas na 2.30. W końcu obudziłam go z kubkiem kawy w ręku i powiedziałam:

— Chyba powinieneś wstać, bo mamy tam być o wpół do trzeciej.

— Gdzie? — zapytał.

— Na „Kokotach i księżach".

— O rany. Posłuchaj, skarbie, właśnie sobie przypomniałem, że mam mnóstwo pracy. Naprawdę muszę zostać w domu.

Nie wierzyłam własnym uszom. Obiecał ze mną jechać. Każdy wie, że kiedy się z kimś jest, należy go wspierać moralnie na nudnych uroczystościach rodzinnych, a on uważa, że słowo „praca" zwalnia go jak zaklęcie ze wszystkich zobowiązań. Teraz znajomi Alconburych będą mnie przez cały czas wypytywać, czy mam chłopaka, i nikt nie uwierzy, że tak.

10 wieczorem. W głowie się nie mieści, co przeszłam. Po dwugodzinnej jeździe zaparkowałam pod domem Alconburych i z nadzieją, że dobrze wyglądam w kostiumie króliczka, ruszyłam do ogrodu, skąd dobiegały podniesione, wesołe głosy. Kiedy wyszłam zza rogu, wszyscy ucichli i ku swemu przerażeniu stwierdziłam, że zamiast przebrać się za kokoty i księży, panie włożyły eleganckie kwieciste garsonki do pół łydki, a panowie spodnie i swetry w serek. Stanęłam jak wryta, zupełnie jak... królik. Kiedy wszyscy wytrzeszczali oczy, Una Alconbury, w plisowanej spódnicy koloru fuksji, podbiegła do mnie z plastikowym kubkiem pełnym kawałków jabłka i jakichś liści.

— Bridget!! Super, że jesteś. Napij się ponczu.

— Miała to być maskarada „Kokoty i księża" — syknęłam.

— O Boże, Geoff nie dzwonił do ciebie? — spytała.

Nie wierzyłam własnym uszom. Sądziła, że przebieram się za króliczka na co dzień?

— Geoff! — zawołała. — Nie zadzwoniłeś do Bridget? Nie możemy się doczekać, żeby poznać twojego chłopaka — ciągnęła, rozglądając się dookoła. — Gdzie on jest?

— Musiał pracować — wymamrotałam.

— Jak-się-ma-moja-mała-Bridget? — zapytał wujek Geoffrey, już wstawiony, podchodząc do nas zygzakiem.

— Geoffrey — upomniała go zimno Una.

— Tak jest. Wszyscy obecni i przygotowani, rozkazy wykonane, poruczniku — powiedział, salutując, a potem opadł z chichotem na jej ramię. — Ale trafiłem na tę sakramencką sekretarkę.

— Geoffrey — syknęła Una. — Idź przypilnować grilla. Wybacz, kochanie. Po tych wszystkich skandalach z księżmi stwierdziliśmy, że nie ma sensu urządzać „Kokot i księży", bo... — zaczęła się śmiać — ...bo ludzie uważają, że księża są kokotami. Mój Boże — westchnęła, wycierając oczy. — No więc, co z tym twoim chłopakiem? Dlaczego pracuje w sobotę? Uch! To nie jest najlepsze usprawiedliwienie. Jak w takim układzie wydamy cię za mąż?

— W takim układzie skończę jako call-girl — mruknęłam, próbując odpiąć sobie króliczy ogon.

Poczułam, że ktoś na mnie patrzy, i podniósłszy wzrok, zobaczyłam Marka Darcy'ego wpatrującego się w mój tyłek. Obok stała ta wysoka i chuda wybitna specjalistka od prawa rodzinnego, ubrana w prostą liliową sukienkę i płaszcz à la Jackie O., z ciemnymi okularami na głowie.

Bezczelna małpa posłała Markowi złośliwy uśmieszek i obejrzała mnie od stóp do głów, łamiąc wszelkie zasady dobrego wychowania.

— Przyszłaś z innego przyjęcia? — zapytała.

— Nie, właśnie idę do pracy — odparłam, na co Mark Darcy uśmiechnął się półgębkiem i odwrócił wzrok.

— Dzień dobry, kochanie, jestem w biegu, kręcimy — ćwierknęła moja matka, w turkusowej szmizjerce, przelatując obok nas z klapsem w ręku. — W coś ty się ubrała, kochanie? Wyglądasz jak zwykła prostytutka. Uwaga, cisza na planie, iiiii... — odwróciła się do Julia, który piastował kamerę wideo — akcja!

Zaniepokojona rozejrzałam się za tatą, ale nigdzie nie było go widać. Zobaczyłam za to, że Mark Darcy rozmawia z Uną, pokazując w moją stronę, i po chwili Una podeszła do mnie z poważną miną.

— Bridget, strasznie cię przepraszam za to nieporozumienie z kostiumem — powiedziała. — Mark właśnie zwrócił mi uwagę, że na pewno czujesz się okropnie niezręcznie przy tych wszystkich starszych panach. Może chciałabyś się w coś przebrać?

Spędziłam resztę przyjęcia we włożonej na króliczy kostium kwiecistej sukience od Laury Ashley, w której Janine Alconbury wystąpiła na czyimś ślubie jako druhna. Mark Darcy i Natasha uśmiechali się złośliwie, a moja matka wołała, przebiegając obok: „Ładna sukienka, kochanie. Cięcie!"

— Niezbyt mi się podoba ta jego dziewczyna, a tobie? — powiedziała na cały głos Una, wskazując głową Natashę, jak tylko dopadła mnie samą. — Wygląda na zarozumiałą. Elaine mówi, że zagięła na niego parol. Och, cześć, Mark! Jeszcze szklaneczkę ponczu? Szkoda, że chłopak Bridget nie mógł przyjechać. Szczęściarz z niego, prawda?

Zostało to powiedziane bardzo agresywnym tonem, jakby Una czuła się osobiście urażona tym, że Mark wybrał sobie dziewczynę, która: a) nie jest mną, b) nie została mu przedstawiona przez Unę na noworocznym indyku curry.

— Jak mu na imię, Bridget? Daniel, prawda? Pam mówi, że to jeden z tych fantastycznych młodych wydawców.

— Daniel Cleaver? — zapytał Mark Darcy.

— Owszem — potwierdziłam, wysuwając podbródek.

— To twój znajomy, Mark? — zapytała Una.

— Absolutnie nie — odparł szorstko.

— Oooch. Mam nadzieję, że będzie dobry dla naszej małej Bridget — ciągnęła Una, puszczając do mnie oko, jakby było to szalenie zabawne, a nie obrzydliwe.

— Mogę tylko powtórzyć, z pełnym przekonaniem, że absolutnie nie — powiedział Mark.

— Och, zaczekajcie, przyszła Audrey. Audrey! — zawołała Una, nie słuchając go, dzięki Bogu, i oddreptała przywitać gościa.

— Pewnie uważasz, że to było dowcipne — powiedziałam rozwścieczona, gdy zostaliśmy sami.

— Co? — spytał Mark, wyraźnie zaskoczony.

— Nie „cokaj" mi tu, Marku Darcy — warknęłam.

— Jakbym słyszał moją matkę — powiedział.

— Pewnie nie widzisz nic złego w szkalowaniu czyjegoś faceta, w dodatku za jego plecami i wyłącznie dlatego, że... że jesteś zazdrosny — wypaliłam.

Przez chwilę patrzył na mnie tępo, jakby był myślami gdzie indziej.

— Przepraszam — powiedział w końcu. — Próbowałem zrozumieć, o co ci chodzi. Czy ja...? Sugerujesz, że jestem zazdrosny o Daniela Cleavera? W związku z tobą?

— Nie, nie w związku ze mną — odparłam wściekła, bo rzeczywiście tak to zabrzmiało. — Po prostu założyłam, że nie wyrażasz się o nim tak paskudnie z czystej złośliwości, tylko masz jakiś konkretny powód.

— Mark, kochanie — zagruchała Natasha, sunąc ku nam z gracją. Przy swoim wzroście i chudości nie musiała nosić butów na obcasie, więc chodziła po trawniku, nie zapadając się w ziemię, jakby została do tego stworzona, niczym wielbłąd do życia na pustyni. — Chodź opowiedzieć mamie o tych meblach do jadalni, które widzieliśmy w Conranie.

— Po prostu uważaj na siebie — powiedział cicho Mark, ruszając za Natashą. — I niech twoja mama też uważa — dodał, wskazując ruchem głowy Julia.

Po kolejnych 45 minutach tego koszmaru uznałam, że mogę wyjść, tłumacząc się Unie pracą.

— Ach, te pracujące dziewczyny! — wykrzyknęła. — Nie możesz tego odkładać bez końca: tik-tak-tik-tak.

Dobre pięć minut paliłam w samochodzie papierosa, zanim

uspokoiłam się na tyle, żeby móc ruszyć w drogę. Kiedy wyjechałam na główną szosę, minął mnie samochodem tata. Obok niego siedziała Penny Husbands-Bosworth, ubrana w fiszbinowy gorset z czerwonej koronki i królicze uszy.

Kiedy dotarłam do Londynu, byłam już nieźle roztrzęsiona, a że wróciłam wcześniej, niż się spodziewałam, stwierdziłam, że zamiast jechać prosto do domu, wstąpię do Daniela, żeby mnie trochę wsparł na duchu.

Zaparkowałam nos w nos z jego samochodem. Nie odezwał się, kiedy zadzwoniłam domofonem, więc odczekałam chwilę i zadzwoniłam ponownie, na wypadek, gdybym trafiła na jakąś wyjątkowo dobrą obronę bramki czy coś w tym rodzaju. Dalej cisza. Wiedziałam, że jest w domu, skoro stoi tu jego samochód, a poza tym powiedział, że będzie pracował i oglądał krykieta. Spojrzałam w jego okno i zobaczyłam go. Uśmiechnęłam się, pomachałam mu ręką i pokazałam na drzwi. Zniknął, więc uznałam, że poszedł wcisnąć brzęczyk, i zadzwoniłam jeszcze raz. Odezwał się dopiero po dłuższej chwili.

— Cześć, Bridge. Mam na linii Amerykę. Możemy się spotkać w pubie za dziesięć minut?

— Dobrze — odparłam wesoło i bez namysłu ruszyłam w stronę rogu ulicy. Ale kiedy obejrzałam się do tyłu, znów zobaczyłam go w oknie, bez żadnego telefonu.

Sprytna jak lis udałam ślepą i szłam dalej, ale wszystko się we mnie kotłowało. Dlaczego za mną patrzy? Dlaczego nie zareagował na pierwszy dzwonek? Dlaczego po prostu nie otworzył drzwi, żebym weszła? I nagle poraziło mnie jak grom: jest z jakąś kobietą.

Z bijącym sercem skręciłam za róg, po czym, przylepiona do ściany, wyjrzałam, aby sprawdzić, czy odszedł od okna. Nie było go. Pobiegłam z powrotem i przykucnęłam na ganku sąsiedniego domu, skąd mogłam obserwować drzwi Daniela i ewentualnie zobaczyć wychodzącą kobietę. Powarowałam tak jakiś czas, ale potem zaczęłam myśleć: nawet jeśli jakaś kobieta stamtąd wyjdzie, jak poznam, że była u Daniela, a nie u kogoś innego? Co miałabym zrobić? Spytać ją o to? Nałożyć na nią areszt obywatelski? Poza tym Daniel może zostawić ją w mieszkaniu, z poleceniem, żeby wyszła, gdy on dotrze do pubu.

Spojrzałam na zegarek. 6.30. Ha! Pub był jeszcze zamknięty. Idealna wymówka. Ośmielona, podskoczyłam do drzwi i nacisnęłam dzwonek.

— Bridget, to znowu ty? — warknął Daniel.

— Pub jest jeszcze zamknięty.

Cisza. Czyżbym słyszała w tle jakiś głos? Stosując mechanizm zaprzeczenia, powiedziałam sobie, że po prostu pierze pieniądze albo handluje narkotykami. Pewnie chowa teraz pod podłogą plastikowe torebki z kokainą, w czym pomagają mu eleganccy Latynosi z kucykami.

— Wpuść mnie — poprosiłam.

— Mówię ci, że rozmawiam przez telefon.

— Wpuść mnie.

— Co?

Ewidentnie grał na zwłokę.

— Otwórz drzwi, Daniel — powiedziałam.

Zabawne, że można wyczuć czyjąś obecność, chociaż nikogo nie widać ani nie słychać. Idąc na górę, zajrzałam do ściennych szaf i były puste. Ale wiedziałam, że w domu Daniela jest kobieta. Może zaalarmował mnie jakiś delikatny zapach... coś w sposobie zachowania Daniela. Cokolwiek to było, po prostu w i e d z i a ł a m.

Staliśmy czujnie w przeciwległych końcach pokoju. Ledwo się powstrzymywałam, żeby nie zacząć otwierać wszystkich szaf jak moja matka i nie zadzwonić pod 1471, żeby sprawdzić, czy w pamięci jest amerykański numer.

— Co masz na sobie? — zapytał.

Ze zdenerwowania zapomniałam o kiecce Janine.

— Sukienkę druhny — odparłam dumnie.

— Napijesz się czegoś?

Zastanowiłam się błyskawicznie. Musiałam posłać go do kuchni, żeby móc sprawdzić szafy.

— Zrób mi herbatę.

— Dobrze się czujesz? — spytał.

— Tak! Świetnie! — ćwierknęłam. — Cudownie się bawiłam. Tylko ja przebrałam się za kokotę, więc musiałam włożyć tę sukienkę, Mark Darcy przyjechał z Natashą, masz bardzo ładną koszulę… — Urwałam, bez tchu, uświadamiając sobie, że zmieniłam się (czas przeszły dokonany) w moją matkę.

Daniel popatrzył na mnie chwilę i poszedł do kuchni, a wtedy rzuciłam się przez pokój, żeby zajrzeć za kanapę i zasłony.

— Co robisz?

Daniel stał w progu.

— Nic, nic. Wydawało mi się, że zostawiłam za kanapą spódnicę — odparłam, energicznie uklepując poduszki, jakbym grała we francuskiej farsie.

Spojrzał na mnie podejrzliwie i wrócił do kuchni.

Uznawszy, że nie ma czasu dzwonić pod 1471, szybko sprawdziłam szafę, w której trzyma dodatkową kołdrę — zero istot ludzkich — i ruszyłam do kuchni, otwierając po drodze ścienną szafę w korytarzu. Wypadła z niej deska do prasowania i kartonowe pudło ze starymi singlami, które poturlały się po całej podłodze.

— Co robisz? — zapytał ponownie Daniel, wychodząc z kuchni.

— Przepraszam, zaczepiłam rękawem o klamkę — odparłam. — Idę do łazienki.

Gapił się na mnie jak na wariatkę, więc nie mogłam pójść sprawdzić sypialni. W zamian zamknęłam się w łazience i zaczęłam się gorączkowo rozglądać. Nie wiedziałam za czym konkretnie, ale długie blond włosy, chusteczki ze śladami szminki czy obce grzebienie byłyby jakimś dowodem. Nic z tych rzeczy. Po cichu wyszłam z łazienki, spojrzałam w prawo i w lewo, śmignęłam korytarzem, pchnęłam drzwi sypialni i omal nie wyskoczyłam ze skóry. Ktoś tam był.

— Bridge? — Daniel zasłonił się parą dżinsów jak tarczą. — Co ty tu robisz?

— Usłyszałam, jak tu wchodzisz, więc… pomyślałam, że…

że to sekretna schadzka — odparłam, podchodząc do niego krokiem, który byłby seksowny, gdyby nie kwiecista sukienka.

Położyłam mu głowę na piersi i zarzuciłam ręce na szyję, próbując wyczuć, czy jego koszula nie pachnie obcymi perfumami, i dobrze przyjrzeć się łóżku, które jak zwykle było nie posłane.

— Mmmm, masz pod spodem ten kostium króliczka? — zapytał, rozpinając mi suwak i przyciskając się do mnie w sposób, który nie pozostawiał wątpliwości co do jego intencji. Pomyślałam, że może to być podstęp: chce mnie uwieść, żeby tamta mogła się wymknąć z mieszkania.

— Oooch, woda się gotuje — powiedział nagle, zapiął suwak i poklepał mnie uspokajająco po plecach, co zupełnie nie było w jego stylu. Na ogół kiedy już zacznie, doprowadza rzecz do logicznego końca, choćby przyszło trzęsienie ziemi czy pokazano w telewizji rozebrane zdjęcia Margaret Thatcher.

— Ooch, tak, zrób mi tę herbatę — odparłam, pomyślawszy, że przez ten czas przeszukam sypialnię i gabinet.

— Pani pierwsza — powiedział Daniel, wypychając mnie za drzwi, więc musiałam pomaszerować przed nim korytarzem. Po drodze zauważyłam drzwi prowadzące na taras na dachu.

— Może usiądziemy? — zaproponował Daniel.

A więc tam się schowała, na cholernym tarasie.

— Co się z tobą dzieje? — zapytał, widząc, że wpatruję się podejrzliwie w drzwi.

— Nic — ćwierknęłam wesoło, wchodząc do pokoju. — Jestem tylko trochę zmęczona tym przyjęciem.

Klapnęłam z pozorną beztroską na kanapę, zastanawiając się, czy pomknąć z prędkością światła do gabinetu czy też prosto na dach. Jeśli nie ma jej na dachu, musi być w gabinecie albo pod łóżkiem w sypialni i jeśli pójdziemy na dach, będzie mogła uciec. Ale gdyby tak było, Daniel wyprowadziłby mnie na dach już dawno.

Przyniósł mi herbatę i usiadł przy swoim laptopie, który był otwarty i włączony. Nagle pomyślałam, że może nie ma tu żadnej kobiety. Na ekranie był jakiś dokument — może Daniel naprawdę pracował i rozmawiał przez telefon z Ameryką? A ja robię z siebie totalną kretynkę, zachowując się jak obłąkana.

— Na pewno wszystko gra, Bridge?

— Tak, jasne. Bo co?

— No wiesz, wpadasz tu bez zapowiedzi przebrana za króliczka przebranego za druhnę i biegasz po wszystkich pokojach. Nie chciałbym być wścibski, ale jestem ciekaw, czy da się to jakoś wytłumaczyć.

Poczułam się jak idiotka. To ten cholerny Mark Darcy próbuje zniszczyć mój związek, zasiewając w mojej głowie podejrzenia. Biedny Daniel, byłam strasznie niesprawiedliwa, posądzając go o zdradę z powodu słów jakiegoś aroganckiego, napastliwego obrońcy praw człowieka. Nagle na dachu coś skrzypnęło.

— Może jest mi po prostu trochę za gorąco — powiedziałam, uważnie obserwując Daniela. — Może powinnam wyjść na taras.

— Na litość boską, posiedźże chwilę w jednym miejscu! — wrzasnął Daniel, próbując zagrodzić mi drogę, ale byłam szybsza. Przemknęłam obok niego, otworzyłam drzwi, wbiegłam po schodach na górę i podniosłam klapę na taras.

A tam, wyciągnięta na leżaku, królowała opalona na brąz, długonoga, blondwłosa i kompletnie naga kobieta. Stanęłam jak wryta, czując się w mojej kwiecistej sukience jak wielki pudding. Kobieta podniosła głowę, zdjęła ciemne okulary i otworzyła jedno oko. Usłyszałam, że Daniel wchodzi za mną po schodach.

— Skarbie — powiedziała kobieta, z amerykańskim akcentem, patrząc na niego ponad moją głową. — Mówiłeś chyba, że jest s z c z u p ł a.

SIERPIEŃ

Dezintegracja

1 sierpnia, wtorek

56 kg, jedn. alkoholu 3, papierosy 40 (ale bez zaciągania, żeby móc wypalić więcej), kalorie 450 (nie mogę jeść), telefony pod 1471: 14, zdrapki 7.

5 rano. Świat się wali. Mój facet sypia z opaloną olbrzymką. Moja matka sypia z Portugalczykiem. Jeremy sypia z paskudną zdzirą. Książę Karol sypia z Camillą Parker-Bowles. Nie wiem już, w co mam wierzyć ani czego się trzymać. Chciałabym zadzwonić do Daniela w nadziei, że wszystkiemu zaprzeczy, w wiarygodny sposób wyjaśni obecność nagiej walkirii — młodsza siostra, zaprzyjaźniona sąsiadka ocalała z powodzi czy coś w tym rodzaju — i wszystko będzie dobrze. Ale Tom przykleił mi do telefonu kartkę z napisem: „Nie dzwoń do Daniela, bo będziesz tego żałować".

Powinnam była przenocować u Toma, jak proponował. Czuję się okropnie, siedząc tu sama w środku nocy, paląc papierosa za papierosem i pochlipując jak obłąkana. Jeszcze Dan z dołu to usłyszy i wezwie pogotowie psychiatryczne. Boże, co jest ze mną nie tak? Dlaczego nic mi się nie układa? Dlatego, że jestem za gruba. Mam ochotę znów zadzwonić do Toma, ale rozmawiałam z nim zaledwie 45 minut temu. Przeraża mnie myśl o pójściu do pracy.

Po konfrontacji na dachu nie powiedziałam do Daniela ani słowa. Zadarłam nos do góry, prześliznęłam się obok niego, wymaszerowałam na ulicę, wsiadłam do samochodu i odjechałam. Pojechałam do Toma, który wlał mi wódkę prosto do gardła, a sok pomidorowy i sos Worcester dodał potem. Po powrocie do domu zastałam na sekretarce trzy wiadomości od Daniela, żebym zadzwoniła. Nie zadzwoniłam, idąc za radą Toma, który przypomniał mi, że jedyny sposób, aby wygrać z mężczyzną, to traktować go naprawdę paskudnie. Dawniej uważałam, że Tom jest cyniczny i nie ma racji, ale byłam dobra dla Daniela i jak na tym wyszłam?

O Boże, ptaki zaczęły już śpiewać. Za trzy i pół godziny muszę wyjść do pracy. Nie dam rady. Na pomoc. Nagle mnie oświeciło: zadzwonię do mamy.

10 rano. Mama była w s p a n i a ł a.

— Kochanie — powiedziała. — Wcale mnie nie obudziłaś. Właśnie wychodzę do studia. Jak mogłaś doprowadzić się do takiego stanu z powodu głupiego f a c e t a? Mężczyźni są egoistycznymi niewolnikami swoich popędów i nie ma z nich żadnego pożytku. Tak, ciebie też to dotyczy, Julio. Weź się w garść, kochanie. Zdrzemnij się trochę. Kiedy pójdziesz do pracy, masz wyglądać zabójczo. Nie pozostaw nikomu, zwłaszcza Danielowi, najmniejszych wątpliwości, że z nim skończyłaś i odkrywasz, jakie cudowne jest życie bez tego nadętego, rozwiązłego starego pryka, który tobą pomiatał, a zaraz poczujesz się lepiej.

— A jak ty się czujesz, mamo? — spytałam, myśląc o tym, że tata przyjechał do Uny z azbestową wdową Penny Husbands-Bosworth.

— Miło, że o to pytasz, kochanie. Żyję w straszliwym stresie.

— Mogę ci jakoś pomóc?

— A wiesz, że tak — odparła już weselszym tonem. — Czy ktoś z twoich znajomych ma numer telefonu Lisy Leeson? No wiesz, żony Nicka Leesona*? Od dawna próbuję ją namierzyć. Byłaby idealna do *Ponownie wolnej*.

---

* Nick Leeson — dwudziestoośmioletni makler z singapurskiej filii banku Baringsa, w 1995 roku jego samowolne operacje finansowe przyniosły bankowi 800 milionów funtów strat, skazany na sześć i pół roku więzienia.

— Chodziło mi o tatę, nie o telewizję — syknęłam.

— O tatę? Nie mam stresów z powodu taty. Nie bądź niemądra, kochanie.

— Ale to przyjęcie... i pani Husbands-Bosworth...

— Och, to było przezabawne. Zrobił z siebie kompletnego osła, próbując wzbudzić we mnie zazdrość. I czy ona nie ma lustra? Wyglądała jak chomik. Mniejsza z tym, muszę kończyć, jestem okropnie zajęta. Zastanowisz się, kto może mieć telefon Lisy? Podam ci mój bezpośredni numer, kochanie. I przestań się mazgaić.

— Och, mamo, kiedy muszę pracować z Danielem...

— Odwrotnie, kochanie. To on musi pracować z tobą. Daj mu popalić, maleńka. — (Boże, nie wiem, z kim mama się zadaje.) — Zresztą myślałam już o tym. Najwyższy czas, żebyś rzuciła to głupie wydawnictwo, gdzie nie masz żadnej przyszłości i nikt cię nie docenia. Zacznij pisać wymówienie, dziecino. Tak jest, kochanie, załatwię ci posadę w telewizji.

Wychodzę do pracy w garsonce i z błyszczykiem na ustach, wyglądając jak cholerna Ivana Trump.

2 sierpnia, środa

56 kg, obwód uda 46 cm, jedn. alkoholu 3 (ale b. czyste wino), papierosy 7 (ale bez zaciągania), kalorie 1500 (wspaniale), herbaty 0, kawy 3 (ale z prawdziwych ziaren, więc mniej pogłębiające cellulitis), w sumie jedn. kofeiny 4.

Dam sobie radę. Zejdę do 54 kg i całkowicie uwolnię uda od cellulitis. Wtedy na pewno wszystko będzie dobrze. Rozpoczęłam intensywny program detoksykacji: żadnej herbaty, żadnej kawy, żadnego alkoholu, żadnej białej mąki, żadnego mleka i co to było? Nie pamiętam. Może żadnych ryb. Trzeba codziennie rano masować skórę na sucho przez pięć minut, potem wziąć piętnastominutową kąpiel z dodatkiem antycellulitisowych olejków aromatycznych i siedząc w wannie, ugniatać cellulitis jak ciasto, a potem wmasować w cellulitis antycellulitisowy krem.

Ta ostatnia rzecz mnie zastanawia — czy antycellulitisowy krem wsiąka w cellulitis przez skórę? A jeśli tak, to czy smarując się samoopalaczem, opalasz sobie również cellulitis? Albo krew? Albo naczynia limfatyczne? Fuj. W każdym razie... (Papierosy. To było to. Żadnych papierosów. Trudno, już za późno. Zacznę od jutra.)

3 sierpnia, czwartek

55,5 kg, obwód uda 46 cm (jaki to ma, do diabła, sens), jedn. alkoholu 0, papierosy 25 (wspaniale w tych okolicznościach), negatywne myśli ok. 445 na godzinę, pozytywne myśli 0.

Stan psychiczny znów bardzo zły. Nie mogę znieść myśli, że Daniel jest z inną kobietą. Głowa pełna ohydnych wizji, jak robią razem różne rzeczy. Dzięki planom schudnięcia i zmiany osobowości utrzymywałam się przez dwa dni na powierzchni, aby teraz wpaść w prawdziwą otchłań rozpaczy. Uświadomiłam sobie, że była to tylko skomplikowana forma zaprzeczenia. Wierzyłam, że mogę w krótkim czasie całkowicie się zmienić i w ten sposób anulować fakt bolesnej i upokarzającej zdrady Daniela, ponieważ zdarzyła mi się w poprzednim wcieleniu i nigdy się nie zdarzy mojemu nowemu, ulepszonemu ja. Niestety, teraz wiem, że w całej tej zabawie w zimną, nieprzystępną, przesadnie wymalowaną księżniczkę na antycellulitisowej diecie chodziło o to, żeby Daniel zrozumiał swój błąd. Tom ostrzegał mnie przed tym, mówiąc, że dziewięćdziesiąt procent operacji plastycznych robią sobie kobiety porzucone przez mężów dla młodszych kochanek. Odparłam, że olbrzymka z dachu nie była młodsza, tylko wyższa, ale Tom stwierdził, że to bez znaczenia. Grr!

W pracy Daniel przesyłał mi komputerowe wiadomości typu: „Musimy porozmawiać" itd., które starannie ignorowałam. Ale im więcej ich było, tym bardziej rosła we mnie złudna nadzieja. Wyobrażałam sobie, że moja strategia skutkuje, Daniel zrozumiał, że popełnił straszliwy, straszliwy błąd, dopiero teraz pojął, jak bardzo mnie kocha, i olbrzymka z dachu to przeszłość.

Dziś wieczorem złapał mnie w drzwiach, gdy wychodziłam.

— Kochanie, proszę, naprawdę musimy porozmawiać.

Jak idiotka poszłam z nim do amerykańskiego baru w Savoyu i dałam mu się zmiękczyć szampanem oraz: „Czuję się okropnie, tęsknię za tobą, bla-bla-bla”. Po czym, gdy tylko wydobył ze mnie wyznanie: „Och, Daniel, ja też za tobą tęsknię”, zrobił się protekcjonalny i sztywny i powiedział:

— Widzisz, Suki i ja…

— Suki? Raczej Sruki — prychnęłam, pewna, że zaraz powie: „Jesteśmy rodzeństwem”, „kuzynami”, „zaciekłymi wrogami” albo „to przeszłość”.

Ale Daniel zrobił obrażoną minę.

— Och, nie umiem tego wyjaśnić — mruknął. — To coś wyjątkowego.

Wytrzeszczyłam oczy, zdumiona tą bezczelną woltą.

— Przykro mi, skarbie — dodał, wyjmując kartę kredytową i kiwając na kelnera — ale się z nią żenię.

4 sierpnia, piątek

Obwód uda 46 cm, negatywne myśli 600 na minutę, ataki paniki 4, ataki płaczu 2 (ale w toalecie i pamiętałam, żeby zabrać maskarę), zdrapki 7.

W pracy, w toalecie na trzecim piętrze. To po prostu… po prostu nie do zniesienia. Co mnie, do diabła, podkusiło, żeby wdać się w romans z szefem? Nie mogę wytrzymać w wydawnictwie. Daniel ogłosił swoje zaręczyny z olbrzymką i ludzie z działu sprzedaży, których w ogóle nie posądzałam o to, że o nas wiedzą, wydzwaniają do mnie z gratulacjami i muszę im tłumaczyć, że to nie ja jestem szczęśliwą wybranką. Wciąż wspominam, jak romantycznie było na początku: te komputerowe liściki i schadzki w windzie. Słyszałam, jak Daniel umawiał się przez telefon ze Sruki i powiedział spłoszonym tonem: „Jak dotąd nie najgorzej”. Domyśliłam się, że mówi o mojej reakcji, jakby się bał, że zabiję jego i siebie. Poważnie zastanawiam się nad liftingiem.

8 sierpnia, wtorek

57 kg, jedn. alkoholu 7 (hłe, hłe), papierosy 29 (chi, chi), kalorie 5 milionów, negatywne myśli 0, myśli w ogóle 0.

Zadzwoniłam do Jude i powiedziałam jej o tragedii z Danielem. Była wstrząśnięta, natychmiast ogłosiła stan alarmowy i powiedziała, że zadzwoni do Sharon i umówi nas na dziewiątą. Wcześniej nie może, bo ma się spotkać z Podłym Richardem, który wreszcie zgodził się pójść na terapię par.

2 w nocy. Brdzo kręci w głowie ale dobrzabawa. Auć. Pzewrócīłm się.

9 sierpnia, środa

58 kg (ale dla dobra sprawy), obwód uda 40 cm (cud albo błąd pomiaru spowodowany kacem), jedn. alkoholu 0 (ale organizm nadal pije jednostki z wczoraj), papierosy 0 (yyy...).

8 rano. Uch! Fizycznie czuję się fatalnie, ale wczorajsze wyjście bardzo podniosło mnie na duchu. Jude była wściekła jak wszyscy diabli, bo Podły Richard nie przyszedł na terapię par.

— Terapeutka pomyślała, że uroiłam sobie, że mam chłopaka, i że jestem żałosna.

— I co było dalej? — zapytałam współczująco, tłumiąc w sobie nielojalny podszept szatana, który mówił: „I miała rację".

— Powiedziała, że musimy porozmawiać o moich o problemach, które nie mają związku z Richardem.

— Kiedy ty nie masz problemów, które nie mają związku z Richardem — zauważyła Sharon.

— Wiem. Powiedziałam jej tak, a ona na to, że mam problem z określaniem granic i wzięła ode mnie pięćdziesiąt pięć funtów.

— Dlaczego nie przyszedł? — spytała Sharon. — Mam nadzieję, że sadystyczny drań przynajmniej ci się wytłumaczył.

— Stwierdził, że nie mógł się wyrwać z pracy — odparła

Jude. — Powiedziałam mu: „Posłuchaj, nie masz monopolu na lęk przed zaangażowaniem. Ja też odczuwam lęk przed zaangażowaniem. Jeśli się szybko nie uporasz ze swoim lękiem, będziesz miał do czynienia z moim, a wtedy może być już za późno.

— Odczuwasz lęk przed zaangażowaniem? — spytałam zaintrygowana, natychmiast pomyślawszy, że może ja też go odczuwam.

— Pewnie, że odczuwam lęk przed zaangażowaniem — warknęła Jude. — Tylko że nikt tego nie dostrzega, bo przesłania go lęk Richarda. Powiem więcej, mój lęk przed zaangażowaniem jest dużo głębszy niż jego.

— No właśnie — wtrąciła Sharon. — Ale ty nie obnosisz się z tym lękiem jak każdy cholerny facet powyżej dwudziestego roku życia.

— O tym właśnie mówię — prychnęła Jude, próbując zapalić kolejnego Silk Cuta zacinającą się zapalniczką.

— Cały cholerny świat odczuwa lęk przed zaangażowaniem — ryknęła Sharon gardłowym głosem à la Clint Eastwood. — Żyjemy w kulturze trzyminutowej. W globalnym kryzysie koncentracji uwagi. To typowe dla mężczyzn, że anektują światowy trend, robią z niego męskie narzędzie służące odrzucaniu kobiet i czują się z tego powodu mądrzy, a my głupie. To nic innego, jak popapranie emocjonalne.

— Dranie! — wrzasnęłam radośnie. — Zamówimy jeszcze jedną butelkę wina?

9 rano. Kurczę. Właśnie zadzwoniła mama.

— Kochanie — powiedziała — Wiesz co? *Good Afternoon!* szuka reporterów. Sprawy bieżące, świetna praca. Rozmawiałam z Richardem Finchem, redaktorem programu, i powiedziałam mu o tobie. Skłamałam, że skończyłaś nauki polityczne. Nie martw się, kochanie, będzie zbyt zajęty, żeby to sprawdzić. Chce, żebyś przyszła w poniedziałek na pogawędkę.

W poniedziałek. O Boże, mam tylko pięć dni, żeby dowiedzieć się czegoś o polityce.

12 sierpnia, sobota

58,5 kg (nadal dla dobra sprawy), jedn. alkoholu 3 (bdb), papierosy 32 (b.b. źle, zwłaszcza że miałam dziś rzucić), kalorie 1800 (db), zdrapki 4 (nieźle), liczba przeczytanych poważnych artykułów o polityce 1,5, telefony pod 1471: 22 (db), minuty spędzone na odbywaniu w wyobraźni ostrych rozmów z Danielem 120 (bdb), minuty spędzone na wyobrażaniu sobie, że Daniel błaga mnie, żebym do niego wróciła 90 (wspaniale).

Będę pozytywnie nastawiona do wszystkiego i odmienię swoje życie: zgłębię arkana polityki, definitywnie rzucę palenie i zbuduję nietoksyczny związek z dorosłym mężczyzną.

8.30 rano. Jeszcze nie zapaliłam. Świetnie.

8.35. Cały dzień bez papierosa. Wspaniale.

8.40. Ciekawe, czy listonosz przyniósł coś miłego?

8.45. Uch! Ohydne pismo z ubezpieczalni z żądaniem zapłacenia 1452 funtów. Za co? Jakim cudem? Nie mam 1452 funtów. O Boże, muszę zapalić, żeby uspokoić nerwy. Nie, nie wolno mi. Nie wolno mi.

8.47. Zapaliłam. Ale dzień bez papierosa nie zaczyna się oficjalnie, dopóki się nie ubiorę.

Nagle zaczęłam myśleć o moim dawnym chłopaku, Peterze, z którym byłam w nietoksycznym związku przez siedem lat, dopóki go nie rzuciłam z ważnych, bolesnych powodów, których już nie pamiętam. Od czasu do czasu — na ogół kiedy nie ma z kim jechać na wakacje — dzwoni do mnie i mówi, że chce się ze mną ożenić. Zanim się zorientowałam, doszłam do wniosku, że Peter jest rozwiązaniem. Dlaczego mam być nieszczęśliwa i samotna, skoro Peter chce być ze mną? Szybko znalazłam jego numer, zadzwoniłam i zostawiłam mu wiadomość na sekretarce — tylko prośbę o telefon, nie cały plan spędzenia z nim reszty życia.

1.15 po południu. Peter nie oddzwonił. Budzę odrazę we wszystkich facetach, nawet w Peterze.

4.45. Niepalenie diabli wzięli. Peter wreszcie zadzwonił.

— Cześć, Pszczółko. — (Byliśmy Pszczółką i Bączkiem.) — I tak chciałem do ciebie zadzwonić. Mam dobrą nowinę. Żenię się.

Uch! Bardzo nieprzyjemne uczucie w okolicach trzustki. Eks-narzeczeni nie powinni się wiązać ani żenić z nikim innym. Mają żyć w celibacie do końca swoich dni, aby w każdej chwili można było do nich wrócić.

— Pszczółko? — odezwał się Bączek. — Bzzzzzzz?

— Przepraszam — powiedziałam, opierając się bezwładnie o ścianę. — Właśnie zobaczyłam przez okno wypadek samochodowy.

Nie byłam zresztą w tej rozmowie potrzebna, bo Bączek truł przez dwadzieścia minut o cenie namiotów ogrodowych, a potem powiedział:

— Muszę kończyć. Gotujemy dziś wieczorem kiełbaski z dziczyzny z jagodami jałowca i oglądamy telewizję.

Uch! Wypaliłam całą paczkę Silk Cutów w akcie autodestrukcyjnej rozpaczy egzystencjalnej. Mam nadzieję, że oboje tak się utuczą, że trzeba ich będzie wyciągać przez okno dźwigiem.

5.45. Żeby nie wpaść w otchłań samozwątpienia, usiłuję się skupić na wkuwaniu nazwisk członków gabinetu cieni. Nie znam wybranki Bączka, ale wyobrażam ją sobie jako wysoką chudą blondynę w typie olbrzymki z dachu, która wstaje codziennie o piątej rano, idzie na siłownię, naciera się solą, a potem cały dzień kieruje międzynarodowym bankiem handlowym, nie rozmazując sobie mascary.

Uświadamiam sobie ze wstydem, że przez wszystkie te lata byłam tak zadowolona z siebie dlatego, że to ja skończyłam z Peterem — a teraz on skutecznie kończy ze mną, żeniąc się z panną Walkirią Tyczką. Nasuwa mi się ponura, cyniczna refleksja, że miłosne cierpienia mają więcej wspólnego z urażoną dumą niż z poczuciem straty, oraz podrefleksja, że Fergy może być tak nieznośnie pewna siebie dlatego, że Andrew nadal chce ją odzyskać (póki nie ożeni się z inną, hłe, hłe).

6.45. Zaczynałam oglądać dziennik, z notesem w pogotowiu, gdy do mieszkania wpadła moja matka obładowana reklamówkami.

— Kochanie — powiedziała, przepływając do kuchni — przyniosłam ci pyszną zupę i kilka moich eleganckich strojów na poniedziałek!

Miała na sobie jasnozieloną garsonkę, czarne rajstopy i szpilki. Wyglądała jak Cilla Black z *Randki w ciemno.*

— Gdzie są łyżki wazowe? — spytała, trzaskając drzwiami szafki. — Doprawdy, kochanie, co za bałagan! Obejrzyj te rzeczy, a ja tymczasem podgrzeję ci zupę.

Postanawiając zignorować fakt, że a) jest sierpień, b) piekielny upał, c) 6.15 i d) nie chcę żadnej zupy, zajrzałam ostrożnie do pierwszej reklamówki, w której było coś plisowanego, sztucznego i jaskrawożółtego w liściasty wzór.

— Eee, mamo… — zaczęłam, ale zadzwoniła jej torebka.

— To pewnie Julio. Tak, tak. — Notowała coś, przytrzymując komórkę ramieniem. — Tak, tak. Przymierz to, kochanie — syknęła. — Tak, tak. Tak. Tak.

Tak więc straciłam dziennik, a mama poszła na jakiś koktajl, zostawiwszy mnie w śliskiej zielonej bluzce, jaskrawoniebieskiej garsonce i z niebieskimi cieniami po same brwi.

— Nie bądź niemądra, kochanie — rzuciła mi na odchodnym. — Jeśli nie zrobisz czegoś ze swoim wyglądem, nigdy nie znajdziesz nowej pracy, nie mówiąc o nowym chłopaku!

Północ. Po wyjściu mamy zadzwoniłam do Toma, który zabrał mnie do galerii Saatchi na wernisaż swojego kumpla z akademii, żebym przestała się zadręczać.

— Bridget — wymamrotał nerwowo, gdy znaleźliśmy się

w tłumie grunge'owej młodzieży. — Wiesz, że nie wypada się śmiać z instalacji, prawda?

— Dobrze, dobrze — odparłam ponuro. — I tak nie jestem w nastroju do śmiechu.

Niejaki Gav powiedział nam „cześć": na oko dwadzieścia dwa lata, seksowny, w krótkim T-shircie, który odsłaniał twardy jak deska do mięsa brzuch.

— To jest naprawdę, naprawdę, naprawdę niesamowite — mówił Gav. — Tak jakby skalana utopia z tymi naprawdę, naprawdę dobrymi echami jakby utraconej tożsamości narodowej.

Cały podniecony zaprowadził nas przez wielką białą przestrzeń do rolki papieru toaletowego, która miała papier w środku, a karton na zewnątrz.

Spojrzeli na mnie wyczekująco, a ja poczułam, że zaraz się rozpłaczę. Tom rozpływał się nad olbrzymią kostką mydła, w której odciśnięto kontur penisa. Gav gapił się na mnie.

— Rany, to naprawdę, naprawdę... — wyszeptał z czcią, gdy mrugałam oczami, usiłując powstrzymać łzy — ...odlotowa reakcja.

— Muszę iść do łazienki — wypaliłam i przemknęłam biegiem obok sterty torebek na podpaski. Pod przenośną toaletą była kolejka, więc stanęłam na końcu, cała się trzęsąc. Nagle, kiedy już prawie dochodziłam do drzwi, ktoś położył mi dłoń na ramieniu. Był to Daniel.

— Bridge, co ty tu robisz?

— A jak myślisz? — warknęłam. — Przepraszam, spieszę się.

Wpadłam do kabiny i miałam już zrobić swoje, gdy dotarło do mnie, że jest to tylko odlew wnętrza toalety, opakowany próżniowo w plastik. Daniel wetknął głowę do środka.

— Bridge, nie siusiaj na instalację, dobrze? — powiedział i zamknął drzwi.

Kiedy wyszłam, już go nie było. Nie widziałam też Gava, Toma ani nikogo znajomego. W końcu znalazłam prawdziwe toalety, usiadłam na sedesie i wybuchnęłam płaczem, myśląc o tym, że nie nadaję się już do życia w społeczeństwie i powinnam gdzieś wyjechać, póki ten stan nie minie.

Tom czekał na mnie na zewnątrz.

— Chodź porozmawiać z Gavem — powiedział. — On naprawdę, naprawdę na ciebie leci. — Spojrzał na moją twarz. — O cholera. Odwiozę cię do domu.

To wszystko jest do chrzanu. Kiedy ktoś cię opuści, poza tym, że za nim tęsknisz, poza tym, że rozpada się cały ten mały świat, który razem stworzyliście, i że wszystko, co widzisz albo robisz, przypomina ci o tej osobie, najgorsza jest myśl, że była to próba jakości i teraz wszystkie części, z których się składasz, noszą stempel ODRZUT przystawiony przez kogoś, kogo kochasz. Czy to dziwne, że masz pewność siebie zleżałej kanapki z dworcowego bufetu?

— Spodobałaś się Gavowi — powiedział Tom.

— Gav to gówniarz. A poza tym spodobałam mu się wyłącznie dlatego, że myślał, że płaczę nad papierem toaletowym.

— W pewnym sensie nad nim płakałaś — odparł Tom. — Cholerny Daniel. Nie byłbym zaskoczony, gdyby facet okazał się osobiście odpowiedzialny za całą wojnę w Bośni.

13 sierpnia, niedziela

Bardzo ciężka noc. Jakbym nie miała dość zmartwień, kiedy próbowałam się uśpić lekturą nowego „Tatlera", wyszczerzył z niego zęby cholerny Mark Darcy jako kawaler zaliczany do pięćdziesiątki najlepszych partii w Londynie; w artykule rozwodzili się nad tym, jaki jest bogaty i wspaniały. Uch! Z niezrozumiałych powodów okropnie mnie to zdołowało. Nieważne. Przestanę się nad sobą rozczulać i spędzę ranek, ucząc się na pamięć gazet.

Południe. Przed chwilą zadzwoniła Rebecca z pytaniem, czy „dobrze się czuję". Myśląc, że chodzi jej o Daniela, odparłam:

— No cóż, to bardzo przygnębiające.

— Moje biedactwo. Widziałam Petera wczoraj wieczorem...

— (Gdzie? Z jakiej okazji? Dlaczego ja nie byłam zaproszona?)

— ...i opowiadał wszystkim, jak bardzo się zmartwiłaś wiadomością o jego ślubie. Jak sam twierdzi, j e s t to trudne. Samotne kobiety rzeczywiście popadają z wiekiem w desperację...

W okolicach lunchu nie byłam w stanie dłużej udawać, że wszystko jest w porządku. Zadzwoniłam do Jude, powiedziałam jej o Bączku, Rebecce, interview, mamie, Danielu oraz ogólnej depresji i umówiłyśmy się o drugiej w Jimmym Beezie na Krwawą Mary.

6 wieczorem. Tak się szczęśliwie złożyło, że Jude czyta właśnie genialną książkę pt. *Bogini w przeciętnej kobiecie.* Dowiedziała się z niej, że w pewnych okresach życia wszystko idzie źle, nie wiesz, w którą stronę się odwrócić, i masz wrażenie, że jak w *Star Trek* wszędzie dookoła zamykają się stalowe drzwi. Musisz być wtedy bohaterką i nie tracić odwagi, nie pogrążać się w piciu ani w żalu nad sobą, a wszystko się ułoży. Większość greckich mitów i wiele kasowych filmów opowiada o ludziach, których życie poddaje ciężkim próbom, ale nie są mięczakami, tylko się trzymają, i dzięki temu wychodzą z tych prób zwycięsko.

W książce jest również napisane, że radzenie sobie w tych ciężkich okresach przypomina schodzenie po spirali w kształcie stożkowatej muszli. Przy każdym skręcie trafiasz na punkt, który jest bardzo bolesny i trudny. To twój konkretny problem albo czułe miejsce. Kiedy znajdujesz się przy wąskim, spiczastym końcu spirali, trafiasz na ten punkt bardzo często, bo skręt jest mały, ale w miarę jak schodzisz w dół, trafiasz na ten trudny punkt coraz rzadziej, więc mijając go, nie powinnaś mieć wrażenia, że wróciłaś do punktu wyjścia.

Kłopot w tym, że teraz, kiedy wytrzeźwiałam, nie jestem w stu procentach pewna, o czym Jude mówiła.

Zadzwoniła mama i próbowałam porozmawiać z nią o tym, jak trudno jest być kobietą i w przeciwieństwie do mężczyzn mieć datę przydatności do reprodukcji, ale szybko mi przerwała:

— Och, doprawdy, kochanie. Wy, dzisiejsze dziewczęta, jesteście zbyt wybredne i romantyczne. Macie po prostu za duży wybór. Nie mówię, że nie kochałam taty, ale zawsze nam powtarzano, że zamiast bujać w obłokach, powinnyśmy „mało oczekiwać, dużo wybaczać". I szczerze mówiąc, posiadanie dzieci wcale nie jest taką rewelacją. Nie bierz tego do siebie, kochanie, ale gdybym mogła jeszcze raz wybierać, nie jestem pewna, czy...

Boże! Nawet moja własna matka żałuje, że się urodziłam.

14 sierpnia, poniedziałek

59,5 kg (pięknie — zmieniłam się w górę sadła akurat na interview, a do tego mam pryszcz), jedn. alkoholu 0, papierosy dużo, kalorie 1575 (ale wymiotowałam, więc w rzeczywistości ok. 400).

O Boże, jestem przerażona interview. Powiedziałam Perpetui, że idę do ginekologa — mogłam powiedzieć, że do dentysty, ale nie wolno marnować okazji do dręczenia najbardziej wścibskiej baby na świecie. Jestem prawie gotowa, pozostało mi tylko dokończyć makijaż, przepowiadając sobie moją opinię na temat Tony'ego Blaira. O Boże, kto jest sekretarzem gabinetu cieni? Kurwa, kurwa. Czy to ktoś z brodą? Cholera: telefon.

W głowie się nie mieści. Niewychowana nastolatka z irytującym południowolondyńskim zaśpiewem: „Cześć, Bridget, dzwonię w imieniu Richarda Fincha. Richard jest w Blackpool i nie będzie mógł cię dziś przyjąć". Interview przełożone na środę i będę musiała symulować poważny problem ginekologiczny. Ale skoro już skłamałam, mogę się spóźnić do pracy.

16 sierpnia, środa

Okropna noc. Budziłam się zlana potem, przerażona, że nie pamiętam, czym się od siebie różnią ulsterscy unioniści i SDLP, i którym przewodzi Ian Paisley.

Zamiast od razu wprowadzić mnie do gabinetu wielkiego Richarda Fincha, kazano mi zaczekać w recepcji, gdzie dygotałam przez czterdzieści minut, myśląc: „O Boże, kto jest ministrem zdrowia?" W końcu przyszła po mnie ta smarkata asystentka, Patchouli, która miała na sobie lycrowe kolarzówki i kolczyk w nosie, i na widok mojej garsonki z Jigsaw zrobiła taką minę, jakbym pomyliła okazje i zjawiła się w jedwabnej sukni balowej do ziemi.

— Richard woła cię na konferencję, czujesz? — wymamrotała, dając długą korytarzem, więc popędziłam za nią. Wpadła przez różowe drzwi do olbrzymiej sali ze stertami scenariuszy na podłodze, monitorami pod sufitem, wykresami na wszystkich ścianach i rowerami górskimi opartymi o biurka. W głębi stał duży owalny stół, przy którym trwała narada, i wszyscy zebrani odwrócili się w naszą stronę.

Jakiś pulchny, niemłody facet z kręconymi włosami, w dżinsowej koszuli i okularach w czerwonej oprawce podskakiwał jak kukiełka u szczytu stołu.

— Ruszcie głowami! — mówił, podnosząc pięści jak bokser. — Myślę: Hugh Grant. Myślę: Elizabeth Hurley. Myślę: jak to możliwe, że nadal są razem? Myślę: jak to możliwe, że uszło mu to na sucho? Właśnie! Jak to możliwe, że facet, którego dziewczyna wygląda jak Elizabeth Hurley, w publicznym miejscu uprawia seks oralny z prostytutką i uchodzi mu to na sucho? A gdzie „furia kobiety wzgardzonej"?

Nie wierzyłam własnym uszom. Co z gabinetem cieni? Co z procesem pokojowym? Facet najwyraźniej starał się wykombinować, jak sam mógłby się bezkarnie przespać z prostytutką. Nagle spojrzał prosto na mnie.

— A t y wiesz? — Siedząca przy stole grunge'owa młodzież wytrzeszczyła na mnie oczy. — Ty. Musisz być Bridget! — krzyknął zniecierpliwiony. — Jak to możliwe, że facet, który ma taką piękną dziewczynę, zostaje przyłapany z prostytutką i uchodzi mu to na sucho?

Wpadłam w popłoch. W głowie miałam pustkę.

— No? — ponaglił mnie. — No? Szybciej, powiedz coś!

— Może to dlatego — powiedziałam, bo nic innego nie przychodziło mi na myśl — że ktoś połknął dowód rzeczowy.

Zapadła śmiertelna cisza, a potem Richard Finch zaczął się śmiać. Był to najbardziej obrzydliwy śmiech, jaki słyszałam w życiu. Po chwili wszyscy grunge'owcy również zaczęli się śmiać.

— Bridget Jones — powiedział w końcu Richard Finch, wycierając załzawione oczy. — Witamy w *Good Afternoon!* Usiądź, kochanie.

I mrugnął do mnie.

22 sierpnia, wtorek

58 kg, jedn. alkoholu 4, papierosy 25, zdrapki 5.

Nadal żadnej wiadomości o wyniku interview. Nie wiem, co ze sobą zrobić w Bank Holiday. Nie chcę zostać sama w Londynie. Shazzer jedzie do Edynburga na festiwal, podobnie jak Tom i wiele osób z wydawnictwa. Chciałabym też pojechać, ale nie jestem pewna, czy mnie na to stać, i boję się, że spotkam tam Daniela. Poza tym na pewno wszyscy dostaną się na więcej spektakli niż ja i będą się lepiej bawić.

23 sierpnia, środa

Zdecydowanie jadę do Edynburga. Daniel ma pracować w Londynie, więc nie grozi mi wpadnięcie na niego na Królewskiej Mili. To dobry pomysł, żeby wyjechać, zamiast się zadręczać i czekać na list z *Good Afternoon!*

24 sierpnia, czwartek

Zostaję w Londynie. Zawsze myślę, że będę się w Edynburgu dobrze bawić, a potem udaje mi się dostać tylko na występy mimów. Poza tym ubierasz się w letnie ciuchy, a potem jest przeraźliwie zimno i kuśtykasz całe mile po stromych brukowanych uliczkach, szczękając zębami i myśląc, że wszyscy inni są na jakiejś fantastycznej imprezie.

25 sierpnia, piątek

7 wieczorem. J a d ę do Edynburga. Dziś Perpetua powiedziała:

— Bridget, w y b a c z, że zawiadamiam cię w ostatniej chwili, ale dopiero teraz przyszło mi to do głowy. Wynajęłam mieszkanie w Edynburgu i byłoby mi bardzo przyjemnie, gdybyś chciała się w nim zatrzymać.

Bardzo wspaniałomyślnie i gościnnie z jej strony.

10 wieczorem. Zadzwoniłam do Perpetuy i powiedziałam jej, że nie jadę. To bez sensu. Nie stać mnie na wyjazd.

26 sierpnia, sobota

8.30 rano. Przede mną spokojny, zdrowy weekend w domu. Cudownie. Może wreszcie skończę *Drogę bez dna*.

9.00. O Boże, jestem taka przygnębiona. Wszyscy oprócz mnie pojechali do Edynburga.

9.15. Ciekawe, czy Perpetua już wyjechała?

Północ. Edynburg. O Boże, muszę iść jutro na jakiś spektakl. Perpetua uważa, że jestem nienormalna. W pociągu przez całą drogę trzymała komórkę przy uchu i ryczała do nas:

— Na *Hamleta* Arthura Smitha nie ma już biletów, więc w zamian moglibyśmy iść na piątą na braci Coen, ale wtedy nie zdążymy na Richarda Herringa. Więc może nie pójdziemy na Jenny Eclair — doprawdy nie wiem, po co ona jeszcze występuje — i obejrzymy *Lanarka,* a potem spróbujemy się dostać na Harry'ego Hilla albo na Bondages i Juliana Clary'ego? Czekajcie, zadzwonię do Gilded Balloon. Nie, na Harry'ego Hilla nie ma już biletów, więc może darujemy sobie Coenów?

Powiedziałam, że spotkam się z nimi w Plaisance o szóstej, bo chciałam zajrzeć do hotelu George, żeby zostawić wiadomość dla Toma, i w barze wpadłam na Tinę. Nie wiedziałam, że Plaisance jest tak daleko, i kiedy tam dotarłam, przedstawienie już trwało i nie było wolnych miejsc. Czując skrycie ulgę, poszłam, a raczej potrawersowałam do mieszkania, zjadłam kupionego po drodze kurczaka curry z pieczonym ziemniakiem i obejrzałam w telewizji *Ostry dyżur*. Miałam spotkać się z Perpetuą o dziewiątej w Assembly Rooms, ale zanim się wyszykowałam, była 8.45, i okazało się, że telefon nie ma wyjścia na miasto, więc nie mogłam wezwać taksówki, i w rezultacie się spóźniłam. Wróciłam do baru w George'u, żeby poszukać Tiny i dowiedzieć się, gdzie jest Shazzer. Zamówiłam Krwawą Mary i próbowałam udawać, że uwielbiam samotność, gdy nagle zauważyłam w kącie las reflektorów i kamer i omal nie krzyknęłam. Moja matka, zrobiona na Marianne Faithful, podstawiała mikrofon Alanowi Yentobowi.

— Cisza na planie! — ćwierknęła głosem Uny Alconbury dyrygującej układaniem kwiatów. — Iiiiii kręcimy! Powiedz mi, Alan — zwróciła się do Yentoba, przybierając współczujący wyraz twarzy — czy kiedykolwiek miałeś... myśli samobójcze?

Program telewizyjny był dziś całkiem niezły.

27 sierpnia, niedziela, Edynburg

Obejrzane spektakle: 0.

2 w nocy. Nie mogę usnąć. Założę się, że wszyscy są na jakimś miłym przyjęciu.

3 w nocy. Usłyszałam, jak Perpetua wchodzi do mieszkania, wydając werdykt o alternatywnych komikach: „Infantylizm... kompletna dziecinada... po prostu głupota". Myślę, że mogła gdzieś czegoś nie zrozumieć.

5 rano. W mieszkaniu jest mężczyzna. C z u j ę to.

6 rano. Jest w pokoju Debby z marketingu. O kurczę.

9.30. Obudził mnie ryk Perpetuy: „Czy ktoś idzie na poranek poetycki?!" Potem wszystko ucichło i usłyszałam, jak Debby i facet coś szepczą, po czym on poszedł do kuchni. Wtedy znów zagrzmiał głos Perpetuy: „A co pan tu robi?!! Powiedziałam: ŻADNYCH GOŚCI NA NOC”.

2 po południu. O Boże, zaspałam.

7 wieczorem. Pociąg do Londynu. Boże, o trzeciej spotkałam się z Jude w George'u. Miałyśmy iść na „Pytania i odpowiedzi”, ale po kilku Krwawych Mary przypomniało nam się, że „Pytania i odpowiedzi” źle na nas działają. Cała w nerwach próbujesz wymyślić pytanie i przez godzinę podnosisz i opuszczasz rękę. W końcu udaje ci się je zadać, w półprzysiadzie i nie swoim piskliwym głosem, po czym siedzisz skamieniała ze wstydu i kiwasz głową jak pies-zabawka na półce w samochodzie, słuchając dwudziestominutowej odpowiedzi, która w ogóle cię nie interesuje. Zresztą zanim się obejrzałyśmy, było wpół do szóstej. Nagle do baru wpadła Perpetua z grupą ludzi z wydawnictwa.

— Cześć, Bridget — ryknęła. — Na czym dzisiaj byłaś?

Zapadła długa cisza.

— Jeśli chcesz wiedzieć, właśnie wybieram się na… — zaczęłam pewnym siebie tonem — …dworzec.

— Nie byłaś na niczym, prawda? — zagrzmiała. — Mniejsza z tym, jesteś mi winna siedemdziesiąt pięć funtów za pokój.

— Że co? — wyjąkałam.

— Tak! — wrzasnęła. — Byłoby pięćdziesiąt, ale jest 50 procent dopłaty za drugą osobę w pokoju.

— Ale… ale ja nie…

— Och, przestań, Bridget, wszyscy wiemy, że był u ciebie mężczyzna — gruchnęła. — Nie przejmuj się. To nie miłość, to tylko Edynburg. Dopilnuję, żeby to dotarło do Daniela — będzie miał nauczkę.

28 sierpnia, poniedziałek

60 kg (pełna piwa i pieczonych ziemniaków), jedn. alkoholu 6, papierosy 20, kalorie 2846.

Po powrocie zastałam na sekretarce wiadomość od mamy, z pytaniem, czy chcę dostać na Gwiazdkę elektryczną trzepaczkę do piany, i przypomnieniem, że pierwszy dzień świąt wypada w tym roku w poniedziałek, więc czy przyjadę do domu w piątek czy w sobotę?

Na pociechę czekał też na mnie list od Richarda Fincha, redaktora *Good Afternoon!*, z ofertą pracy, chyba. Tekst brzmiał: „Okej, kochanie. Biorę cię".

29 sierpnia, wtorek

58 kg, jedn. alkoholu 0 (bdb), papierosy 3 (db), kalorie 1456 (zdrowe odżywianie przed nową pracą).

10.30 rano. W wydawnictwie. Zadzwoniłam do asystentki Fincha, Patchouli, i rzeczywiście jest to oferta pracy, z tym, że muszę zacząć za tydzień. Nic nie wiem o telewizji, ale chrzanić to, tutaj tkwię w ślepym zaułku, a pracowanie z Danielem stało się zbyt upokarzające. Lepiej pójdę mu powiedzieć, że się zwalniam.

11.15. Nie do wiary. Daniel zbladł jak ściana i wybałuszył na mnie oczy.

— Nie możesz tego zrobić — powiedział. — Czy masz pojęcie, jak trudne były dla mnie te ostatnie tygodnie?

Wtedy do pokoju wpadła Perpetua — musiała podsłuchiwać pod drzwiami.

— Daniel — ryknęła. — Ty samolubny, egocentryczny manipulatorze i emocjonalny szantażysto. To ty, na litość boską, rzuciłeś ją. Więc możesz, do cholery, przełknąć to, że się zwalnia.

Chyba zakocham się w Perpetui, chociaż nie w sensie lesbijskim.

WRZESIEŃ

Po strażackim słupie

4 września, poniedziałek

57 kg, jedn. alkoholu 0, papierosy 27, kalorie 15, minuty spędzone na mówieniu Danielowi w wyobraźni, co o nim myślę 145 (lepiej).

8 rano. Pierwszy dzień w nowej pracy. Muszę zacząć tak, jak chcę kontynuować: prezentując się jako osoba zrównoważona i pewna siebie. I niepaląca. Palenie jest oznaką słabości i umniejsza autorytet osobisty.

8.30. Zadzwoniła mama, bynajmniej nie po to, aby życzyć mi powodzenia w nowej pracy.

— Wiesz co, kochanie? — zaczęła.

— Co?

— Elaine zaprasza cię na ich rubinowe wesele! — wykrzyknęła i zamilkła wyczekująco.

Miałam pustkę w głowie. Elaine? Brian-i-Elaine? Colin-i-Elaine? Elaine, żona Gordona, byłego dyrektora fabryki materiałów budowlanych w Kettering?

— Uznała, że powinna zaprosić kilkoro młodych, żeby dotrzymali towarzystwa Markowi.

Aha. Malcolm i Elaine. Rodzice idealnego Marka Darcy'ego.

— Podobno powiedział Elaine, że jesteś bardzo atrakcyjna.

— Uch! Nie kłam — mruknęłam, skrycie zadowolona.

— Jestem pewna, kochanie, że to właśnie miał na myśli.

— A co powiedział? — syknęłam, pełna złych przeczuć.

— Że jesteś bardzo...

— Mamo!

— Ściśle biorąc, kochanie, użył słowa: „dziwaczna". Ale to urocze, prawda? „Dziwaczna". Zresztą będziesz go mogła sama o to spytać na rubinowym weselu.

— Nie zamierzam jechać aż do Huntingdon na rubinowe wesele ludzi, z którymi, odkąd skończyłam trzy lata, rozmawiałam raz przez osiem sekund, żeby polować na bogatego rozwodnika, który uważa, że jestem dziwaczna.

— Nie bądź niemądra, kochanie.

— Muszę kończyć — powiedziałam, rzeczywiście niemądrze, bo wtedy mama zaczęła nawijać, jakbym siedziała w celi śmierci i rozmawiała z nią ostatni raz przed egzekucją.

— ...zarabiał tysiące funtów na godzinę. Miał zegar na biurku, tik-tak-tik-tak. Mówiłam ci, że widziałam na poczcie Mavis Enderby?

— Mamo. Zaczynam dziś nową pracę. Jestem bardzo zdenerwowana. Nie chcę rozmawiać o Mavis Enderby.

— Boże święty, kochanie! W co zamierzasz się ubrać?

— W czarną mini i T-shirt.

— Będziesz wyglądać jak niechlujna wdowa. Włóż coś eleganckiego i jasnego. Na przykład tę uroczą wiśniową garsonkę. Och, à propos, mówiłam ci, że Una popłynęła w rejs po Nilu?

Grrr! Kiedy mama wreszcie odłożyła słuchawkę, czułam się tak źle, że wypaliłam pięć Silk Cutów pod rząd. Nie najlepszy początek dnia.

9 wieczorem. W łóżku, kompletnie wyczerpana. Zapomniałam już, jaką okropnością jest zaczynanie nowej pracy, kiedy nikt cię nie zna i ludzie wyrabiają sobie opinię na twój temat na podstawie przypadkowych uwag, i nie możesz nawet poprawić makijażu, nie pytając, gdzie jest toaleta.

Spóźniłam się, ale nie z własnej winy. Nie mogłam się dostać do gmachu telewizji, bo nie miałam przepustki, a przy drzwiach stali strażnicy z gatunku tych, którzy sądzą, że ich praca polega na niewpuszczaniu personelu do środka. Kiedy wreszcie dotarłam do recepcji, nie pozwolono mi wejść na górę, póki ktoś po mnie nie przyjdzie. W ten sposób zrobiła się 9.25, a konferencja zaczynała się o 9.30. W końcu zjawiła się Patchouli prowadząca dwa wielkie, rozszczekane psy, z których jeden zaczął skakać i lizać mnie po twarzy, a drugi wsadził mi łeb pod spódnicę.

— To psy Richarda. Czadowe, nie? — powiedziała. — Tylko odprowadzę je do samochodu.

— Nie spóźnię się na zebranie? — zapytałam z desperacją, próbując wypchnąć psi łeb spomiędzy moich kolan.

Patchouli zrobiła minę pod tytułem: „No to co?" i ruszyła do drzwi, ciągnąc psy za sobą. Tak więc kiedy weszłam na salę, zebranie już trwało i wszyscy wytrzeszczyli na mnie oczy, oprócz Richarda, ubranego tym razem w dziwaczny wełniany kombinezon roboczy w kolorze zielonym.

— Ruszcie głowami — mówił, podskakując i gestykulując rękami. — Myślę: nabożeństwo o dziewiątej. Myślę: rozpustni pastorzy. Myślę: akty seksualne w kościele. Myślę: dlaczego kobiety lecą na pastorów? No? Za co wam płacę? Wymyślcie coś.

— Może zrobimy wywiad z Joanną Trollope? — powiedziałam.

— Z kim? — zapytał Richard, patrząc na mnie tępo.

— Z Joanną Trollope, autorką *Żony proboszcza*, której ekranizację pokazywano w telewizji. *Żona proboszcza*. Ona powinna to wiedzieć.

Na twarz Richarda wypłynął obleśny uśmiech.

— Genialne — powiedział do mojego biustu. — Abso-kurwa-lutnie genialne. Czy ktoś ma telefon Joanny Trollope?

Zapadła długa cisza.

— Eee, ja — powiedziałam w końcu i poczułam fale nienawiści bijące ku mnie od grunge'owej młodzieży.

Po zebraniu pobiegłam do łazienki, żeby się uspokoić, i zastałam tam Patchouli, która robiła sobie makijaż, rozmawiając z jakąś koleżanką ubraną w sukienkę odsłaniającą nie tylko majtki, ale i pępek, i tak obcisłą, że chyba włożyła ją za pomocą łyżki do butów.

— Myślisz, że jest zbyt wyzywająca? — spytała dziewczyna.
— Te trzydziestoletnie zdziry miały takie miny... Och!

Obydwie spojrzały na mnie z przerażeniem i zakryły usta dłońmi.

— Nie chodziło nam o ciebie — powiedziała Patchouli.

Nie jestem pewna, czy zdołam to wytrzymać.

9 września, sobota

56 kg (dobra strona nowej pracy i towarzyszącego jej napięcia nerwowego), jedn. alkoholu 4, papierosy 10, kalorie 1876, minuty spędzone na rozmawianiu w wyobraźni z Danielem: 24 (wspaniale), minuty spędzone na rozmawianiu w wyobraźni z mamą, w taki sposób, że ja przegaduję ją: 94.

11.30 rano. Dlaczego, dlaczego dałam mamie klucz do mojego mieszkania? Pierwszy raz od pięciu tygodni rozpoczynałam weekend, nie mając ochoty patrzeć w ścianę i płakać. Przetrwałam tydzień w pracy. Zaczynałam myśleć, że może wszystko będzie dobrze, może jednak nie zje mnie owczarek alzacki, gdy wpadła jak burza, niosąc maszynę do szycia.

— Co ty, do licha, robisz, głuptasie? — zaćwierkała.

Odważałam sto gramów płatków śniadaniowych za pomocą tabliczki czekolady (odważniki mojej wagi są w uncjach, więc się nie nadają, bo tabela kalorii podaje wszystko w gramach).

— Wiesz co, kochanie? — powiedziała, zaczynając otwierać i zamykać wszystkie szafki.

— Co? — spytałam, stojąc w skarpetkach i nocnej koszuli, i próbując wytrzeć sobie mascarę spod oczu.

— Malcolm i Elaine urządzają to rubinowe wesele w Londynie, dwudziestego trzeciego, więc będziesz mogła przyjść i dotrzymać towarzystwa Markowi.

— Nie chcę dotrzymywać towarzystwa Markowi — wycedziłam przez zaciśnięte zęby.

— Och, kiedy Mark jest bardzo mądry. Skończył Cambridge. Podobno zbił w Ameryce majątek...

— Nie pójdę.

— Proszę, kochanie, nie marudź — powiedziała, jakbym miała trzynaście lat. — Widzisz, Mark skończył urządzać ten dom w Holland Park i wydaje dla nich wielkie przyjęcie, z obsługą i ze wszystkim... W co się ubierzesz?

— Idziesz tam z Juliem czy z tatą? — zapytałam, żeby zbić ją z tropu.

— Och, kochanie, nie wiem. Prawdopodobnie z obydwoma — odparła tym specjalnym schrypniętym głosem, którego używa, kiedy sobie wyobraża, że jest Dianą Dors*.

— Nie możesz tego zrobić.

— Przecież tata i ja nadal jesteśmy przyjaciółmi, kochanie. I z Juliem też tylko się przyjaźnię.

Grr. Grr. Grrrrrr... Nie mogę jej znieść, kiedy jest taka.

— Powiem Elaine, że chętnie przyjdziesz, dobrze? — ćwierknęła, podniosła z podłogi tajemniczą maszynę do szycia i ruszyła do drzwi. — Muszę lecieć. Paaa!

Nie zamierzam spędzić kolejnego wieczoru wpychana na siłę Markowi Darcy'emu jak łyżeczka szpinaku niemowlęciu. Wyjadę za granicę albo coś w tym rodzaju.

8 wieczorem. Wychodzę na kolację. Odkąd znów jestem sama, szczęśliwe małżeństwa zapraszają mnie do siebie we wszystkie sobotnie wieczory i sadzają naprzeciwko coraz bardziej przerażających okazów wolnych mężczyzn. Jest to bardzo miłe z ich strony i naprawdę to doceniam, ale czuję się przez to jeszcze bardziej przegrana i samotna — chociaż Magda mówi, że powinnam pamiętać, że samotność jest lepsza od posiadania cudzołożącego, myślącego penisem męża.

Północ. O rany. Wszyscy starali się podnieść na duchu dzisiejszego wolnego mężczyznę (trzydzieści siedem lat, świeżo rozwie-

---

* Diana Dors (1931-1984) — seksbomba brytyjskiego kina lat pięćdziesiątych i sześćdziesiątych.

dziony, przykładowy pogląd: „Naprawdę uważam, że Michael Howard* jest krytykowany niesłusznie").

— Nie wiem, na co narzekasz — pocieszał go Jeremy. — Mężczyźni stają się z wiekiem coraz bardziej atrakcyjni, a kobiety coraz mniej, więc te wszystkie dwudziestki, które nawet by na ciebie nie spojrzały, gdy miałeś dwadzieścia pięć lat, teraz będą się o to prosić.

Siedziałam ze spuszczoną głową i trzęsąc się w środku, rozwścieczona ich uwagami o kobiecym terminie przydatności do użycia i życiu jako zabawie w komórki do wynajęcia, w której dziewczyny nie mające komórki/mężczyzny, kiedy urwie się muzyka/skończą trzydziestkę, wypadają z gry. Grr! I co jeszcze?

— O tak, całkowicie się zgadzam, że lepiej mieć młodszego partnera — wypaliłam beztrosko. — Faceci po trzydziestce są strasznie nudni z tymi swoimi kompleksami i obsesyjnym lękiem, że wszystkie kobiety chcą ich zaciągnąć do ołtarza. Ostatnio interesuję się wyłącznie mężczyznami tuż po dwudziestce. Są dużo lepsi w... no wiecie...

— Naprawdę? — spytała Magda, trochę za bardzo skwapliwie. — Skąd...

— T y się nimi interesujesz — wtrącił Jeremy, piorunując Magdę wzrokiem — ale o n i nie interesują się t o b ą.

— Przepraszam bardzo. Mój obecny chłopak ma dwadzieścia trzy lata — odparłam słodko.

Wszystkich zamurowało.

— W takim razie — powiedział po chwili Alex, uśmiechając się złośliwie — może przyprowadzisz go do nas na kolację w następną sobotę?

Cholera. Skąd ja wytrzasnę dwudziestotrzylatka, który w sobotę wieczorem będzie chciał jeść kolację ze szczęśliwymi małżeństwami, zamiast łykać w dyskotece skażone pigułki ekstazy?

---

* Michael Howard — minister spraw wewnętrznych w rządzie Johna Majora.

15 września, piątek

57 kg, jedn. alkoholu 0, papierosy 4 (bdb), kalorie 3222 (ohydnie rozmiękłe kanapki z bufetu kolejowego), minuty poświęcone na układanie w głowie wymówienia z nowej pracy 210.

Uch! Okropna konferencja z szefem-tyranem Richardem Finchem.

— Kible w Harrodsie po funcie za sik. Myślę: bajkowe toalety. Myślę: Frank Skinner i sir Richard Rogers* w studiu na futrzanych sedesach, monitory w poręczach, pikowany papier toaletowy. Bridget, ty robisz drugi biegun. Myślę: północ. Myślę: młodzi bezrobotni, szlifowanie bruków, transmisja na żywo.

— Ale... ale... — wyjąkałam.

— Patchouli! — krzyknął Richard, na co leżące pod jego biurkiem psy obudziły się i zaczęły szczekać.

— Co? — wrzasnęła Patchouli, ubrana w zrobioną szydełkiem minispódniczkę, pomarańczową nylonową bluzkę ze ściegami na wierzchu i miękki słomkowy kapelusz. Jakby rzeczy, które nosiłam jako nastolatka, były świetnym dowcipem.

— Gdzie jest nasz wóz transmisyjny?

— W Liverpoolu.

— Liverpool, Bridget. Transmisja spod Bootsa w centrum handlowym, na żywo o piątej trzydzieści. Daj mi sześciu młodych bezrobotnych.

Kiedy wychodziłam na pociąg, Patchouli zawołała niedbale:

— Aha, Bridget, to nie Liverpool, tylko Manchester, kumasz?

4.15 po południu, Manchester. Młodzi bezrobotni, których zaczepiłam: 44, młodzi bezrobotni, którzy zgodzili się udzielić mi wywiadu: 0.

---

* Sir Richard Rogers — architekt brytyjski, autor projektów Centrum Pompidou w Paryżu (wspólnie z R. Piano), budynku Lloydsa w londyńskim City i siedziby telewizji Channel 4.

7 wieczorem, pociąg Manchester–Londyn. Uch! O 4.45 biegałam w panice między betonowymi kwietnikami, bełkocząc: „Przeszam, jesteś bezrobotny? Nie szkodzi. Dzięki!"

— To co robimy? — zapytał kamerzysta, nawet nie próbując udać zainteresowania.

— Młodych bezrobotnych — odparłam wesoło, bo nagle mnie oświeciło. — Zaraz wracam!

Kiedy dopadłam bankomatu za rogiem, w mojej słuchawce odezwał się Richard: „Bridget, gdzie są, kurwa, młodzi bezrobotni?"

O 5.20 sześciu młodzieńców podających się za bezrobotnych stało w równym rządku przed kamerą z nowiutkimi dwudziestofuntówkami w kieszeniach, a ja miotałam się wokół nich, zawstydzona przynależnością do klasy średniej. O 5.30 usłyszałam sygnał audycji, a potem wrzask Richarda: „Wybacz, Manchester, rezygnujemy z was".

— Eee… — bąknęłam do patrzących na mnie wyczekująco młodzieńców. Pewnie pomyśleli, że cierpię na chorobę psychiczną, która objawia się tym, że udaję reporterkę telewizyjną. Co gorsza, pracując cały tydzień jak szalona, nie byłam w stanie zorganizować sobie partnera na jutrzejszą kolację. Spojrzałam na boskich efebów z bankomatem w tle i w mojej głowie zakiełkowała bardzo podejrzana moralnie myśl.

Hmm. Chyba słusznie zrezygnowałam z próby zwabienia młodego bezrobotnego na kolację u Alexa. Byłby to wyzysk człowieka przez człowieka. Ale mój problem pozostał nie rozwiązany. Chyba pójdę na papierosa do wagonu dla palących.

7.30. Uch! Wagon dla palących okazał się zatłoczonym chlewem pełnym żałosnych, opornych nałogowców. Społeczeństwo nie pozwala już palaczom żyć godnie i spycha ich na wstydliwy margines. Wcale bym się nie zdziwiła, gdyby wagon dla palących został cichcem przetoczony na bocznicę i zniknął na zawsze. Może po prywatyzacji kolei jakaś firma zacznie prowadzić pociągi tylko dla palących i wieśniacy będą im wygrażać pięściami, rzucać w nie kamieniami oraz straszyć dzieci bajkami o ziejących ogniem pasażerach-potworach.

W każdym razie zadzwoniłam do Toma z czarodziejskiego automatu w pociągu (Jak on działa? No jak? Żadnych kabli. Dziwne. Może fale głosowe są przesyłane po szynach?), żeby poskarżyć się na brak dwudziestotrzylatka.

— A Gav? — spytał Tom.

— Jaki Gav?

— No wiesz, ten z galerii Saatchi.

— Myślisz, że by się zgodził?

— Jasne. Leciał na ciebie.

— Nieprawda. Zamknij się.

— Prawda. Przestań się zadręczać i zostaw to mnie.

Czasami mam wrażenie, że bez Toma rozsypałabym się i zniknęła bez śladu.

19 września, wtorek

56 kg (bdb), jedn. alkoholu 3 (bdb), papierosy 0 (wstydziłam się palić przy zdrowym młodym adonisie).

Rany, muszę się pospieszyć. Mam randkę z pijącym dietetyczną colę małolatem. Gav okazał się absolutnie boski i zachowywał się na sobotniej kolacji u Alexa tak, że lepiej nie można: flirtował z wszystkimi żonami, zawzięcie mi nadskakiwał i parował podchwytliwe pytania na temat naszego „związku" z intelektualną zręcznością członka akademii nauk. Niestety, w drodze powrotnej w taksówce ogarnęła mnie taka wdzięczność (żądza), że nie mogłam się oprzeć jego awansom (położyłam mu rękę na kolanie). Opanowałam się wprawdzie (spanikowałam) i nie przyjęłam zaproszenia na kawę, ale potem czułam się winna jako wstrętna podpuszczalska (plułam sobie w brodę). Kiedy więc dzisiaj zadzwonił i zaprosił mnie do siebie na kolację, łaskawie zgodziłam się przyjść (nie posiadałam się z radości).

Północ. Czuję się jak własna babka. Przez to, że tak dawno nie miałam randki, dumna jak paw opowiadałam taksówkarzowi o moim „chłopaku" i że jadę do mojego „chłopaka", który gotuje dla mnie kolację. Niestety, na miejscu okazało się, że Malden Road 4 to sklep warzywniczy.

— Chce pani skorzystać z mojego telefonu? — zapytał taksówkarz ze znużeniem w głosie.

Oczywiście nie znałam numeru Gava, więc musiałam udać, że jest zajęte, a potem zadzwonić do Toma i spytać go o adres Gava w taki sposób, żeby taksówkarz nie pomyślał, że kłamałam i wcale nie mam chłopaka. Okazało się, że to Malden Villas 44. Resztę drogi odbyliśmy w milczeniu. Taksówkarz uznał zapewne, że jestem prostytutką albo kimś takim.

Kiedy dotarłam na miejsce, czułam się już trochę mniej pewnie. Przede wszystkim było to strasznie słodkie i niewinne — trochę jak pierwsza wizyta u potencjalnej „najlepszej przyjaciółki" w podstawówce. Gav ugotował spaghetti po bolońsku. Problem pojawił się, kiedy jedzenie zostało przygotowane i podane i zaczęliśmy rozmawiać. Z jakiegoś powodu konwersacja zeszła na księżnę Dianę.

— To był ślub jak z bajki. Pamiętam, jak siedziałam na tym murku pod katedrą św. Pawła — powiedziałam. — Byłeś tam?

Gav wyraźnie się speszył.

— Miałem wtedy sześć lat.

Daliśmy spokój rozmowie i Gav, z ogromnym zapałem (to, jak pamiętam, jest cudowne w dwudziestoparolatkach), zaczął mnie całować, walcząc jednocześnie z moim ubraniem. W końcu udało mu się położyć mi dłoń na brzuchu i wtedy — było to strasznie upokarzające — powiedział:

— Mmm. Jesteś taka mięciutka.

Ten tekst odebrał mi ochotę na cokolwiek. Nic z tego nie będzie. Jestem za stara. Będę musiała się poddać, zostać katechetką w szkole dla dziewcząt i zamieszkać z trenerem hokejowym.

23 września, sobota

57 kg, jedn. alkoholu 0, papierosy 0 (bdb!), brudnopisy odpowiedzi na zaproszenie Marka Darcy'ego 14 (ale przynajmniej nie rozmawiałam w wyobraźni z Danielem).

10 rano. Dobrze. Odpowiem na zaproszenie Marka Darcy'ego, pisząc stanowczo i wyraźnie, że nie będę mogła przyjść. Nie mam po temu żadnego powodu. Nie jestem bliską znajomą ani krewną i przepadłyby mi *Randka w ciemno* i *Ostry dyżur*.

Cholera. To jedno z tych obłąkanych zaproszeń napisanych w trzeciej osobie, jakbyśmy byli wszyscy tak wytworni, że powiedzenie wprost, że ktoś urządza przyjęcie i chce cię na nie zaprosić, równałoby się nazwaniu toalety kiblem. Pamiętam z dzieciństwa, że powinnam odpowiedzieć w ten sam sposób, jakbym była fikcyjną osobą zatrudnioną przez siebie do odpowiadania na zaproszenia od fikcyjnych osób zatrudnionych przez moich znajomych do wysyłania zaproszeń. Tylko co mam napisać?

Bridget Jones żałuje, że nie będzie mogła...

Panna Bridget Jones jest niepocieszona, że nie będzie mogła...

Panna Bridget Jones nie znajduje słów, by wyrazić, jak jest jej przykro, że...

Z głębokim żalem zawiadamiamy, iż panna Bridget Jones była tak zrozpaczona, że nie może przyjąć łaskawego zaproszenia pana Marka Darcy'ego, że palnęła sobie w łeb, i w związku z powyższym tym bardziej nie będzie mogła...

Ooch, telefon.

Dzwonił tata.

— Bridget, skarbie, idziesz w przyszłą sobotę na ten horror?

— Chodzi ci o rubinowe wesele Darcych?

— A o co? Odkąd twoja matka przeprowadziła na początku sierpnia ten wywiad z Lisą Leeson, to jedno odrywa jej uwagę od kwestii, które z nas bierze mahoniową szafkę na bibeloty i komplet stolików do kawy.

— Chciałam się od tego wykręcić.

W słuchawce zapadła cisza.

— Tato?

Dobiegł mnie stłumiony szloch. Sądzę, że tata przeżywa załamanie nerwowe. I tak jest dzielny. Gdybym ja była mężem mamy przez trzydzieści dziewięć lat, załamałabym się nerwowo i bez jej romansu z portugalskim pilotem wycieczek.

— Co się stało, tato?

— Och, po prostu... Przepraszam. Po prostu... Ja też chciałem się wykręcić.

— No to się wykręć. Hura! Pójdziemy sobie do kina.

— Ale... Ale wtedy ona pójdzie z tym wyperfumowanym portugalskim padalcem i wszyscy ci ludzie, których znam od czterdziestu lat, będą ich traktować jak parę i spiszą mnie na straty.

— Wcale nie.

— Właśnie że tak. Muszę tam iść, Bridget. Będę robił dobrą minę do złej gry i trzymał głowę wysoko, ale...

Znów się rozpłakał.

— Ale co?

— Potrzebne mi wsparcie moralne.

11.30.

Panna Bridget Jones z przyjemnością...

Bridget Jones dziękuje panu Markowi Darcy'emu za...

Z najwyższą przyjemnością Bridget Jones przyjmuje...

Och, do diabła z tym.

Drogi Marku,

dziękuję Ci za zaproszenie na rubinowe wesele Twoich rodziców. Z przyjemnością przyjdę.

Pozdrowienia,

Bridget Jones

Hmmm.

Pozdrowienia,

Bridget

albo po prostu

Bridget

Bridget (Jones)

W porządku. Teraz ładnie to przepiszę i wyślę.

26 września, wtorek

56,5 kg, jedn. alkoholu 0, papierosy 0, kalorie 1256, zdrapki 0, obsesyjne myśli o Danielu 0, negatywne myśli 0. Chyba zostanę świętą.

Wspaniała sprawa — zacząć myśleć o karierze, zamiast martwić się głupotami jak mężczyźni i związki. Naprawdę dobrze mi idzie w *Good Afternoon!* Chyba mam talent do telewizji popularnej. A najlepsze jest to, że wreszcie wystąpię przed kamerą.

Pod koniec zeszłego tygodnia Richard Finch wpadł na pomysł, żeby zrobić reportaże na żywo o różnych służbach miejskich. Z początku nie miał szczęścia. Ludzie w biurze plotkowali, że odmówiły mu wszystkie jednostki policji, pogotowia ratunkowego, gazowego, energetycznego itd., w Londynie i okolicach. Ale kiedy dziś rano przyszłam do pracy, złapał mnie za ramiona, wrzeszcząc:

— Bridget! Udało się! Straż pożarna. Chcę cię mieć na wizji. Myślę: minispódniczka. Myślę: hełm strażacki. Myślę: wąż w rękach.

Przez cały dzień panowało totalne zamieszanie, bieżący program zszedł na drugi plan i wszyscy bełkotali do telefonów o łączach i wozach transmisyjnych. Reportaż jest jutro i mam się zgłosić o jedenastej w remizie w Lewisham. Zaraz obdzwonię wszystkich znajomych i uprzedzę ich, żeby oglądali. Nie mogę się doczekać, żeby powiedzieć o tym mamie.

27 września, środa

55,5 kg (skurczyłam się ze wstydu), jedn. alkoholu 3, papierosy 0 (w remizach nie wolno palić), potem 12 w ciągu 1 godz., kalorie 1584 (bdb).

9 wieczorem. W życiu się tak nie skompromitowałam. Spędziłam cały dzień na próbach i organizowaniu planu. Pomysł był taki, że kiedy połączą się z Lewisham, zjadę po słupie w kadr i zacznę rozmawiać ze strażakiem. O piątej, gdy weszliśmy na antenę, siedziałam na szczycie słupa gotowa na sygnał zjechać na dół. Nagle Richard krzyknął w słuchawce: „Jazda, jazda, jazda!", więc zaczęłam zjeżdżać. A wtedy dodał: „Jazda, Newcastle! Bridget, przygotuj się. Wchodzisz za pół minuty".

Mogłam zjechać do końca i popędzić na górę po schodach, ale byłam raptem kilka stóp od szczytu słupa, więc zaczęłam podciągać się z powrotem. Nagle w słuchawce rozległ się ryk:

— Bridget! Jesteś na wizji! Co ty, kurwa, wyprawiasz? Nie miałaś się wspinać, tylko zjeżdżać. No już!

Histerycznie wyszczerzyłam zęby do kamery, zjechałam na dół i wylądowałam zgodnie z planem obok strażaka, z którym miałam zrobić wywiad.

— Lewisham, nie mamy czasu. Kończ, kończ, Bridget — wrzasnął mi do ucha Richard.

— Oddaję głos do studia — powiedziałam i to było wszystko.

28 września, czwartek

56 kg, jedn. alkoholu 2 (bdb), papierosy 11 (db), kalorie 1850, propozycje pracy ze straży pożarnej lub konkurencyjnych stacji telewizyjnych 0 (w sumie nie powinnam się dziwić).

11 rano. Popadłam w niełaskę i stałam się pośmiewiskiem. Richard Finch poniżył mnie przy wszystkich, miotając na zebraniu słowa w rodzaju: „dno”, „kompromitacja” i „pieprzona idiotka”.

„Oddaję głos do studia” jest tekstem tygodnia. Kiedy ktoś nie wie, co odpowiedzieć na zadane mu pytanie, mówi: „Eeee... oddaję głos do studia” i wybucha śmiechem. Co dziwne, grunge’owa młodzież traktuje mnie teraz dużo bardziej przyjaźnie. Patchouli podeszła nawet do mnie i powiedziała:

— Słuchaj, nie przejmuj się Richardem, okej? On, no wiesz, musi pokazać, kto tu rządzi. Kumasz bazę? Ten numer ze słupem był naprawdę odjazdowy. I w ogóle, no wiesz... Oddaję głos do studia.

Richard Finch udaje, że mnie nie widzi, albo kręci głową z niedowierzaniem, i przez cały dzień nie dał mi nic do roboty.

Boże, jestem taka przygnębiona. Myślałam, że wreszcie znalazłam coś, w czym jestem dobra, a teraz wszystko trafił szlag. Na domiar złego w sobotę jest to koszmarne rubinowe wesele i nie mam co na siebie włożyć. Jestem beznadziejna we wszystkim. W kontaktach z mężczyznami. W kontaktach towarzyskich. W pracy. Po prostu we wszystkim.

PAŹDZIERNIK

Randka z Darcym

1 października, niedziela

55,5 kg, papierosy 17, jedn. alkoholu 0 (bdb, zwłaszcza na przyjęciu).

4 rano. Jeden z najdziwniejszych wieczorów w moim życiu.

Kiedy w piątek wpadłam w depresję, Jude przyszła, żeby tchnąć we mnie trochę optymizmu, i przyniosła fantastyczną czarną sukienkę do pożyczenia na rubinowe wesele. Bałam się, że ją podrę albo poplamię, ale Jude powiedziała, że ma mnóstwo sukienek, bo świetnie zarabia, więc mam się nie przejmować. Kocham Jude. Dziewczyny są dużo milsze od facetów (nie licząc Toma, ale on jest gejem). Postanowiłam włożyć do tej sukienki czarne nabłyszczane rajstopy z lycry (6,95 funta) i zamszowe szpilki z Pied à terre (oczyszczone z purée ziemniaczanego).

Już na wstępie przeżyłam szok, bo dom Marka Darcy'ego nie był, jak się spodziewałam, chudym białym szeregowcem przy Portland Road czy innej bocznej uliczce, tylko wielkim, wolno stojącym, otoczonym zielenią pałacem à la tort weselny po drugiej stronie Holland Park Avenue (gdzie podobno mieszka Harold Pinter).

Mark naprawdę szarpnął się dla rodziców. Wszystkie drzewa były udekorowane łańcuchami czerwonych lampek i błyszczących czerwonych serduszek, co wyglądało uroczo, a nad prowadzącą do domu alejką wisiał czerwono-biały baldachim.

Przy drzwiach impreza zaczęła wyglądać jeszcze bardziej obiecująco, ponieważ zostaliśmy powitani przez obsługę lampką szampana i wzięto od nas prezenty (kupiłam Malcolmowi i Elaine kompakt z piosenkami miłosnymi Perry'ego Como z roku, w którym brali ślub, i dodatkowo dla Elaine terakotowy parownik do olejków aromatycznych, bo pytała mnie o olejki na noworocznym indyku curry). Potem skierowano nas na dół po niezwykle krętych schodach z jasnego drzewa, z czerwonymi świecami w kształcie serc na każdym stopniu. Na dole była olbrzymia sala z podłogą z ciemnego drzewa i werandą wychodzącą na ogród, w całości oświetlona świecami. Przez chwilę tata i ja po prostu staliśmy i patrzyliśmy, kompletnie oniemiali.

Zamiast przekąsek typowych dla starszego pokolenia — jak marynaty w kryształowych salaterkach z przegródkami czy koreczki z sera i ananasa powbijane w połówki grejpfrutów — kelnerzy nosili wielkie srebrne tace, na których pyszniły się chińskie pierożki z farszem z krewetek, tartaletki z pomidorami i mozzarellą i drobiowe szaszłyczki. Goście mieli takie miny, jakby nie wierzyli własnemu szczęściu, odrzucali głowy do tyłu i śmiali się radośnie. Tylko Una Alconbury wyglądała tak, jakby właśnie zjadła cytrynę.

— O rany — westchnął tata, podążając za moim spojrzeniem. — Mama i Una nie będą tym chyba zachwycone.

— Ale ostentacja, co? — ryknęła Una, sunąc w naszą stronę i z rozdrażnieniem poprawiając sobie etolę. — Przesada w tych rzeczach zawsze jest trochę wulgarna.

— Och, nie bądź śmieszna, Uno. To wspaniałe przyjęcie — odparł tata, biorąc z tacy dziewiętnastą kanapkę.

— Mmm. Tak jest — mruknęłam, przełykając tartaletkę, gdy kelner, który wyrósł obok jak spod ziemi, dolał mi szampana. — Fantastyczne.

Przygotowana psychicznie na drobnomieszczański koszmar, byłam w euforii. Nikt mnie jeszcze nie zapytał, dlaczego nie wyszłam za mąż.

— Phi — prychnęła Una.

Dołączyła do nas mama.

— Bridget — wrzasnęła. — Przywitałaś się z Markiem?

Nagle uświadomiłam sobie z przerażeniem, że Una i mama też będą wkrótce obchodziły rubinowe rocznice ślubu. Znając mamę, było mało prawdopodobne, aby taki drobiazg jak porzucenie męża dla portugalskiego pilota wycieczek przeszkodził jej to uczcić, i na pewno będzie chciała przebić Elaine Darcy, choćby miała w tym celu zmusić swą Bogu ducha winną córkę do małżeństwa.

— Trzymaj się, staruszko — szepnął tata, ściskając moje ramię.

— Uroczy dom. Nie miałaś jakiejś ładnej etoli, Bridget? Łupież! — ćwierkała mama, otrzepując tacie plecy. — Kochanie, dlaczego, do licha, nie rozmawiasz z Markiem?

— Eee... — bąknęłam.

— Co o tym sądzisz, Pam? — syknęła Una z napięciem w głosie, robiąc kolisty ruch głową.

— Ostentacja — odparła mama, przesadnie poruszając wargami.

— To samo powiedziałam — oznajmiła triumfalnie Una. — Nie powiedziałam tak, Colin? Ostentacja.

Rozejrzałam się nerwowo dookoła i aż podskoczyłam z przerażenia. Nie dalej niż trzy stopy od nas stał Mark Darcy. Musiał słyszeć każde słowo. Otworzyłam usta, żeby coś powiedzieć — nie bardzo wiem, co — i uratować sytuację, ale Mark odszedł.

Kolację podano w salonie na parterze i przypadkiem znalazłam się w kolejce na schodach tuż za Markiem.

— Cześć — powiedziałam, chcąc jakoś naprawić nietakt mamy.

Rozejrzał się, kompletnie mnie zignorował i znów odwrócił się tyłem.

— Cześć — powtórzyłam, szturchając go w plecy.

— Och, cześć — odparł. — Przepraszam. Nie widziałem cię.

— Wspaniałe przyjęcie — ciągnęłam. — Dziękuję, że mnie zaprosiłeś.

Przyjrzał mi się uważnie.

— To nie ja — powiedział. — To moja matka. Przepraszam, muszę eee... pousadzać gości. Aha, bardzo mi się podobał twój reportaż z tej remizy.

Po tych słowach odwrócił się i, lawirując między gośćmi, pomaszerował na górę, a ja aż się zatrzęsłam ze złości.

Gdy dotarł na szczyt schodów, pojawiła się Natasha w przepięknym futerale ze złotej satyny, złapała go zaborczym gestem za ramię i w tym pośpiechu przewróciła jedną ze świec, oblewając sobie dół sukni czerwoną parafiną.

— Kuśwa — powiedziała. — Kuśwa.

Zanim zniknęli w tłumie, usłyszałam, jak ochrzania Marka.

— Mówiłam ci, że to absurd poświęcać całe popołudnie na ustawianie świec w takich miejscach, gdzie łatwo się o nie potknąć. Powinieneś był raczej dopilnować, żeby plan stołu…

Rzeczony plan stołu okazał się całkiem niezły. Mama nie siedziała ani obok taty, ani obok Julia, tylko obok Briana Enderby'ego, z którym uwielbia flirtować. Julio wylądował obok nie posiadającej się ze szczęścia pięćdziesięciopięcioletniej ciotki Marka. Tata poróżowiał z radości, bo dostał za sąsiadkę jakąś kruczowłosą egzotyczną piękność. Byłam naprawdę podekscytowana. Może będę siedzieć między dwoma przystojnymi kolegami Marka Darcy'ego, wybitnymi prawnikami lub Amerykanami z Bostonu? Ale gdy szukałam na planie swojego nazwiska, zapiszczał koło mnie znajomy głos.

— Jak się ma moja mała Bridget? Szczęściarz ze mnie, co? Siedzimy obok siebie. Una mówi, że zerwałaś ze swoim facetem. Uch! Kiedy wreszcie wydamy cię za mąż?

— Mam nadzieję, że dostąpię zaszczytu odprawienia tej ceremonii — odezwał się głos z mojej drugiej strony. — Przydałby mi się nowy ornat. Mmm. Z morelowego jedwabiu. Albo może ładna sutanna od Gamirellego zapinana na trzydzieści dziewięć guzików.

Mark roztropnie posadził mnie między Geoffreyem Alconburym i naszym proboszczem — gejem.

Kiedy jednak wlaliśmy w siebie po kilka drinków, rozmowa wcale nie kulała. Spytałam proboszcza, co sądzi o cudzie z posążkami Ganesza, hinduskiego boga-słonia, pijącymi mleko. Proboszcz odparł, że w kręgach kościelnych panuje pogląd, iż „cud" jest skutkiem wpływu nagłego ochłodzenia na rozgrzaną letnim upałem terakotę.

Po kolacji, gdy goście ruszyli na dół, aby potańczyć, zaczęłam się zastanawiać nad tym, co powiedział. Zdjęta ciekawością (i żeby nie tańczyć twista z Geoffreyem Alconburym) przeprosiłam moich towarzyszy, dyskretnie wzięłam ze stołu łyżeczkę i dzbanuszek z mlekiem i wśliznęłam się do pokoju, gdzie — co dowodziło, że Una miała trochę racji z ostentacyjnością imprezy — wyłożono rozpakowane prezenty.

Znalazłam mój terakotowy parownik, nie bez trudu, bo ustawiono go w głębi stołu, nalałam trochę mleka na łyżeczkę, a potem ją przechyliłam i przytknęłam do krawędzi otworu, w który wkłada się świecę. Nie wierzyłam własnym oczom. Parownik pił mleko. Widziałam, jak znika z łyżeczki.

— Boże, to cud — wykrzyknęłam.

Skąd mogłam wiedzieć, że cholerny Mark Darcy akurat przechodzi korytarzem?

— Co robisz? — zapytał, stając w drzwiach.

Nie wiedziałam, co odpowiedzieć. Najwyraźniej pomyślał, że kradnę prezenty.

— Mmm? — mruknął.

— Parownik do olejków, który dałam twojej mamie, pije mleko — wymamrotałam ponuro.

— Nie bądź niemądra — odparł, parskając śmiechem.

— Naprawdę pije mleko — powiedziałam z irytacją. — Spójrz.

Nalałam więcej mleka na łyżeczkę, przechyliłam ją i parownik zaczął powoli wchłaniać płyn.

— Widzisz? — spytałam z dumą. — To cud.

Mark był autentycznie pod wrażeniem.

— Masz rację — wyszeptał. — To cud.

W tym momencie w drzwiach stanęła Natasha.

— O, cześć — powiedziała na mój widok. — Nie przebrałaś się dziś za króliczka?

Po czym zachichotała, udając, że ta złośliwa uwaga była żartem.

— O tej porze roku my, króliczki, nosimy cieplejsze rzeczy — odparłam.

— John Rocha? — spytała, wpatrując się w sukienkę Jude. — Zeszła jesień? Poznaję tę lamówkę.

Chciałam powiedzieć coś bardzo dowcipnego i ciętego, ale, niestety, nic nie przychodziło mi do głowy. W końcu, po dłuższej chwili głupiego milczenia, wybąkałam:

— Na pewno chcesz wrócić do gości. Miło było znów cię zobaczyć. Paaa!

Stwierdziłam, że muszę wyjść na dwór, aby zaczerpnąć świeżego powietrza i zapalić. Była cudowna, ciepła, gwiaździsta noc i księżyc rozświetlał rododendrony. Osobiście nie lubię rododendronów. Kojarzą mi się z wiktoriańskimi dworami z powieści D.H. Lawrence'a, gdzie ludzie toną w jeziorach. Zeszłam do położonego niżej ogrodu. Orkiestra grała wiedeńskie walce w nostalgicznym stylu à la *fin de millenium*. Nagle usłyszałam w górze jakiś szelest. Ktoś stał na tarasie. Był to przyjemny blondwłosy nastolatek w typie ucznia prywatnej szkoły.

— Cześć — powiedział, po czym niezdarnie zapalił papierosa i patrząc na mnie, zszedł po schodach na dół. — Może zatańczymy? Och, przepraszam — dodał, wyciągając rękę, jakbyśmy znajdowali się na dniu otwartym w Eton, a on był dawnym ministrem spraw wewnętrznych, który zapomniał o dobrych manierach. — Simon Dalrymple.

— Bridget Jones — odparłam, sztywno podając mu dłoń i czując się jak członek rządu wojennego.

— Cześć. Bardzo mi przyjemnie. To możemy zatańczyć? — spytał, ponownie wchodząc w rolę ucznia prywatnej szkoły.

— Czy ja wiem? — odparłam i, mimo woli wchodząc w rolę pijanej dziwki, wybuchnęłam ochrypłym śmiechem.

— Tutaj. Tylko jeden taniec.

Zawahałam się. Prawdę mówiąc, jego propozycja mile mnie połechtała.

— Proszę — naciskał Simon. — Jeszcze nigdy nie tańczyłem ze starszą kobietą. O rany, przepraszam, nie chciałem... — dodał pospiesznie, widząc wyraz mojej twarzy. — To znaczy, z kobietą, która nie chodzi już do szkoły — dokończył, ściskając namiętnie moją dłoń. — Pozwolisz? Będę ci niewymownie wdzięczny.

Simon Dalrymple najwyraźniej uczył się tańca towarzyskiego od urodzenia i z prawdziwą przyjemnością pozwoliłam mu się prowadzić, ale niestety dostał — tańcząc tak blisko, nie można jej było wziąć za piórnik w kieszeni — największej erekcji, z jaką kiedykolwiek miałam szczęście się zetknąć.

— Odbijany, Simon — powiedział jakiś głos.

Był to Mark Darcy.

— Raz, dwa. Do środka. Powinieneś być już w łóżku.

Sądząc po minie, Simon był kompletnie zdruzgotany. Oblał się szkarłatnym rumieńcem i pobiegł do domu.

— Pozwolisz? — spytał Mark, wyciągając do mnie rękę.

— Nie — warknęłam.

— O co ci chodzi?

— Yyy... — wybąkałam, szukając wytłumaczenia dla mojej wściekłości. — Zachowałeś się obrzydliwie. Jak mogłeś tak upokorzyć tego młodego, wrażliwego chłopca? — Widząc jego zdumioną minę, ciągnęłam: — Niemniej jestem ci naprawdę wdzięczna za zaproszenie. To fantastyczne przyjęcie.

— Tak. Chyba już to mówiłaś — odparł, szybko mrugając powiekami. Prawdę mówiąc, robił wrażenie zdenerwowanego i urażonego. — Czy... — Urwał i zaczął spacerować po patio, wzdychając i przeczesując dłonią włosy. — Jak ci... Czytałaś ostatnio jakieś dobre książki?

Niewiarygodne.

— Mark — powiedziałam — jeżeli jeszcze raz mnie spytasz, czy czytałam ostatnio jakieś dobre książki, zacznę krzyczeć. Nie możesz spytać o coś innego? Rusz głową. Zapytaj mnie, czy mam hobby albo pogląd na wspólną walutę europejską, albo czy przeżyłam jakieś wyjątkowo niepokojące doświadczenie z gumą.

— Czy... — zaczął i znów urwał.

— Albo z kim bym się przespała, gdybym miała do wyboru

Douglasa Hurda, Michaela Howarda i Jima Davidsona*. Chociaż nie, to oczywiste, z Douglasem Hurdem.

— Z Douglasem Hurdem? — zdziwił się Mark.

— Mmm. Tak. Jest rozkosznie surowy, ale sprawiedliwy.

— Hmmm — mruknął Mark z namysłem. — Być może, ale Michael Howard ma niezwykle atrakcyjną i inteligentną żonę. Musi mieć jakieś ukryte zalety.

— Na przykład? — spytałam, z dziecinną nadzieją, że powie coś o seksie.

— Czy ja wiem…

— Może jest świetnym kochankiem — podsunęłam.

— Albo fantastycznie zdolnym garncarzem.

— Albo wykwalifikowanym aromaterapeutą.

— Zjesz ze mną kolację, Bridget? — zapytał raptownie i z irytacją w głosie, jakby miał zamiar posadzić mnie przy stole i obsztorcować.

Wytrzeszczyłam na niego oczy.

— Podpuściła cię moja mama? — spytałam podejrzliwie.

— Nie. Ja…

— Una Alconbury?

— Nie, nie…

Nagle zrozumiałam, co jest grane.

— Twoja mama, prawda?

— Przyznaję, że…

— Nie chcę, żebyś mnie zapraszał na kolację, bo życzy sobie tego twoja matka. A zresztą, o czym byśmy rozmawiali? Spytałbyś mnie, czy czytałam ostatnio jakieś dobre książki i musiałabym wymyślić jakieś żałosne kłamstwo…

Patrzył na mnie z wyraźną konsternacją.

— Kiedy Una Alconbury powiedziała mi, że jesteś poważną intelektualistką i masz obsesję na punkcie książek.

— Naprawdę? — spytałam, całkiem zadowolona z tej charakterystyki. — Co jeszcze ci mówiła?

---

* Douglas Hurd, Michael Howard, Jim Davidson — politycy brytyjscy.

— Że jesteś radykalną feministką, prowadzisz niesamowicie światowe życie...

— Oooch — jęknęłam.

— ...i spotykasz się z milionem facetów.

— Phi.

— Słyszałem o Danielu. Przykro mi.

— Przyznaję, próbowałeś mnie ostrzec — mruknęłam ponuro. — Co właściwie masz przeciwko niemu?

— Spał z moją żoną — odparł Mark. — Dwa tygodnie po naszym ślubie.

Gapiłam się na niego osłupiała, gdy ktoś u góry krzyknął: „Markiii!"

Była to Natasha, podejrzliwie spoglądająca w dół z tarasu.

— Markiii! — zawołała ponownie. — Co ty tam robisz?

— W Boże Narodzenie — podjął szybko Mark — myślałem, że jeśli moja matka jeszcze raz powie: „Bridget Jones", zadzwonię do „Sunday People" i oskarżę ją o bicie mnie w dzieciństwie pompką rowerową. A potem, kiedy cię spotkałem... i byłem w tym absurdalnym swetrze w romby, który dostałem od Uny pod choinkę... Bridget, wszystkie inne dziewczyny, które znam, są takie sztywne. Żadna nie przebrałaby się za króliczka ani...

— Mark! — wrzasnęła Natasha, schodząc do nas po schodach.

— Przecież się z kimś spotykasz — powiedziałam szalenie odkrywczo.

— Już nie — odparł. — Kolacja? W tym tygodniu?

— Dobrze — wyszeptałam. — Dobrze.

Potem uznałam, że będzie lepiej, jeśli pójdę do domu, bo Natasha śledziła każdy mój ruch, jakby była krokodylicą pilnującą swoich jaj, a ja dałam Markowi Darcy'emu mój adres i telefon i umówiłam się z nim na wtorek. Przechodząc przez salę balową, zobaczyłam, że mama, Una i Elaine Darcy żywo z nim rozmawiają — ale miałyby miny, gdyby wiedziały, co się właśnie stało. Nagle wyobraziłam sobie przyszłorocznego indyka curry. Brian Enderby podciąga sobie spodnie i mówi: „Hmhmhm. Miło jest popatrzeć, jak młodzi dobrze się bawią, prawda?", a potem Mark i ja, niczym para cyrkowych fok, musimy zaprezentować gościom jakąś sztuczkę — potrzeć się nosami albo odbyć stosunek seksualny na ich oczach.

3 października, wtorek

56 kg, jedn. alkoholu 3 (bdb), papierosy 21 (źle), wypowiedzenie słowa „drań" w ciągu ostatniej doby ok. 369 razy.

7.30 wieczorem. Totalna panika. Za pół godziny przyjdzie po mnie Mark Darcy. Przed chwilą wróciłam z pracy z sianem na głowie i w stroju będącym rezultatem kryzysu pralniczego. Ratunku, pomocy. Chciałam włożyć białe levisy 501, ale nagle przyszło mi do głowy, że Mark może być typem faceta, który zabiera dziewczyny do przerażająco eleganckich restauracji. Boże, nie mam nic eleganckiego do włożenia. Chyba nie oczekuje, że przebiorę się za króliczka? Nie żebym była nim zainteresowana czy coś.

7.50. Boże, Boże. Jeszcze nie umyłam włosów. Szybko wskoczę do wanny.

8.00. Suszę włosy. Mam wielką nadzieję, że Mark Darcy się spóźni, bo nie chcę, żeby zastał mnie w szlafroku i z mokrymi włosami.

8.05. Włosy mniej więcej suche. Muszę się jeszcze umalować, ubrać i wrzucić śmietnik za kanapę. Trzeba ustalić priorytety. Najpierw makijaż, potem likwidacja śmietnika.

8.15. Jeszcze go nie ma. Bardzo dobrze. Wolę ludzi, którzy się spóźniają, od ludzi, którzy przychodzą punktualnie, wprawiają człowieka w przerażenie i popłoch i znajdują paskudztwa na środku pokoju.

8.20. Jestem mniej więcej gotowa. Może się jeszcze przebiorę.

8.30. Dziwne. Nie wyglądał na faceta, który spóźnia się pół godziny.

9.00. W głowie się nie mieści. Mark Darcy wystawił mnie do wiatru. Drań!

5 października, czwartek

56,5 kg (źle), czekoladowe batoniki 4 (źle), oglądanie kasety 17 razy (źle).

11 rano. W kiblu w pracy. O nie. O nie. Jakby nie dość było tamtego upokorzenia, znalazłam się dziś w centrum uwagi na porannym zebraniu.

— Dobrze, Bridget — powiedział Richard Finch. — Dam ci jeszcze jedną szansę. Proces Isabelli Rossellini. Dziś ma zapaść werdykt. Sądzimy, że ją uniewinnią. Jedź do Sądu Najwyższego. Tylko bez wspinania się na słupy czy latarnie. Chcę mieć rzeczowy wywiad. Spytaj ją, czy to oznacza, że wolno nam zabić każdą osobę, z którą nie chcemy uprawiać seksu. Na co czekasz, Bridget? Już cię tu nie ma.

Nie miałam najbledszego, ale to najbledszego pojęcia, o czym mówi.

— Słyszałaś o procesie Isabelli Rossellini, prawda? — zapytał Richard. — Chyba czytasz czasem gazety?

Trudność z tą pracą polega na tym, że ludzie bombardują cię nazwiskami i faktami, i musisz się w ułamku sekundy decydować, czy przyznać, że nie wiesz, o co im chodzi, czy nie, i jeśli przegapisz ten moment, przez następne pół godziny rozpaczliwie próbujesz się zorientować, co właściwie omawiasz w najdrobniejszych szczegółach z pewną siebie miną.

Tak właśnie było z Isabellą Rossellini i za pięć minut muszę się spotkać pod gmachem sądu z ekipą telewizyjną, żeby relacjonować coś, o czym nie mam zielonego pojęcia.

11.05. Bogu niech będą dzięki za Patchouli. Kiedy wyszłam z toalety, psy Richarda ciągnęły ją korytarzem.

— Wszystko gra? — spytała. — Wyglądasz na spanikowaną.

— Nie, nie, wszystko w porządku — odparłam.

— Na pewno? — Popatrzyła na mnie chwilę. — Słuchaj, chyba jarzysz, że nie chodziło mu o Isabellę Rossellini? Miał na myśli Elenę Rossini.

Dzięki Bogu i wszystkim jego aniołom w niebie. Elena Rossini to opiekunka do dzieci oskarżona o zabicie swojego pracodawcy, który przez półtora roku więził ją w domu i wielokrotnie gwałcił. Złapałam parę gazet, żeby dokształcić się po drodze, i poleciałam do taksówki.

3 po południu. Nie mogę uwierzyć, co się wydarzyło. Sterczałam pod sądem z moją ekipą i całą bandą reporterów czekających jak my na koniec procesu. W sumie była to świetna zabawa. Zaczęłam nawet dostrzegać plusy zostania zrobioną w jajo przez Pana Chodzący Ideał Darcy'ego. W pewnym momencie skończyły mi się papierosy, więc spytałam kamerzystę, który był bardzo miły, czy sądzi, że mogę wyskoczyć na pięć minut do sklepu. Odparł, że tak, bo woźni zawsze uprzedzają, kiedy ktoś ma wyjść, więc w razie czego zdąży mnie zawołać.

Inni reporterzy usłyszeli, że idę do sklepu, i zaczęli mnie prosić, żebym kupiła im fajki i słodycze, i zbieranie zamówień trochę potrwało. Kiedy stałam już przy ladzie, starając się nie pomieszać pieniędzy, do sklepu wszedł w pośpiechu jakiś facet i powiedział: „Mogę prosić pudełko Quality Street?", jakby mnie tam nie było. Biedny sprzedawca popatrzył na mnie, nie wiedząc, co ma zrobić.

— Przepraszam, czy zna pan słowo „kolejka"? — zapytałam jadowicie, odwracając się, żeby na tupeciarza spojrzeć.

Był to Mark Darcy w adwokackiej todze. Wydałam z siebie dziwny dźwięk, a on po swojemu utkwił we mnie wzrok.

— Gdzie, do licha ciężkiego, byłeś we wtorek wieczorem? — odezwałam się w końcu.

— Mógłbym cię spytać o to samo — odparł lodowatym tonem.

W tym momencie do sklepu wpadł pomocnik kamerzysty.

— Bridget! — wrzasnął. — Nici z wywiadu. Elena Rossini wyszła i odjechała. Kupiłaś mi Minstrele?

Oniemiała, złapałam się lady, żeby nie upaść.

— Nici? — jęknęłam, odzyskawszy głos. — Nici? O Boże. To była moja ostatnia szansa po tym strażackim słupie i zmarnowałam ją przez głupie fajki. Richard mnie wyleje. Czy innym udało się z nią porozmawiać?

— Nikt z nią nie porozmawiał — powiedział Mark Darcy.

— Nie? — powtórzyłam, patrząc na niego z rozpaczą. — Skąd wiesz?

— Bo to ja ją broniłem i kazałem jej nie udzielać wywiadów — odparł niedbałym tonem. — Spójrz, siedzi w moim samochodzie.

Kiedy się odwróciłam, Elena Rossini wystawiła głowę z okna samochodu i zawołała z obcym akcentem:

— Mark, przepraszam. Kup mi Dairy Box zamiast Quality Street, dobrze?

W tym momencie podjechał nasz wóz transmisyjny.

— Derek! — krzyknął kamerzysta. — Kup nam Twixa i Liona, dobrze?

— No więc gdzie byłaś we wtorek? — zapytał Mark Darcy.

— W moim cholernym domu — wycedziłam przez zęby.

— Co, pięć po ósmej? Dzwoniłem do drzwi dwanaście razy.

— Tak, właśnie... — urwałam, porażona pierwszym przebłyskiem zrozumienia — ...suszyłam włosy.

— Wielką suszarką?

— 1600 V, marki Salon Selectives — odparłam z dumą. — Bo co?

— Powinnaś sobie kupić cichszą suszarkę albo zaczynać toaletę trochę wcześniej. Mniejsza o to, chodź — powiedział ze śmiechem. — Zawołaj swojego kamerzystę, zobaczę, co da się zrobić.

O Boże! Co za wstyd. Jestem kompletną idiotką.

9 wieczorem. Nie do wiary, jak cudownie wszystko się ułożyło. Właśnie po raz piąty puściłam sobie czołówkę *Good Afternoon!* „*Good Afternoon!* — mówi spiker — jedyny program telewizyjny, w którym zobaczycie wywiad z Eleną Rossini, przeprowadzony dosłownie kilka minut po jej dzisiejszym uniewinnieniu. Przed państwem nasza specjalna wysłanniczka, Bridget Jones".

Uwielbiam ten kawałek: „Przed państwem nasza specjalna wysłanniczka, Bridget Jones". Puszczę go sobie jeszcze raz, a potem już naprawdę schowam kasetę.

6 października, piątek

57 kg (szukanie pociechy w jedzeniu), jedn. alkoholu 6 (problem alkoholowy), zdrapki 6 (szukanie pociechy w hazardzie), telefony pod 1471, żeby sprawdzić, czy dzwonił Mark Darcy: 21 (z czystej ciekawości), oglądanie kasety 9 razy (lepiej).

9 wieczorem. Grr! Wczoraj zostawiłam mamie wiadomość o moim sukcesie, więc kiedy dziś wieczór zadzwoniła, sądziłam, że chce mi pogratulować, ale nie, nawijała o przyjęciu. Una i Geoffrey to, Brian i Mavis tamto, jaki wspaniały jest Mark, dlaczego z nim nie porozmawiałam itd., itd. Czułam pokusę, żeby powiedzieć, co zaszło, ale udało mi się ją odpędzić, kiedy wyobraziłam sobie konsekwencje: ekstatyczny wrzask radości na wiadomość o randce i brutalne zabójstwo jedynej córki, kiedy mama usłyszy, co z tej randki wyszło.

Mam nadzieję, że mimo tej afery z suszarką Mark zadzwoni i umówi się ze mną jeszcze raz. Może powinnam napisać do niego list z podziękowaniem za wywiad i przeprosinami za suszarkę. Nie żeby mi się podobał, po prostu tak wypada.

12 października, czwartek

57,5 kg (źle), jedn. alkoholu 3 (zdrowe i normalne), papierosy 13, jedn. tłuszczu 17 (ciekawe, czy można obliczyć zawartość jedn. tłuszczu w całym ciele? Oby nie!), zdrapki 3 (w porządku), telefony pod 1471, żeby sprawdzić, czy dzwonił Mark Darcy: 12 (lepiej).

Grr! Wkurzona protekcjonalnym artykułem autorstwa szczęśliwej małżonki, zatytułowanym, z ironią subtelną jak seksualne aluzje Frankiego Howerda, *Radości samotnego życia*.

„Są młodzi, ambitni i bogaci, ale ich życie kryje bolesną pustkę... Gdy wyjdą z pracy, otwiera się przed nimi ziejąca emocjonalna luka... Ci samotni niewolnicy mody szukają pociechy w gotowych daniach, jakie kiedyś robiły ich matki".

Co za tupet. Skąd Pani Szczęśliwa Małżonka od dwudziestego drugiego roku życia może to wiedzieć, się pytam?

Zamierzam napisać artykuł oparty na „dziesiątkach rozmów" ze szczęśliwymi małżonkami: „Gdy wychodzą z pracy, wybuchają płaczem, bo chociaż są wykończone, muszą obierać ziemniaki i nastawiać pranie, podczas gdy ich obleśni brzuchaci mężowie oglądają mecz, domagając się frytek. W inne wieczory, ubrane w niegustowne fartuchy, wpadają w wielkie czarne dziury, bo mężowie zadzwonili, żeby im powiedzieć, że znów zostają dłużej w pracy, a w tle słychać było skrzypienie skóry i chichot seksownych samotniczek".

Po pracy spotkałam się z Jude, Sharon i Tomem. Tom też pracował nad wściekłym wyimaginowanym artykułem o „ziejących lukach emocjonalnych" szczęśliwych małżeństw.

„Mają przesadny wpływ na to, jakie domy się buduje i jakie produkty zalegają półki supermarketów", miał dowodzić artykuł oburzonego Toma. „Wszędzie widzimy sklepy Anne Summers zaopatrujące gospodynie domowe, które żałośnie próbują naśladować odjazdowy seks wolnych strzelców, a u Marksa i Spencera przybywa egzotycznych dań dla zmęczonych małżeństw, które starają się udawać, że jak wolni strzelcy są w uroczej restauracji i nie muszą zmywać naczyń".

— Mam powyżej uszu tego aroganckiego załamywania rąk nad życiem wolnych strzelców! — ryknęła Sharon.

— Tak jest! — wykrzyknęłam.

— Zapominacie o popapraniu — beknęła Jude. — Zawsze mamy jeszcze popapranie.

— A poza tym, wcale nie jesteśmy samotni. Mamy wielkie

rodziny w formie sieci przyjaciół połączonych telefonami — stwierdził Tom.

— Tak jest! Hura! Wolni strzelcy nie muszą bez przerwy się tłumaczyć, powinni mieć uznany status, tak jak gejsze — zawołałam radośnie i siorbnęłam moje chilijskie Chardonnay.

— Gejsze? — powtórzyła Sharon, patrząc na mnie zimno.

— Zamknij się, Bridge — wybełkotał Tom. — Jesteś pijana. Próbujesz uciec ze swojej ziewającej emocjonalnej luki w alkohol.

— Shazzer też — mruknęłam ponuro.

— Wcle nie — zaprotestowała Sharon.

— Włśnież tak.

— Zmknijcie się — powiedziała Jude i znów beknęła. — Zmawiamy jszcze jdną btelkę Chrdonnay?

13 października, piątek

58 kg (ale zmieniłam się tymczasowo w baryłkę wina), jedn. alkoholu 0 (ale piję z baryłki), kalorie 0 (bdb)*.

*W porządku, będę szczera. Wcale nie bdb: tylko 0, bo zwymiotowałam 5876 kalorii natychmiast po jedzeniu.

Boże, jestem taka samotna. Przede mną cały weekend, podczas którego nie mam kogo kochać ani z kim się bawić. Nieważne. Mam pyszny pudding imbirowy z M&S do podgrzania w mikrofali.

15 października, niedziela

57 kg (lepiej), jedn. alkoholu 5 (ale specjalna okazja), papierosy 16, kalorie 2456, minuty poświęcone na myślenie o panu Darcym 245.

8.55 rano. Wyskoczyłam szybko po fajki, żeby zdążyć na *Dumę i uprzedzenie* w BBC. Dziwne, że na ulicach jest tyle samochodów. Czy ludzie nie powinni siedzieć już w domach przed telewizorami? Podoba mi się, że naród wpadł w takie uzależnienie. Podstawą m o j e g o uzależnienia jest ludzkie pragnienie, aby Darcy przespał się z Elizabeth. Tom mówi, że piłkarski guru Nick Hornby napisał w swojej książce, że męska obsesja na punkcie piłki nożnej nie ma charakteru zastępczego. Podkręceni testosteronem kibice wcale nie chcieliby się znaleźć na boisku, twierdzi Hornby, ponieważ widzą w piłkarzach swoich przedstawicieli, coś jak parlament. W ten sam sposób ja traktuję Darcy'ego i Elizabeth. Są moimi przedstawicielami w dziedzinie bzykania, a raczej zalotów. Nie chciałabym jednak oglądać żadnych goli. Nie zniosłabym nawet widoku Darcy'ego i Elizabeth w łóżku, palących postkoitalne papierosy. Byłoby to nienaturalne i niewłaściwe i szybko straciłabym zainteresowanie.

10.30 rano. Zadzwoniła Jude i przez dwadzieścia minut wzdychałyśmy: „Oooch, ten pan Darcy". Uwielbiam jego sposób mówienia, jakby miał wszystko gdzieś. Ding-dong! Potem odbyłyśmy długą dyskusję, porównując zalety pana Darcy'ego i Marka Darcy'ego. Zgodziłyśmy się, że pan Darcy jest atrakcyjniejszy, ponieważ jest bardziej arogancki, ale bycie postacią fikcyjną działa na jego niekorzyść.

23 października, poniedziałek

58 kg, jedn. alkoholu 0 (bdb: odkryłam pyszny nowy substytut alkoholu o nazwie Smoothies, b. mocno owocowy), papierosy 0 (po Smoothies nie chce się palić), Smoothies 22, kalorie 4265 (z czego 4135 to Smoothies).

Uch! Miałam właśnie obejrzeć *Panoramę*, wydanie poświęcone problemowi zajmowania najlepszych posad przez „wysoko wykwalifikowane żeńskie kadry" — w których gronie, o co modlę się do Pana Boga w niebiesiech i wszystkich Jego serafinów, wkrótce się znajdę — gdy trafiłam w „Standardzie" na ohydne zdjęcie Darcy'ego i Elizabeth ubranych we współczesne ciuchy i leżących w objęciach na jakiejś łące: ona ze sloane'owskimi włosami blond i w lnianym garniturze, on w pasiastej koszulce polo i skórzanej kurtce, z cienkim wąsikiem. Podobno ze sobą sypiają. Co za obrzydliwość. Jestem zdezorientowana i zmartwiona, bo pan Darcy na pewno by się nie poświęcił tak pustej i frywolnej profesji jak aktorstwo, a jednak pan Darcy j e s t aktorem. Hmmm. Można się w tym pogubić.

24 października, wtorek

58,5 kg (cholerne Smoothies), jedn. alkoholu 0, papierosy 0, Smoothies 32.

Wspaniała passa w pracy. Od tego wywiadu z Eleną jak-jej-tam wszystko mi się udaje.

— Jazda! Jazda! Rosemary West! — mówił Richard Finch, podnosząc pięści jak bokser, gdy weszłam na salę (trochę spóźniona, każdemu może się zdarzyć). — Myślę: ofiary lesbijskiego gwałtu. Myślę: Jeanette Winterson. Myślę: co lesbijki właściwie r o b i ą. To jest to! Co lesbijki właściwie robią w łóżku?

Nagle odwrócił się w moją stronę.

— Wiesz? — Wszyscy wytrzeszczyli na mnie oczy. — No mów, Bridget, cholerna wieczna spóźnialska — krzyknął zniecierpliwiony. — Co lesbijki robią w łóżku?

Wzięłam głęboki oddech.

— Uważam, że powinniśmy się zająć pozaekranowym romansem Darcy'ego i Elizabeth.

Richard zmierzył mnie wzrokiem od stóp do głów.

— Genialne — powiedział z szacunkiem w głosie. — Abso-kurwa-lutnie genialne. Aktorzy grający Darcy'ego i Elizabeth? Szybko, szybko — zawołał, boksując powietrze.

— Colin Firth i Jennifer Ehle — odparłam.

— Kochanie — zwrócił się do jednej z moich piersi — jesteś abso-kurwa-lutnym geniuszem.

Zawsze miałam nadzieję, że okażę się geniuszem, ale nie wierzyłam, że naprawdę mnie to spotka — a tym bardziej moją lewą pierś.

LISTOPAD

Kryminalistka w rodzinie

1 listopada, środa

56,5 kg (hura!), jedn. alkoholu 2 (bdb), papierosy 4 (nie mogłam palić u Toma, żeby nie puścić z dymem kostiumu Alternatywnej Miss Świata), kalorie 1848 (db), Smoothies 12 (duży postęp).

Poszłam do Toma na konferencję na szczycie na temat Marka Darcy'ego, ale zastałam go bardzo zdenerwowanego w związku ze zbliżającymi się wyborami Alternatywnej Miss Świata. Zdecydowawszy sto lat temu, że wystąpi jako Miss Globalne Ocieplenie, Tom przeżywał kryzys wiary w siebie.

— Nie mam najmniejszych szans — powiedział, patrząc w lustro, i pomaszerował do okna.

Miał na sobie polistyrenową kulę pomalowaną jak globus, ale ze stopniałymi biegunami i przypaloną Brazylią. W jednej ręce trzymał kawałek tropikalnego drewna i dezodorant Lynx, a w drugiej bliżej nie określony futrzany przedmiot, który udawał martwego ocelota.

— Myślisz, że powinienem mieć czerniaka?

— To konkurs piękności czy konkurs na najlepsze przebranie?

— W tym właśnie rzecz. Nie wiem. Nikt nie wie — odparł Tom, zdejmując nakrycie głowy: miniaturowe drzewo, które zamierzał podpalić w trakcie konkursu. — Jedno i drugie. Liczy się wszystko. Piękno. Oryginalność. Artyzm. Jest to idiotycznie niejasne.

— Trzeba być gejem, żeby startować? — zapytałam, bawiąc się kawałkiem polistyrenu.

— Nie. Każdy może startować: mężczyzna, kobieta, zwierzę. Na tym polega problem — powiedział Tom, maszerując z powrotem do lustra. — Czasami myślę, że miałbym większe szanse, gdybym wystąpił w parze z jakimś psem.

Ostatecznie Tom zgodził się ze mną, że chociaż globalnemu ociepleniu nic nie można zarzucić, polistyrenowa kula nie jest specjalnie twarzowa, i po długiej dyskusji zaczęliśmy się skłaniać ku powiewnej błękitnej szacie z jedwabiu — symbolizującej stopniałe bieguny — narzuconej na coś w kolorach ziemi.

Stwierdziłam, że nie jest to najlepszy moment, aby porozmawiać z Tomem o Marku Darcym, i wyszłam, zanim zrobiło się za późno na konsultację z kimś innym, obiecawszy, że pomyślę o zielono-brązowych kąpielówkach.

Po powrocie do domu zadzwoniłam do Jude, ale ta zaczęła mi opowiadać o nowej wspaniałej wschodniej teorii z ostatniego „Cosmopolitana", która nazywa się feng shui i pomaga osiągnąć wszystkie cele życiowe. Podobno wystarczy posprzątać w szafach, żeby się odblokować, a potem podzielić mieszkanie na dziewięć części (tzw. nakładanie ba-gua), które reprezentują różne sfery twojego życia, jak praca, rodzina, miłość, pieniądze, dzieci itd. To, co trzymasz w danej części mieszkania, rządzi daną sferą. Jeśli, na przykład, ciągle brakuje ci pieniędzy, sprawdź, czy w twoim kąciku bogactwa nie stoi kosz na papiery.

Bardzo mnie zainteresowała ta nowa teoria, bo wiele tłumaczy, i postanowiłam kupić „Cosmo" przy najbliższej okazji. (Judy radzi, żebym nic nie mówiła Sharon, która oczywiście uważa, że feng shui to bzdura.) W końcu udało mi się sprowadzić rozmowę na Marka Darcy'ego.

— Jasne, że Mark ci się nie podoba — powiedziała Jude. — Nawet mi to przez myśl nie przeszło.

Potem stwierdziła, że sprawa jest prosta: powinnam go zaprosić na przyjęcie.

— To idealne rozwiązanie — argumentowała. — Przyjęcie

to nie randka, więc nie jesteś spięta i możesz się popisywać jak szalona i poprosić wszystkich przyjaciół, żeby udawali, że ich zdaniem jesteś wspaniała.

— Jude — wtrąciłam urażona — powiedziałaś „udawali"?

3 listopada, piątek

58 kg (grr!), jedn. alkoholu 2, papierosy 8, Smoothies 12, kalorie 5245.

11 rano. Bardzo podekscytowana przyjęciem. Kupiłam cudowną książkę kucharską Marka Pierre'a White'a. Nareszcie wiem, na czym polega różnica między kuchnią domową i restauracyjną. Jak mówi Marco, wszystko zależy od k o n c e n t r a c j i smaku, a sekretem sosów jest prawdziwy bulion. Należy ugotować wielki garnek rybich ości, kurzych kadłubów itd., a potem zamrozić wywar w foremkach do lodu. Wówczas gotowanie na poziomie Michelina staje się równie łatwe jak zrobienie zapiekanki pasterskiej, a nawet łatwiejsze, bo nie trzeba obierać ziemniaków, wystarczy je upiec w gęsim tłuszczu. Nie mogę uwierzyć, że dotąd nie zdawałam sobie z tego sprawy.

Oto moje menu na przyjęcie:

Zupa — krem z selerów (bardzo prosta i tania, kiedy już zrobię kostki bulionowe).

Tuńczyk z rusztu na kremie z pomidorów winogronowych ze smażonym czosnkiem i pieczone ziemniaki.

Konfitury z pomarańczy. *Crème Anglaise* z Grand Marnier.

Będzie wspaniale. Nie zadając sobie wiele trudu, zasłynę jako genialna kucharka. Ludzie będą walić na moje przyjęcia drzwiami i oknami, mówiąc z entuzjazmem: „Wspaniale jest pójść do Bridget na kolację, bo podaje jedzenie na poziomie Michelina w artystycznej atmosferze". Zrobię ogromne wrażenie na Marku Darcym i uświadomię mu, że nie jestem pospolita ani nieudolna.

5 listopada, niedziela

57 kg (katastrofa), papierosy 32, jedn. alkoholu 6 (w sklepie zabrakło Smoothies — co za draństwo), kalorie 2266, zdrapki 4.

7 wieczorem. Grr! Dzień Guya Fawkesa* i nie jestem zaproszona na żadne ognisko. Cholerne fajerwerki strzelają w niebo na prawo i lewo. Skoczę do Toma.

11 wieczorem. Odlotowy wieczór u Toma, który próbował pogodzić się z faktem, że tytuł Alternatywnej Miss Świata przypadł cholernej Joannie d'Arc.

— A najbardziej wkurza mnie to, że wszyscy mówią, że to nie jest konkurs piękności, kiedy to właśnie j e s t konkurs piękności. Założę się, że gdyby nie ten nos... — powiedział Tom, przeglądając się w lustrze z wściekłą miną.

— Jaki nos?

— Mój nos.

— Co ci się w nim nie podoba?

— Co mi się nie podoba? Uch! Tylko spójrz!

Okazało się, że chodzi mu o mikroskopijny garb w miejscu, gdzie ktoś przyłożył mu butelką, kiedy miał siedemnaście lat.

— Teraz rozumiesz?

Nie rozumiałam i stwierdziłam, że Joanna d'Arc na pewno nie sprzątnęła mu tytułu sprzed nosa z powodu garba na tymże, chyba że sędziowie dysponowali teleskopem Hubble'a, ale wtedy Tom powiedział, że jest też za gruby i musi się zacząć odchudzać.

— Ile kalorii wolno jeść podczas odchudzania? — zapytał.

— Tysiąc dziennie. Ja na ogół dążę do tysiąca, a wychodzi mi jakieś tysiąc pięćset — odparłam, uświadamiając sobie w tym samym momencie, że ta ostatnia informacja nie jest do końca prawdziwa.

---

* Dzień Guya Fawkesa — święto upamiętniające wykrycie tzw. spisku prochowego — planu wysadzenia w powietrze parlamentu i króla Jakuba I przez katolickich konspiratorów, do których należał niejaki Guy Fawkes. Wieczorem pali się w ogniskach jego kukłę i puszcza sztuczne ognie.

— Tysiąc? — powtórzył Tom z niedowierzaniem. — Myślałem, że człowiek potrzebuje dwóch tysięcy, żeby przeżyć.

Spojrzałam na niego zdumiona. Odchudzając się od tylu lat, kompletnie wyparłam ze świadomości koncepcję, że kalorie mogą być potrzebne do życia. Dotarłam do punktu, w którym uważam, że ideałem odżywiania jest ścisły post i że ludzie jedzą wyłącznie dlatego, że są łakomi i nie potrafią się powstrzymać.

— Ile kalorii ma jajko na twardo? — spytał Tom.

— Siedemdziesiąt pięć.

— Banan?

— Duży czy mały?

— Mały.

— Obrany?

— Tak.

— Osiemdziesiąt — stwierdziłam z przekonaniem.

— Oliwka?

— Czarna czy zielona?

— Czarna.

— Dziewięć.

— Pudełko Milk Tray?

— Dziesięć tysięcy osiemset dziewięćdziesiąt sześć.

— Skąd ty to wszystko wiesz?

Zastanowiłam się chwilę.

— Wiem i już, tak jak znam alfabet czy tabliczkę mnożenia.

— Dobrze. Dziewięć razy osiem? — spytał Tom.

— Sześćdziesiąt cztery. Nie, pięćdziesiąt sześć. Siedemdziesiąt dwa.

— Jaka litera jest przed J? Szybko.

— P. L, to znaczy I.

Tom mówi, że jestem walnięta, ale ja wiem na pewno, że jestem normalna i nie różnię się od innych, tzn. od Sharon i Jude. Szczerze mówiąc, martwię się o Toma. Sądzę, że przez ten start w konkursie piękności zaczyna się załamywać pod presją, do której my, kobiety, już przywykłyśmy, i staje się niepewnym siebie, zwariowanym na punkcie swojego wyglądu kandydatem na anorektyka.

Ostatecznie Tom poprawił sobie humor, puszczając fajerwerki z tarasu na dachu do ogródka sąsiadów, którzy podobno są homofobami.

9 listopada, czwartek
56,5 kg (bez Smoothies lepiej), jedn. alkoholu 5 (lepiej niż mieć wielki brzuch pełen zmiksowanych owoców), papierosy 12, kalorie 1456 (wspaniale).

Bardzo podekscytowana przyjęciem. Odbędzie się we wtorek za tydzień. Oto lista gości:

Jude Podły Richard
Shazzer
Tom Pretensjonalny Jerome (chyba że będę miała szczęście i do wtorku się rozstaną)
Magda Jeremy
Ja Mark Darcy

Mark Darcy wyraźnie się ucieszył, kiedy do niego zadzwoniłam.

— Co ugotujesz? — zapytał. — Jesteś dobrą kucharką?

— Och, wiesz… — odparłam. — Zazwyczaj korzystam z przepisów Marca Pierre'a White'a. To niesamowite, jak proste staje się gotowanie, kiedy opierasz się na koncentracji smaku.

Mark roześmiał się i powiedział:

— Nie rób nic skomplikowanego. Pamiętaj, że goście przychodzą do ciebie, a nie na *parfait* w miseczkach z lukru.

Daniel nigdy by nie powiedział czegoś tak miłego. Nie mogę się doczekać wtorku.

11 listopada, sobota
56 kg, jedn. alkoholu 4, papierosy 35 (kryzys), kalorie 456 (przestałam jeść).

Tom zniknął. Zaczęłam bać się o niego dziś rano po telefonie Sharon, która powiedziała, że nie da sobie uciąć ręki, ale chyba widziała go z taksówki w czwartek wieczorem idącego Ladbroke Grove z dłonią na ustach i, jak jej się zdawało, podbitym okiem. Poprosiła taksówkarza, żeby zawrócił, ale w tym czasie Tom gdzieś przepadł. Wczoraj dwa razy nagrała mu się na sekretarkę, pytając, czy wszystko jest w porządku, ale Tom nie oddzwonił.

Kiedy mi to opowiadała, dotarło do mnie, że ja nagrałam się Tomowi jeszcze w środę, bo chciałam się dowiedzieć, czy będzie w domu w weekend, i do tej pory się nie odezwał, co jest zupełnie do niego niepodobne.

I tak telefony poszły w ruch. Tom nie podnosił słuchawki, więc zadzwoniłam do Jude, która powiedziała, że z nią też się nie kontaktował. Zatelefonowałam do Pretensjonalnego Jerome'a: głucho. Jude powiedziała, że zadzwoni do Simona, który mieszka ulicę od Toma, żeby do niego zajrzał. Po dwudziestu minutach zameldowała, że Simon naciskał dzwonek Toma przez kwadrans i walił pięścią w drzwi, ale nikt nie otworzył. Potem znów zadzwoniła Sharon. Rozmawiała z Rebeccą, która powiedziała, że Tom wybierał się do Michaela na lunch. Zadzwoniłam do Michaela. Michael stwierdził, że Tom zostawił mu na sekretarce dziwaczną wiadomość: zniekształconym głosem powiedział, że nie będzie mógł przyjść, ale nie podał żadnego powodu.

3 po południu. Zaczynam powoli wpadać w panikę, rozkoszując się jednocześnie świadomością, że jestem w centrum dramatu. Jestem najlepszą przyjaciółką Toma, więc wszyscy dzwonią do mnie, na co reaguję z głęboką troską, acz spokojnie.

Nagle przyszło mi do głowy, że może Tom po prostu poznał kogoś nowego i gdzieś się z nim zaszył na kilkudniowe bzykanko. Może to nie jego widziała Sharon, ewentualnie podbite oko było skutkiem energicznego seksu z młodym partnerem lub postmodernistyczno-ironicznym retromakijażem à la Rocky Horror Show. Muszę podzwonić i przetestować tę teorię.

3.30. Teoria upadła, ponieważ zdaniem szerokiego ogółu jest niemożliwe, aby Tom poznał nowego faceta, a co dopiero nawiązał romans, i nie obdzwonił wszystkich, żeby się pochwalić. To fakt. W głowie kłębią mi się szalone myśli. Nie da się zaprzeczyć, że Tom był ostatnio w dołku. Zaczynam się zastanawiać, czy rzeczywiście jestem dobrą przyjaciółką. My, londyńczycy, jesteśmy tacy samolubni i zapracowani. Czy to możliwe, aby jeden z moich przyjaciół był aż tak nieszczęśliwy, że... Och, a więc to t u t a j położyłam nową „Marie Claire", na lodówce!

Przeglądając „Marie Claire", zaczęłam sobie wyobrażać pogrzeb Toma i rozmyślać, co bym włożyła. Aaaaa, przypomniał mi się członek parlamentu, który umarł w plastikowym worku na głowie i z czekoladką w ustach czy coś w tym rodzaju. Czyżby Tom oddawał się jakimś perwersyjnym praktykom seksualnym, nic nam o tym nie mówiąc?

5.00. Zadzwoniłam do Jude.

— Myślisz, że powinnyśmy zadzwonić na policję i poprosić, żeby wyważyli drzwi? — spytałam.

— Już do nich zadzwoniłam — odparła Jude.

— I co?

Prawdę mówiąc, poczułam się dotknięta, że Jude zadzwoniła na policję, nie konsultując tego ze mną. Ja jestem najlepszą przyjaciółką Toma, nie ona.

— Niezbyt się przejęli. Powiedzieli, żeby zadzwonić, jeśli nie znajdzie się do poniedziałku. W sumie mają rację. To, że dwudziestodziewięcioletni nieżonaty mężczyzna nie siedzi w domu w sobotę rano i nie przyszedł na lunch, na który miał nie przyjść, nie powinno nikogo niepokoić.

— Coś jest jednak nie w porządku, czuję to — powiedziałam znaczącym, tajemniczym tonem, uświadamiając sobie po raz pierwszy w życiu, jaką mam głęboką intuicję.

— Wiem, co masz na myśli — odparła złowieszczo Jude. — Ja też to czuję. Zdecydowanie coś jest nie w porządku.

7 wieczorem. Niesamowite. Po rozmowie z Jude nie byłam w nastroju do zakupów i innych niepoważnych rzeczy. Pomyślałam, że może jest to idealny moment, aby zająć się feng shui, więc wyszłam i kupiłam „Cosmopolitana". Patrząc na rysunek w „Cosmo", starannie nałożyłam ba-gua na moje mieszkanie i ku swemu przerażeniu odkryłam, że w kąciku pomocnych ludzi stoi kosz na papiery. Nic dziwnego, że cholerny Tom zniknął.

Szybko zadzwoniłam do Jude, aby o tym zameldować. Jude powiedziała, żebym przestawiła kosz.

— Ale dokąd? — spytałam. — Nie postawię go w kąciku związków ani dzieci.

Jude kazała mi zaczekać i poszła po „Cosmo".

— Co powiesz na kącik bogactwa? — zapytała po powrocie.

— Hmm, czy ja wiem, niedługo Gwiazdka i w ogóle... — odparłam, czując się jak ostatnia świnia, już gdy to mówiłam.

— No cóż, jeśli tak na to patrzysz. Pewnie i tak będziesz miała jeden prezent mniej do kupienia... — powiedziała Jude oskarżycielskim tonem.

Ostatecznie postawiłam kosz w kąciku wiedzy i wyszłam do kwiaciarni po jakieś rośliny z okrągłymi liśćmi do kącików rodziny i pomocnych ludzi (rośliny z podłużnymi liśćmi, a zwłaszcza z kolcami, są niewskazane). Kiedy wyjmowałam doniczkę z szafki pod zlewem, coś brzęknęło. Puknęłam się w czoło. Były to zapasowe klucze Toma, które mi dał, kiedy pojechał na Ibizę.

Przez moment miałam ochotę pójść tam bez Jude. Ona mi nie powiedziała, że chce zadzwonić na policję, prawda? W końcu jednak uznałam, że byłoby to podłe, więc zadzwoniłam do niej i postanowiłyśmy zabrać również Shazzer, jako że ona pierwsza podniosła alarm.

Gdy skręciłyśmy w ulicę Toma, otrząsnęłam się z fantazji o tym, jaka to będę zbolała, elokwentna oraz pełna godności, udzielając wywiadów do gazet, i z równoległego paranoicznego strachu, że policja uzna mnie za morderczynię. Nagle przestała to być zabawa. Może naprawdę wydarzyło się coś strasznego i tragicznego.

Weszłyśmy na ganek w milczeniu i nie patrząc na siebie.

— Nie powinnyśmy najpierw zadzwonić? — wyszeptała Sharon, gdy wyjęłam klucze.

— Ja to zrobię — powiedziała Jude.

Spojrzała na nas szybko i nacisnęła dzwonek. Nic. Nacisnęła go jeszcze raz. Miałam już włożyć klucz w zamek, gdy ktoś odezwał się w domofonie:

— Halo?

— Kto tam? — spytałam drżącym głosem.

— A jak myślisz, durna babo?

— Tom! — wykrzyknęłam radośnie. — Wpuść nas.

— To znaczy kogo? — zapytał podejrzliwie.

— Mnie, Jude i Shazzer.

— Szczerze mówiąc, skarbie, wolałbym, żebyście nie wchodziły.

— Do diabła — ryknęła Sharon, przepychając się do przodu. — Tom, ty głupia cioto, pół Londynu jest w pogotowiu bojowym, ludzie wydzwaniają na policję i przeczesują miasto, bo nikt nie wie, gdzie się podziałeś. Wpuść nas, do cholery!

— Nie chcę widzieć nikogo oprócz Bridget — powiedział kapryśnie Tom.

Posłałam Jude i Sharon anielskie uśmiechy.

— Nie bądź taką cholerną primadonną — warknęła Shazzer.

Cisza.

— No wpuść nas, głupku.

Znów cisza, ale po chwili drzwi się otworzyły.

— Przygotujcie się na szok — powiedział Tom, stając w progu mieszkania, gdy weszłyśmy na ostatnie piętro.

Wszystkie trzy głośno krzyknęłyśmy. Miał twarz w ohydnych żółto-czarnych siniakach i nos w gipsie.

— Tom, co ci się stało? — zawołałam, niezdarnie próbując go objąć i ostatecznie mój całus wylądował na jego uchu.

Jude wybuchnęła płaczem, a Sharon kopnęła ścianę.

— Nie martw się, Tom — ryknęła. — Znajdziemy drani, którzy ci to zrobili.

— Co się stało? — powtórzyłam, czując, że po policzkach płyną mi łzy.

— Eee… — bąknął Tom, uwalniając się z moich objęć. — Prawdę mówiąc, eee, miałem operację plastyczną nosa.

Okazało się, że Tom poszedł na operację we środę, ale wstydził się komukolwiek o tym powiedzieć, bo wszyscy uważali, że niepotrzebnie się martwi swoim mikroskopijnym garbem. Miał się nim zaopiekować Jerome, odtąd znany jako Durny Jerome (myślałyśmy o Okrutnym, ale brzmiało to zbyt interesująco). Kiedy jednak zobaczył go po zabiegu, zniesmaczony powiedział, że wyjeżdża na kilka dni, prysnął i od tamtej pory nie dał znaku życia. Biedny Tom był tak przygnębiony i tak otępiały po narkozie, że po prostu wyłączył telefon i poszedł spać.

— Więc to ciebie widziałam w czwartek wieczorem na Ladbroke Grove? — spytała Sharon.

Rzeczywiście widziała Toma. Czekał do wieczora, żeby pod osłoną ciemności wyjść po coś do jedzenia.

Mimo naszej euforii, że żyje, Tom był nadal bardzo nieszczęśliwy z powodu Jerome'a.

— Nikt mnie nie kocha — jęknął.

Powiedziałam mu, żeby odsłuchał moją sekretarkę, na której są dwadzieścia dwa histeryczne nagrania jego przyjaciół, oszalałych z niepokoju, bo zniknął na 24 godziny, co powinno rozwiać obawy nas wszystkich, że umrzemy w samotności i zostaniemy zjedzeni przez owczarka alzackiego.

— Albo nikt nas nie znajdzie przez trzy miesiące i zaczniemy się rozkładać na dywanie — dodał Tom.

Poza tym, powiedziałyśmy, jak mógł myśleć, że nikt go nie kocha, przez jednego kapryśnego faceta o głupim imieniu?

Dwie Krwawe Mary później Tom śmiał się z obsesyjnego używania przez Jerome'a słowa „samoświadomość" i jego obcisłych kalesonów od Calvina Kleina. A tymczasem zadzwonili zaniepokojeni Simon, Michael, Rebecca, Magda, Jeremy i jakiś chłopak, który przedstawił się jako Elsie.

— Wiem, że jesteśmy wszyscy psychotyczni, niezdolni do zbudowania funkcjonalnego związku i kontaktujemy się wyłącznie przez telefon — wybełkotał Tom, wpadając w sentymentalizm — ale tworzymy coś w rodzaju rodziny, prawda?

Wiedziałam, że feng shui pomoże. Teraz, kiedy zrobiło swoje, szybko przestawię roślinę z okrągłymi liśćmi do kącika związków. Szkoda, że nie ma kącika kulinarnego. Już tylko dziewięć dni do przyjęcia.

20 listopada, poniedziałek

56 kg (bdb), papierosy 0 (nie należy palić, dokonując kulinarnych cudów), jedn. alkoholu 3, kalorie 200 (podczas wyprawy do supermarketu spaliłam więcej kalorii, niż miały ich produkty zakupione, a tym bardziej zjedzone).

7 wieczorem. Właśnie wróciłam z okropnych, przyprawiających o poczucie winy zakupów w supermarkecie, gdzie stałam do kasy między funkcjonalnymi dorosłymi z dziećmi kupującymi fasolę, rybie paluszki, alfabetyczny makaron itd., podczas gdy ja, wolny strzelec, miałam w koszyku co następuje:

20 główek czosnku,
puszkę gęsiego smalcu,
butelkę Grand Marnier,
8 filetów z tuńczyka,
36 pomarańczy,
1 litr śmietany kremówki,
4 laski wanilii po 1,39 za sztukę.

Muszę zacząć przygotowania dzisiaj, bo jutro pracuję.

8.00. Uch, nie chce mi się gotować. A zwłaszcza walczyć z groteskową stertą kurzych kadłubów: totalna obrzydliwość.

10.00. Kurze kadłuby siedzą w rondlu. Niestety Marco mówi, że podnoszące smak por i seler należy związać sznurkiem, a jedyny sznurek, jaki mam, jest niebieski. Trudno, chyba nic się nie stanie.

11.00. Namęczyłam się z tymi kadłubami, ale za jedyne 1,70 funta będę miała dziesięć litrów bulionu w formie zamrożonych kostek. Mmm, konfitury też będą pyszne. Muszę tylko cienko pokroić trzydzieści sześć pomarańczy i otrzeć skórkę. Nie powinno mi to zająć dużo czasu.

1 w nocy. Usypiam na stojąco, tymczasem bulion ma się gotować jeszcze dwie godziny, a pomarańcze siedzieć godzinę w piekarniku. Już wiem. Przykręcę palniki i zostawię obie rzeczy na noc. Bulion nie wykipi, a konfitury poddusza się do miękkości jak gulasz.

21 listopada, wtorek

55,5 kg (nerwy spalają tłuszcz), jedn. alkoholu 9 (b. źle), papierosy 37 (b.b. źle), kalorie 3479 (w dodatku obrzydliwe).

9.30 rano. Zdjęłam pokrywkę z rondla. Zamiast dziesięciu litrów bulionowej eksplozji smaku mam przypalone kurze kadłuby w galarecie. Ale konfitury wyglądają fantastycznie, zupełnie jak na zdjęciu, tylko są ciemniejsze. Muszę iść do pracy. Urwę się przed czwartą i spróbuję jakoś rozwiązać problem zupy.

5 po południu. O Boże! Co za koszmarny dzień! Richard Finch przyczepił się do mnie na porannym zebraniu.

— Bridget, na rany Chrytusa, odłóż tę książkę kucharską. Dzieci ofiarami fajerwerków. Myślę: okaleczenia. Myślę: tragiczne zakończenie radosnej rodzinnej zabawy. Myślę: dwadzieścia lat później. Co się dzieje z chłopakiem, któremu w latach sześćdziesiątych petarda wybuchła w kieszeni i urwała członek? Gdzie teraz jest? Bridget, znajdź mi petardowego podrostka bez członka. Znajdź mi ofiarę kastracyjnej katastrofy z lat sześćdziesiątych.

Uch! Kiedy zła jak chrzan sprawdzałam w książce telefonicznej, czy istnieje grupa wsparcia dla osób, którym urwało członki, zadzwonił mój telefon.

— Dzień dobry, kochanie, mówi mama.

Głos miała nietypowo piskliwy i histeryczny.

— Cześć, mamo.

— Dzień dobry, kochanie. Dzwonię, żeby się pożegnać przed wyjazdem i oby wszystko poszło dobrze.

— Przed jakim wyjazdem? Dokąd?

— Och. Ahahahaha. Mówiłam ci, chcemy na parę tygodni skoczyć z Juliem do Portugalii, odwiedzić rodzinę i trochę się opalić przed świętami.

— Nic mi nie mówiłaś.

— Nie bądź niemądra, kochanie. Oczywiście, że ci mówiłam. Musisz nauczyć się słuchać. W każdym razie, uważaj na siebie, dobrze?

— Dobrze.

— Och, kochanie, i jeszcze jedno.

— Co?

— Byłam taka zalatana, że zapomniałam zamówić w banku czeki podróżne.

— Nie martw się, możesz je kupić na lotnisku.

— Rzecz w tym, kochanie, że właśnie jadę na lotnisko, a zapomniałam karty do bankomatu. — Łypnęłam na telefon. — Co za pech. Zastanawiam się... Nie mogłabyś mi pożyczyć trochę pieniędzy? Niedużo, ze dwieście, trzysta funtów, żebym kupiła czeki podróżne.

Powiedziała to tak, jak bezdomni proszą o drobne na herbatę.

— Jestem zajęta, mamo. Nie możesz poprosić Julia?

Oczywiście się naburmuszyła.

— Jak możesz być taka nieuczynna, kochanie? Po tym wszystkim, co dla ciebie zrobiłam? Dałam ci dar życia, a ty nie chcesz mi pożyczyć paru funtów na czeki podróżne.

— Ale jak ci te pieniądze dostarczę? Musiałabym wyjść do bankomatu i posłać ci je przez posłańca. Mogłyby zginąć i w ogóle. Gdzie jesteś?

— Oooch. Tak się szczęśliwie składa, że jestem w pobliżu. Gdybyś mogła wyskoczyć do NatWestu naprzeciwko, spotkam się tam z tobą za pięć minut — zatrajkotała. — Dzięki, kochanie. Pa!

— Bridget, a ty, kurwa, dokąd? — wrzasnął Richard, kiedy próbowałam się wymknąć. — Znalazłaś tego fajerwerkowca bez fiuta?

— Jestem na tropie — odparłam, dotykając palcem nosa, i rzuciłam się do drzwi.

Czekałam, żeby bankomat wypluł mi pieniądze, świeżo upieczone i cieplutkie, zastanawiając się, jak mama przeżyje dwa tygodnie w Portugalii, mając dwieście funtów, gdy zobaczyłam, jak biegnie w moją stronę, w ciemnych okularach, chociaż lał deszcz, i popatrując nerwowo na boki.

— Witaj, kochanie. Jesteś słodka. Wielkie dzięki. Muszę pędzić, bo spóźnię się na samolot. Pa! — zawołała, wyrywając mi banknoty z ręki.

— Co się dzieje? — spytałam. — Nie jest ci tędy po drodze na lotnisko. Co tutaj robisz? Jak sobie poradzisz bez karty? Dlaczego Julio nie może ci pożyczyć pieniędzy? Dlaczego w ogóle wyjeżdżasz? Co ty kombinujesz?

Przez sekundę wyglądała tak, jakby miała się rozpłakać, a potem, utkwiwszy wzrok gdzieś w dali, przybrała skrzywdzoną minę à la księżna Diana.

— Dam sobie radę, kochanie. — Posłała mi swój specjalny mężny uśmiech. — Uważaj na siebie — dorzuciła załamującym się głosem, szybko mnie uścisnęła i przeszła przez jezdnię, zatrzymując cały ruch.

7 wieczorem. Właśnie przyszłam do domu. Spokój. Spokój. Równowaga wewnętrzna. Zupa będzie pyszna. Ugotuję i zmiksuję warzywa zgodnie z przepisem, a potem, dla koncentracji smaku, opłuczę kurze kadłuby z niebieskiej galarety i podgrzeję je ze śmietaną w zupie.

8.30. Wszystko idzie świetnie. Goście siedzą w pokoju. Mark Darcy jest dla mnie bardzo miły i przyniósł szampana i pudełko belgijskich czekoladek. Nie zrobiłam jeszcze dania głównego, nie licząc pieczonych ziemniaków, ale na pewno pójdzie mi to bardzo szybko. Zresztą zupa jest pierwsza.

8.35. O Boże! Zdjęłam pokrywkę, żeby wyjąć kadłuby. Zupa jest jaskrawoniebieska.

9.00. Kocham moich kochanych przyjaciół. Przyjęli niebieską zupę bardziej niż wyrozumiale. Mark Darcy i Tom wygłosili nawet długie mowy przeciwko kolorystycznym uprzedzeniom w świecie żywności. Czy tylko dlatego, powiedział Mark, że trudno nam bez namysłu wymienić jakieś niebieskie warzywo, mamy dyskwalifikować niebieską zupę? Przecież rybne paluszki nie są z natury pomarańczowe. (Prawdę mówiąc, po tylu wysiłkach zupa miała smak gotowanej śmietany, czego Podły Richard nie omieszkał zauważyć. Wtedy Mark Darcy spytał go, czym się zajmuje, co było bardzo zabawne, bo Podły Richard wyleciał tydzień temu z pracy za dopisywanie sobie wydatków służbowych.) Zresztą nieważne. Danie główne będzie bardzo smaczne. Zabieram się do kremu z pomidorów.

9.15. O rany! Chyba coś było w mikserze, np. Sunlicht, bo pomidory się pienią i trzykrotnie zwiększyły objętość. Poza tym pieczone ziemniaki miały być gotowe dziesięć minut temu, a są twarde jak kamień. Może podgrzać je w mikrofalówce? Aaaa aaaa... Zajrzałam do lodówki i tuńczyka nie ma. Co się stało z tuńczykiem?

9.30. Bogu dzięki. Jude i Mark Darcy przyszli do kuchni, pomogli mi zrobić wielki omlet, rozgnietli nie dopieczone pieczone ziemniaki i usmażyli je na patelni, i położyli na stole książkę kucharską, żeby wszyscy mogli zobaczyć na zdjęciach, jak wygląda tuńczyk z rusztu. Przynajmniej konfitury z pomarańczy będą dobre. Wyglądają fantastycznie. Tom powiedział, żebym nie zawracała sobie głowy *Crème Anglais* z Grand Marnier, po prostu wypijemy Grand Marnier.

10.00. Bardzo smutna. Patrzyłam wyczekująco na gości, kiedy próbowali konfitury. Zapadło kłopotliwe milczenie.

— Co to jest, kochanie? — zapytał w końcu Tom. — Marmolada?

Przerażona, włożyłam łyżeczkę do ust. To b y ł a marmolada. Tak więc, dużym nakładem sił i środków, podałam gościom:

niebieską zupę,
omlet,
marmoladę.

Jestem kompletnie do niczego. Kuchnia na poziomie Michelina? Nawet nie McDonalda.

Nie sądziłam, że coś może przebić marmoladową katastrofę. Ledwo jednak sprzątnęłam ze stołu po tej okropnej kolacji, zadzwonił telefon. Na szczęście odebrałam go w sypialni. Był to tata.

— Jesteś sama? — zapytał.

— Nie. Są tu wszyscy. Jude i reszta. Bo co?

— Chciałem, żeby ktoś z tobą był, kiedy... Przykro mi, Bridget. Mam nie najlepszą wiadomość.

— Jaką?

— Twoja matka i Julio są poszukiwani przez policję.

2 w nocy. Northamptonshire, w pojedynczym łóżku w pokoju gościnnym Alconburych. Uch! Zatkało mnie i musiałam usiąść, a tata powtarzał jak papuga:

— Bridget? Bridget? Bridget?

— Co się stało? — wydusiłam z siebie w końcu.

— No więc niestety — wciąż mam nadzieję, że twoja matka nie była tego świadoma — zdefraudowali ogromne pieniądze należące do dużej liczby osób, w tym do mnie i naszych najbliższych przyjaciół. Nie znamy jeszcze rozmiarów oszustwa, ale z tego, co mówi policja, jest niestety możliwe, że twoja matka będzie musiała spędzić dłuższy czas w więzieniu.

— O Boże! Więc dlatego pożyczyła ode mnie dwieście funtów i wyjechała do Portugalii!

— W tej chwili może już być znacznie dalej.

Wyobraziłam sobie swoją najbliższą przyszłość: Richard Finch wymyśla hasło „Ponownie wolna uwięziona" i każe mi przeprowadzić wywiad na żywo w więzieniu kobiecym Holloway, po czym staję się ponownie szukającą pracy.

— Co konkretnie zrobili?

— Podobno Julio, posługując się twoją matką jako... jako naganiaczką, wyłudził od Uny i Geoffreya, Nigela i Elizabeth i Malcolma i Elaine — (O Boże, to rodzice Marka Darcy'ego) — duże sumy pieniędzy, wiele tysięcy funtów, jako zaliczki na apartamenty typu „time-share"*.

— A ty nic nie wiedziałeś?

— Nie. Widocznie trochę się jednak wstydzili, że robią interesy z wyperfumowanym padalcem, który przyprawił rogi jednemu z ich najstarszych przyjaciół, bo słowem mi o tym nie wspomnieli.

— I co się stało?

— Te apartamenty nigdy nie istniały. Twoja matka utopiła w nich całe nasze oszczędności i fundusz emerytalny. Zastawiła też dom, bo bardzo niemądrze pozwoliłem, aby akt własności był na nią. Jesteśmy zrujnowani i bezdomni, Bridget, a twoja matka zostanie okrzyknięta pospolitą przestępczynią.

I po tych słowach wybuchnął płaczem. Una podeszła do telefonu i powiedziała, że zrobi mu Ovaltinę. Oświadczyłam, że będę u nich za dwie godziny, na co odparła, żebym nie siadała za kierownicę, póki nie dojdę do siebie, na razie nic nie da się zrobić i mogę przyjechać rano.

Odłożywszy słuchawkę, osunęłam się na podłogę, wściekła na siebie, że zostawiłam papierosy w pokoju. Zaraz jednak pojawiła się Jude z kieliszkiem Grand Marnier.

---

* Apartamenty typu „time-share" — system, w którym można stać się współnajemcą apartamentu w miejscowości turystycznej i korzystać z niego w określonym umową turnusie przez określoną liczbę lat.

— Co się stało? — zapytała.

Wypiłam Grand Marnier duszkiem i powtórzyłam jej całą historię. Jude nie powiedziała ani słowa, tylko poszła po Marka Darcy'ego.

— To moja wina — powiedział, przeczesując dłońmi włosy. — Powinienem był wyrazić się jaśniej na tym lipcowym przyjęciu. Wiedziałem, że Julio coś kombinuje.

— Skąd wiedziałeś?

— Podsłuchałem zza żywopłotu, jak rozmawiał ze swojej komórki. Gdybym się tylko domyślił, że wciąga w to moich rodziców... — Potrząsnął głową. — Teraz rzeczywiście sobie przypominam, że mama coś mi mówiła, ale dostaję szału na sam dźwięk słów „time-share", więc pewnie kazałem jej być cicho. Gdzie jest teraz twoja matka?

— Nie wiem. W Portugalii? W Rio de Janeiro? U fryzjera?

Zaczął krążyć po pokoju, bombardując mnie pytaniami, jakbyśmy byli w sądzie.

„Jakie kroki podjęto, aby ją znaleźć?" „Jakie sumy wchodzą w grę?" „W jaki sposób sprawa wyszła na jaw?" „Co robi policja?" „Kto o tym wie?" „Gdzie jest teraz twój ojciec?" „Chciałabyś do niego jechać?" „Pozwolisz, żebym cię zawiózł?" Muszę przyznać, że było to cholernie seksowne.

Przyszła do nas Jude z kawą. Mark stwierdził, że najlepiej będzie, jeśli jego szofer zawiezie nas do Grafton Underwood, i na ułamek sekundy ogarnęło mnie całkowicie nowe i nie znane uczucie wdzięczności dla mojej matki.

Kiedy dotarliśmy na miejsce, było bardzo dramatycznie. Una i Geoffrey Alconbury oraz Brian i Mavis Enderby miotali się po całym domu, wszyscy płakali, a Mark Darcy chodził wielkimi krokami po pokoju z telefonem przy uchu. Było mi trochę wstyd, bo mimo okropności sytuacji rozkoszowałam się tym, że normalność została zawieszona, wszystko jest inaczej niż zwykle, i mogę wlewać w siebie sherry i pożerać kanapki z pastą łososiową, jakby było Boże Narodzenie. Czułam się dokładnie tak samo, jak kiedy babcia dostała schizofrenii, uciekła nago do sadu Husbands-Bosworthów i trzeba było zrobić obławę policyjną.

22 listopada, środa

55 kg (hura!), jedn. alkoholu 3, papierosy 27 (zupełnie zrozumiałe, gdy czyjaś matka jest pospolitą przestępczynią), kalorie 5671 (o rany, najwyraźniej odzyskałam apetyt), zdrapki 7 (altruistyczna próba odegrania zdefraudowanych przez mamę pieniędzy, chociaż, jeśli się zastanowić, chyba nie oddałabym poszkodowanym wszystkiego), wygrana 10 funtów, zysk 3 funty (od czegoś trzeba zacząć).

10 rano. Z powrotem w domu, kompletnie nieżywa po bezsennej nocy. Na domiar złego muszę iść do pracy, gdzie oberwę za spóźnienie. Kiedy odjeżdżałam, tata był już w trochę lepszej formie: przechodził od dzikiej radości, że Julio okazał się kanalią, więc może mama wróci do niego i zaczną nowe życie, do głębokiej rozpaczy, że to nowe życie będzie polegało na jeżdżeniu do niej do więzienia, i to środkami komunikacji publicznej.

Mark Darcy wrócił do Londynu nad ranem. Nagrałam mu się na sekretarkę, że dziękuję za pomoc i w ogóle, ale dotąd nie oddzwonił. Nie mam do niego pretensji. Natasha ani żadna taka na pewno nie podałaby mu niebieskiej zupy i nie okazałaby się córką kryminalistki.

Una i Geoffrey powiedzieli, żebym nie martwiła się o tatę, bo Brian i Mavis zostaną u nich jakiś czas i pomogą się nim opiekować. Swoją drogą, dlaczego wszyscy mówią „Una i Geoffrey", nie „Geoffrey i Una", ale „Malcolm i Elaine" i „Brian i Mavis"? A z drugiej strony, „Nigel i Audrey" Coles? Nikt by nigdy, przenigdy nie powiedział „Geoffrey i Una" i na odwrót, nikt by nigdy nie powiedział „Elaine i Malcolm". Dlaczego tak jest? Łapię się na tym, że mimo woli wypróbowuję własne imię i wyobrażam sobie, jak Sharon albo Jude zanudza w przyszłości swoją córkę, paplając: „Znasz Bridget i Marka, kochanie. Mieszkają w wielkim domu w Holland Park i spędzają wszystkie wakacje na Karaibach". To jest to. Bridget i Mark. Bridget i Mark Darcy. Państwo Darcy. Nie Mark i Bridget Darcy. Boże broń. Za nic w świecie.

Nagle przeraziłam się, że myślę o Marku Darcym w tych kategoriach, jak przeraziła się Maria w *Dźwiękach muzyki*, myśląc o kapitanie von Trappie, i zapragnęłam pobiec do matki przełożonej, która zaśpiewa mi *Climb Ev'ry Mountain*.

24 listopada, piątek

56,5 kg, jedn. alkoholu 4 (ale wypite w obecności policji, więc chyba wszystko w porządku), papierosy 0, kalorie 1760, telefony pod 1471, żeby sprawdzić, czy dzwonił Mark Darcy: 11.

10.30 wieczorem. Jest coraz gorzej. Myślałam, że dobrą stroną kryminalnych czynów mamy będzie to, że zbliżę się do Marka Darcy'ego, ale odkąd pożegnaliśmy się u Alconburych, nie miałam od niego żadnej wiadomości.

Właśnie wyszli ode mnie policjanci. Rozmawiając z nimi, mimo woli używałam formułek z dziennika, dramatów sądowych itd., zupełnie jak ludzie, którzy udzielają wywiadu w telewizji, kiedy w ich ogródku rozbił się samolot. Między innymi powiedziałam, że moja matka jest „rasy białej" i „średniej budowy".

Policjanci byli niesamowicie mili i dodali mi otuchy. Siedzieli u mnie dość długo i jeden ze śledczych powiedział, że jeszcze wpadnie i da mi znać, jak się sprawy mają. Był naprawdę bardzo sympatyczny.

25 listopada, sobota

57 kg, jedn. alkoholu 2 (sherry, fuj!), papierosy 3 (wypalone u Alconburych z głową za oknem), kalorie 4567 (wyłącznie markizy i kanapki z pastą łososiową), telefony pod 1471, żeby sprawdzić, czy dzwonił Mark Darcy: 9 (db).

Bogu dzięki, mama zadzwoniła do taty. Podobno powiedziała, żeby się nie martwił, jest bezpieczna i wszystko będzie dobrze, po czym się rozłączyła. Policjanci, którzy jak w *Thelmie i Louise* założyli podsłuch na telefon Alconburych, orzekli, że na pewno dzwoniła z Portugalii, ale nie udało im się stwierdzić skąd konkretnie. Tak bym chciała, żeby zadzwonił Mark Darcy. Najwyraźniej zraziły go katastrofy kulinarne i element przestępczy w rodzinie, ale był zbyt uprzejmy, żeby mi to okazać wprost. Wspomnienie wspólnej kąpieli w baseniku ewidentnie blednie w obliczu kradzieży oszczędności rodziców przez paskudną mamuśkę niedobrej Bridget. Po południu pojadę do taty, własnym samochodem jak żałosna stara panna odrzucona przez wszystkich mężczyzn, zamiast z szykanami, do których przywykłam, czyli limuzyną z szoferem, u boku wybitnego adwokata.

1 po południu. Hura! Hura! Tuż przed moim wyjściem z domu zadzwonił telefon, ale tylko buczało w słuchawce. Potem zadzwonił drugi raz i był to Mark, z Portugalii. Niesamowicie miło i inteligentnie z jego strony. Okazało się, że w przerwach między byciem wybitnym adwokatem cały tydzień rozmawiał z policją i wczoraj poleciał do Albufeiry. Portugalska policja znalazła mamę i Mark sądzi, że nic jej nie grozi, ponieważ jest w miarę oczywiste, że nie miała pojęcia, co Julio kombinował. Udało im się odzyskać część pieniędzy, ale jeszcze nie znaleźli Julia. Mama wraca dziś wieczorem, ale będzie musiała jechać prosto do komisariatu, żeby złożyć zeznanie. Mark powiedział, żebym się nie martwiła, powinni ją potem wypuścić, ale na wszelki wypadek załatwił kaucję. Potem nas rozłączono, zanim zdążyłam mu podziękować. Chciałam natychmiast zadzwonić do Toma i podzielić się z nim fantastyczną nowiną, ale przypomniałam sobie, że nikt nie powinien wiedzieć o mamie, a poza tym, kiedy ostatni raz rozmawiałam z Tomem o Marku Darcym, chyba dałam do zrozumienia, że jest debilnym maminsynkiem.

26 listopada, niedziela

57,5 kg, jedn. alkoholu 0, papierosy 1/2 (marne szanse na więcej), kalorie Bóg jeden wie, liczba minut, kiedy chciałam zabić mamę 188 (skromne przybliżenie).

Koszmarny dzień. Spodziewałam się powrotu mamy wczoraj wieczorem, potem dziś rano, potem dziś po południu, i trzy razy już prawie jechałam na Gatwick, po czym się okazało, że przylatuje wieczorem na Luton, pod eskortą policyjną. Tata i ja przygotowaliśmy się na spotkanie z zupełnie inną osobą — nie z tą, która nas wiecznie sztorcowała — naiwnie zakładając, że ostatnie przejścia wreszcie mamę utemperowały.

— Puść mnie, *matołku* — zagrzmiał w hali przylotów jakiś głos. — Jesteśmy już na brytyjskiej ziemi, gdzie ktoś może mnie rozpoznać, i nie chcę, żeby wszyscy zobaczyli, jak *poniewiera* mną policja. Ooch, wiecie co? Chyba zostawiłam pod fotelem w samolocie mój słomkowy kapelusz.

Dwaj policjanci wznieśli oczy ku niebu, a mama, w płaszczu w czarno-białą kratkę (mającym zapewne pasować do otoków policyjnych czapek), apaszce na głowie i ciemnych okularach, zakręciła do wyjścia. Stróże prawa ze znużeniem podreptali za nią. Cała trójka wróciła po trzech kwadransach. Jeden z policjantów niósł słomkowy kapelusz.

Kiedy kazali jej wsiąść do radiowozu, omal nie doszło do rękoczynów. Tata siedział ze łzami w oczach za kierownicą swojej sierry, a ja próbowałam jej wyjaśnić, że musi jechać do komisariatu, żeby się dowiedzieć, czy nie jest o coś oskarżona, ale usłyszałam tylko:

— Nie bądź niemądra, kochanie. Chodź tu, pobrudziłaś się na twarzy. Nie masz chusteczki?

— Mamo — zaprotestowałam, kiedy wyjęła z kieszeni chusteczkę, splunęła na nią i zaczęła wycierać mi twarz. — Mogą cię oskarżyć o przestępstwo. Lepiej spokojnie pojedź na policję.

— Zobaczymy, kochanie. Może jutro, jak zrobię porządek w koszyku z warzywami. Zostawiłam tam kilogram ziemniaków i na pewno wypuściły kiełki. Nikt do nich nie zaglądał, kiedy mnie nie było, a założę się o każde pieniądze, że Una nie wyłączyła ogrzewania.

Dopiero kiedy tata podszedł do nas i powiedział mamie ostrym tonem, że dom, łącznie z koszykiem na warzywa, już do niej nie należy, umilkła i ciężko obrażona pozwoliła się posadzić w radiowozie obok policjanta.

27 listopada, poniedziałek

57 kg, jedn. alkoholu 0, papierosy 50 (tak! tak!), telefony pod 1471, żeby sprawdzić, czy dzwonił Mark Darcy: 12, godziny snu 0.

9 rano. Palę ostatniego papierosa przed wyjściem do pracy. Kompletnie nieżywa. Wczoraj wieczorem czekaliśmy z tatą w komisariacie dwie godziny. W końcu z głębi korytarza dobiegł nas znajomy głos:

— Tak, to ja! *Ponownie wolna* codziennie rano! Ależ oczywiście. Ma pan długopis? Tutaj? Dla kogo? Och, jest pan niemożliwy. A wie pan, że zawsze chciałam przymierzyć taką czapkę?

— Tu jesteś, tatusiu — powiedziała mama, wyłaniając się zza zakrętu w policyjnej czapce. — Masz tu samochód? Marzę o tym, żeby wrócić do domu i napić się herbaty. Czy Una włączyła ogrzewanie?

Tata wyglądał na zmęczonego, przestraszonego i zbitego z tropu, a ja czułam się podobnie.

— Nie zamkną cię? — spytałam.

— Nie bądź niemądra, kochanie. Zamkną! Też coś! — odparła mama, przewracając oczami do starszego śledczego i wypychając mnie za drzwi.

Widząc, jak śledczy się rumieni i skacze koło niej, pomyślałam, że może wypuścił ją w zamian za drobną usługę seksualną w pokoju przesłuchań.

— I co dalej? — spytałam, kiedy tata zapakował do bagażnika sierry wszystkie jej walizki, kapelusze, kastaniety i osiołka ze słomy („Prawda, że jest super?") i uruchomił silnik. Obiecałam sobie, że nie pozwolę jej udawać, że nic się nie stało, i po dawnemu nami pomiatać.

— Wszystko załatwione, kochanie. To było po prostu głupie nieporozumienie. Czy ktoś palił w tym samochodzie?

— Co dalej, mamo? — powtórzyłam groźnym tonem. — Co

z tymi apartamentami i pieniędzmi wszystkich? Gdzie jest moje dwieście funtów?

— Uch! Powstał jakiś głupi problem z zezwoleniem na budowę. Portugalscy urzędnicy są strasznie skorumpowani, bez łapówki nic z nimi nie załatwisz. Więc Julio po prostu zwrócił wszystkim zaliczki. Mieliśmy fantastyczne wakacje! Pogoda była raczej zmienna, ale...

— Gdzie jest Julio? — spytałam podejrzliwie.

— Och, został w Portugalii, żeby dopilnować sprawy tego zezwolenia.

— A co z moim domem? — zapytał tata. — I z oszczędnościami?

— Nie wiem, o co ci chodzi, tatusiu. Nic się twojemu domowi nie stało.

Na nieszczęście dla mamy, kiedy dotarliśmy do Gables, okazało się, że wszystkie zamki zostały zmienione i musieliśmy jechać do Alconburych.

— Ooch, wiesz, Uno, jestem wykończona, chyba pójdę prosto do łóżka — powiedziała mama, zobaczywszy urażone miny, obeschnięte kanapki i zmarnowane plasterki buraków.

Ktoś poprosił tatę do telefonu.

— To był Mark Darcy — powiedział tata po powrocie. Serce podskoczyło mi do gardła i z trudem zapanowałam nad twarzą. — Jest w Albufeirze. Władze dogadały się z... z tym padalcem... i odzyskano część pieniędzy. Gables jest uratowane...

Zaczęliśmy wszyscy klaskać, a Geoffrey zaintonował *For He's a Jolly Good Fellow*. Czekałam, żeby Una zrobiła jakąś uwagę na mój temat, ale na próżno. Typowe. Jak tylko uznam, że Mark Darcy mi się podoba, natychmiast wszyscy przestają mnie z nim swatać.

— Nie za dużo mleka, Colin? — spytała Una, podając tacie herbatę w kubku z kwiatowym szlaczkiem.

— Nie wiem... Nie rozumiem dlaczego... Nie wiem, co mam myśleć — powiedział tata strapionym tonem.

— Nic się nie martw — odparła Una z niezwykłym dla niej

spokojem i opanowaniem, co sprawiło, że nagle zobaczyłam w niej matkę, jakiej tak naprawdę nigdy nie miałam. — Po prostu chlapnęło mi się za dużo mleka. Odleję trochę i doleję ci gorącej wody.

Kiedy wreszcie udało mi się stamtąd wyrwać, w akcie bezmyślnego buntu jechałam do Londynu o wiele za szybko i całą drogę paliłam papierosy.

GRUDZIEŃ

Chryste Panie!

4 grudnia, poniedziałek

58 kg (hmm, muszę schudnąć przed świątecznym obżarstwem), jedn. alkoholu: skromne 3, papierosy: cnotliwe 7, kalorie 3876 (o rany!), telefony pod 1471, żeby sprawdzić, czy dzwonił Mark Darcy: 6 (db).

Poszłam do supermarketu i z niezrozumiałych powodów zaczęłam nagle myśleć o choince, ogniu na kominku, kolędach, keksie itd. Po chwili odkryłam dlaczego. Z wywietrzników przy wejściu, które normalnie pompują zapach świeżego chleba, wydobywał się zapach keksu. Jak można być tak cynicznym? Przypomniał mi się mój ulubiony wiersz o Bożym Narodzeniu autorstwa Wendy Cope:

Małe dzieci śpiewają, ze śniegu lepiąc bałwana.
I w każdym domu stoi choinka pięknie ubrana.
Uśmiechnięte rodziny idą do kościoła z rana
I wszystko to jest nie do zniesienia, jeśli jesteś sama.

Mark Darcy wciąż nie daje znaku życia.

5 grudnia, wtorek

58 kg (od dziś zaczynam się odchudzać), jedn. alkoholu 4 (początek sezonu świątecznego), papierosy 10, kalorie 3245 (lepiej), telefony pod 1471: 6 (stały postęp).

Raz po raz rozpraszają mnie katalogi prezentów gwiazdkowych wypadające ze wszystkich gazet. Najbardziej podoba mi się obramowany „zabawnym futerkiem" metalowy stojak do okularów: „Aż nazbyt często kładziemy okulary płasko na stole, prowokując wypadek". Święta racja. Elegancka miniaturowa latarka „Czarny kot" daje się przyczepić do kółka z kluczami i „rzuca silne czerwone światło na dziurkę od klucza każdego miłośnika kotów". Zestawy bonsai! Hura. „Zacznij uprawiać starożytną sztukę bonsai od tej doniczki pędów różowej wiśni japońskiej". Ładne, bardzo ładne.

Jest mi smutno, że różowe pędy romansu kiełkującego między mną i Markiem Darcym zostały brutalnie zdeptane przez Marca Pierre'a White'a i moją matkę, ale staram się traktować to filozoficznie. Może Mark Darcy z jego zdolnościami, inteligencją, niepaleniem, nieuzależnieniem od alkoholu i limuzyną z szoferem jest dla mnie zbyt doskonały, zbyt gładki i zbyt porządny. Może zapisano w niebie, że powinnam się związać z kimś mniej idealnym, a bardziej szalonym i uwodzicielskim. Jak Marco Pierre White lub, tylko dla przykładu, Daniel. Hmmm. Mniejsza z tym, muszę żyć dalej i nie wolno mi się rozczulać nad sobą.

Zadzwoniłam do Shazzer, która powiedziała, że nie zapisano w niebie, że mam się związać z Markiem Pierre'em White'em, a już na pewno nie z Danielem. W dzisiejszych czasach kobieta potrzebuje wyłącznie siebie samej. Hura!

2 w nocy. Dlaczego Mark Darcy nie dzwoni? Dlaczego? Czy pomimo tylu wysiłków zostanę jednak zjedzona przez owczarka alzackiego? Dlaczego ja, Panie Boże?

8 grudnia, piątek

59,5 kg (katastrofa), jedn. alkoholu 4 (db), papierosy 12 (wspaniale), kupione prezenty gwiazdkowe 0 (źle), wysłane karty 0, telefony pod 1471: 7.

4 po południu. Grr! Zadzwoniła Jude i kończąc rozmowę, powiedziała:

— Do zobaczenia w niedzielę u Rebeki.

— U Rebeki? W niedzielę? Z jakiej okazji?

— Nie dostałaś... Zaprosiła kilka... To chyba taka przedświąteczna kolacja.

— Jestem w niedzielę zajęta — skłamałam. (Zresztą mogę wreszcie odkurzyć te wszystkie niedostępne kąty.)

Sądziłam, że Jude i ja jesteśmy jednakowo zaprzyjaźnione z Rebeccą, więc dlaczego Jude została zaproszona, a ja nie?

9 wieczorem. Wyskoczyłam do 192 na odświeżającą butelkę wina z Sharon, a ta zapytała:

— W co się ubierasz na przyjęcie u Rebeki?

Więc jest to prawdziwe przyjęcie.

Północ. Nieważne. Nie wolno mi się tym przejmować. Takie rzeczy nie są już istotne w życiu. Ludzie mają prawo zapraszać na swoje przyjęcia kogo chcą i osoby pominięte nie powinny się małostkowo obrażać.

5.30 rano. Dlaczego Rebecca nie zaprosiła mnie na swoje przyjęcie? Dlaczego? Na ile innych przyjęć nie zostałam zaproszona? Założę się, że wszyscy gdzieś teraz imprezują, śmieją się i sączą drogiego szampana. Nikt mnie nie lubi.

Święta będą totalną imprezową pustynią, nie licząc zbitki trzech przyjęć 20 grudnia, kiedy mam spędzić cały wieczór w montażowni.

9 grudnia, sobota

Liczba zaproszeń na przyjęcia świąteczne: 0.

7.45 rano. Obudzona przez mamę.

— Dzień dobry, kochanie. Dzwonię, bo Una i Geoffrey pytali, co byś chciała pod choinkę, i zastanawiam się nad sauną do twarzy.

Jak to możliwe, że okrywszy się hańbą i cudem uniknąwszy

długich lat więzienia, moja matka jest dokładnie taka sama jak przedtem, otwarcie flirtuje z policjantami i nadal mnie dręczy?

— A propos, wybierasz się na… — Serce podskoczyło mi w piersi na myśl, że powie „noworocznego indyka curry" i wspomni przy okazji o Marku Darcym, ale nie — …wtorkowe przyjęcie Vibrant TV? — dokończyła wesoło.

Zatrzęsłam się z upokorzenia. P r a c u j ę w Vibrant TV, na litość boską.

— Nie zostałam zaproszona — wymamrotałam.

Nie ma nic gorszego, niż musieć się przyznać własnej matce, że nie jesteś lubiana.

— Kochanie, na pewno jesteś zaproszona. W s z y s c y są zaproszeni.

— Ja nie.

— Może za krótko tam pracujesz. W każdym razie…

— Mamo — przerwałam jej — ty nie pracujesz tam wcale.

— Ja to co innego, kochanie. Mniejsza z tym, muszę już kończyć. Pa!

9 rano. W desperacji zadzwoniłam do Toma, żeby spytać, czy chce gdzieś wyskoczyć wieczorem.

— Nie mogę — ćwierknął. — Idę z Jerome'em do Klubu Groucho na przyjęcie Stowarzyszenia Producentów.

Boże, nie cierpię, jak Tom jest szczęśliwy, pewny siebie i w dobrych stosunkach z Jerome'em. Wolę go nieszczęśliwego, zakompleksionego i neurotycznego. Jak sam stale powtarza: „Zawsze to jakaś pociecha, kiedy innym też źle się wiedzie".

— Zobaczymy się jutro — dodał. — U Rebeki.

Tom widział Rebeccę dwa razy w życiu, u mnie, a ja znam ją od dziewięciu lat. Postanowiłam iść na zakupy i przestać się zadręczać.

2 po południu. W Graham & Greene wpadłam na Rebeccę kupującą apaszkę za 169 funtów. (Co jest z tymi apaszkami? Jeszcze niedawno były szmatami po 9,99 kupowanymi na odczepnego na prezenty, a teraz muszą być markowe, z aksamitu, i kosztują tyle co telewizor. Pewnie w przyszłym roku to samo stanie się ze skarpetkami lub majtkami i człowiek będzie się czuł wyalienowany, jeśli nie włoży czarnych aksamitnych fig marki English Eccentrics za 145 funtów.)

— Cześć — zawołałam podniecona, myśląc, że przyjęciowy koszmar wreszcie się skończy, bo Rebecca też powie: „Do zobaczenia w niedzielę".

— A, cześć — odparła chłodno, nie patrząc mi w oczy. — Muszę pędzić. Strasznie się spieszę.

Kiedy wyszła ze sklepu, z głośników leciało *Jingle Bells* i utkwiłam wzrok w durszlaku Phillipe'a Starcka za 185 funtów, powstrzymując łzy. Nienawidzę Bożego Narodzenia. Jest zaprojektowane z myślą o rodzinie, miłości, cieple, emocjach i prezentach, więc kiedy nie masz faceta ani pieniędzy, twoja matka romansuje z poszukiwanym przez policję portugalskim przestępcą, a twoi przyjaciele nie chcą już być twoimi przyjaciółmi, masz ochotę wyemigrować do jakiegoś okrutnego muzułmańskiego kraju, gdzie przynajmniej wszystkie kobiety są traktowane jak wyrzutki społeczne. Zresztą mam to gdzieś. Spędzę weekend, słuchając muzyki poważnej i czytając książki. Może wreszcie skończę *Drogę bez dna*.

8.30 wieczorem. Randka w ciemno była bardzo dobra. Wychodzę po następną butelkę wina.

11 grudnia, poniedziałek

Po powrocie z pracy zastałam na sekretarce lodowatą wiadomość:

„Bridget. Mówi Rebecca. Wiem, że pracujesz teraz w telewizji. Wiem, że jesteś co wieczór zapraszana na znacznie bardziej eleganckie przyjęcia, ale z prostej grzeczności mogłabyś odpowiedzieć na zaproszenie przyjaciółki, nawet jeśli nie raczysz zaszczycić swoją obecnością jej imprezy".

Natychmiast zadzwoniłam do Rebeki, ale nikt nie podniósł

słuchawki ani nie włączyła się sekretarka. Postanowiłam do niej skoczyć i zostawić list, i wychodząc, wpadłam na schodach na Dana, tego Australijczyka z dołu, z którym miziałam się w kwietniu.

— Cześć. Wesołych świąt — powiedział z obleśnym uśmiechem, stając za blisko mnie. — Znalazłaś swoją pocztę? — Wytrzeszczyłam na niego oczy. — Wsuwałem ci ją pod drzwi, żebyś nie musiała zbiegać rano na dół w koszuli nocnej.

Śmignęłam z powrotem na górę, podniosłam wycieraczkę, a pod nią, niczym gwiazdkowy prezent, leżała kupka kart, listów i zaproszeń zaadresowanych do mnie. Do mnie. Do mnie. Do mnie.

14 grudnia, wtorek

58,5 kg, jedn. alkoholu 2 (źle, bo wczoraj nie piłam wcale — jutro muszę wypić więcej, żeby się zabezpieczyć przed atakiem serca), papierosy 14 (źle?, a może dobrze? Już wiem: rozsądny poziom nikotyny służy zdrowiu, nie wolno tylko palić jak komin), kalorie 1500 (wspaniale), zdrapki 4 (źle, ale byłoby dobrze, gdyby Richard Branson wygrał przetarg na loterię typu non-profit), wysłane karty 0, kupione prezenty 0, telefony pod 1471: 5 (wspaniale).

Przyjęcia, przyjęcia! A Matt z telewizji zadzwonił właśnie z pytaniem, czy idę na wtorkowy świąteczny lunch. Niemożliwe, żebym mu się podobała — jest tyle ode mnie młodszy, że mogłabym być jego cioteczną babką — ale w takim razie, dlaczego zadzwonił do mnie do domu? I dlaczego spytał, co mam na sobie? Nie powinnam się za bardzo podniecać i pozwolić, żeby imprezowy szał i telefon jakiegoś smarkacza uderzyły mi do głowy. Już raz się sparzyłam na biurowym romansie. Muszę też pamiętać, jak się zakończyło ostatnie mizianie z małolatem — upiornym upokorzeniem: „Jesteś taka mięciutka".

Hmmm. Seksualnie obiecujący świąteczny lunch, po którym ma być dyskoteka (tak dziwacznie redaktor Finch wyobraża sobie dobrą zabawę), wymaga starannego wyboru stroju. Chyba zadzwonię do Jude.

19 grudnia, wtorek

60,5 kg (ale mam jeszcze prawie tydzień, żeby zrzucić 3 kg), jedn. alkoholu 9 (kiepsko), papierosy 30, kalorie 4240, zdrapki 1 (wspaniale), karty wysłane 0, karty otrzymane 11 (ale z tego 2 od roznosiciela gazet, 1 od śmieciarza, 1 z warsztatu Peugeota i 1 z hotelu, w którym nocowałam na delegacji cztery lata temu. Nikt mnie nie lubi albo może w tym roku wszyscy wysyłają karty poźniej).

9 rano. Czuję się okropnie: mam mdłości, zgagę i kaca, a dzisiaj jest ten dyskotekowy lunch w pracy. Nie dam rady. Załamię się pod ciężarem nie wypełnionych świątecznych obowiązków, odkładanych jak powtórka do egzaminu. Nie wysłałam kart i nie kupiłam prezentów, nie licząc wczorajszych panicznych zakupów w przerwie na lunch, bo dotarło do mnie, że wieczorem u Magdy i Jeremy'ego będę się widziała z dziewczynami ostatni raz przed Gwiazdką.

Nie cierpię wymieniać prezentów z przyjaciółmi, bo w przeciwieństwie do sytuacji rodzinnych nigdy nie wiadomo, kto coś ci da, a kto nie, i czy prezenty mają być symboliczne czy porządne, i w rezultacie przypomina to składanie zaklejonych kopert z ofertami przetargowymi.

Dwa lata temu kupiłam Magdzie śliczny kolczyk Dinny Hall, co wprawiło ją w zakłopotanie, bo nic dla mnie nie miała. W związku z tym w zeszłym roku nie dałam jej prezentu, a ona kupiła mi drogi flakon Coco Chanel. W tym roku podarowałam jej dużą butelkę szafranowej oliwy i pseudozabytkową drucianą mydelniczkę, na co okropnie się zmieszała i zaczęła mamrotać oczywiste kłamstwa, że nie zrobiła jeszcze świątecznych zakupów. W zeszłym roku dostałam od Sharon płyn do kąpieli w butelce w kształcie świętego Mikołaja, więc wczoraj dałam jej zwyczajny żel pod prysznic z wyciągiem z alg, a wtedy ona wręczyła mi torebkę. A butelka bajeranckiej oliwy z oliwek, którą przyniosłam jako uniwersalny prezent awaryjny, wypadła mi z kieszeni płaszcza i stłukła się na dywanie z Conran Shop.

Uch! Chciałabym, żeby święta po prostu b y ł y, bez prezentów. To idiotyczne, że wszyscy wypruwają z siebie flaki i wyrzucają pieniądze na nikomu niepotrzebne rzeczy: już nie dowody uczucia, tylko podszyty egzystencjalnym lękiem haracz składany tradycji. (Hmmm. Muszę jednak przyznać, że cholernie się cieszę z nowej torebki.) Jaki ma to sens, żeby cały naród biegał przez miesiąc po sklepach w paskudnym humorze, przygotowując się do egzaminu pt. „Czy znasz cudze gusta", który to egzamin gremialnie obleje i zostanie zasypany ohydnymi, nie chcianymi przedmiotami? Gdyby ustawowo znieść prezenty i karty, Gwiazdka jako wesołe pogańskie święto mające rozproszyć mrok długiej zimy byłaby urocza. A jeśli już rząd, Kościół, rodzice, tradycja itd. upierają się, żeby wszystko zepsuć podatkiem prezentowym, można by przynajmniej zarządzić, że każdy ma wydać 500 funtów na samego siebie, a potem rozdzielić zakupione przedmioty między krewnych i znajomych, żeby mu je zapakowali i uroczyście wręczyli, co oszczędziłoby nam tych z góry skazanych na porażkę morderczych prób odgadnięcia cudzych życzeń.

9.45 rano. Telefon mamy.

— Kochanie, dzwonię, żeby ci powiedzieć, że postanowiłam zrezygnować w tym roku z prezentów. Ty i Jamie już wiecie, że święty Mikołaj nie istnieje, i wszyscy jesteśmy za bardzo zajęci. Będziemy się po prostu cieszyć swoim towarzystwem.

Kiedy zawsze do tej pory znajdowaliśmy prezenty od świętego Mikołaja w workach zawieszonych w nogach łóżek. Nagle świat wydał mi się ponury i szary. To już nie będzie prawdziwa Gwiazdka.

Boże, czas iść do pracy. Nie wypiję na disco-lunchu ani kropli alkoholu, będę odnosić się do Matta po koleżeńsku, wyjdę o 3.30 i załatwię karty świąteczne.

2 w nocy. Było super — wszyscy piją na biurowych przyjęciach świąt. Starsznie śpiąca, nie bdę się rozbrać.

20 grudnia, śr

5.30 rano. O Boże! O Boże! Gdzie ja jestem?

21 grudnia, czwartek

58,5 kg (jestem tak przeżarta, że wcale się nie zdziwię, jeśli schudnę w t r a k c i e świąt — od świątecznego obiadu wzwyż na pewno wypada już odmawiać poczęstunku, tłumacząc się przejedzeniem).

Od dziesięciu dni funkcjonuję na ciągłym kacu i bez porządnych gorących posiłków. Boże Narodzenie przypomina wojnę. Na Oxford Street czuję się jak na linii frontu i marzę o tym, żeby znalazł mnie Czerwony Krzyż. Aaaaa... Jest dziesiąta rano. Nie kupiłam prezentów. Nie wysłałam kart. Muszę iść do pracy. Do końca życia nie wypiję kropli alkoholu. Aaaa — telefon polowy.

Grr! Dzwoniła mama, ale miałam uczucie, że to Goebbels, chcący mnie pogonić do inwazji na Polskę.

— Kochanie, dzwonię, żeby spytać, o której godzinie przyjedziesz do nas w piątek.

Mama, z oszałamiającą brawurą, zaplanowała sentymentalne rodzinne święta, podczas których będą z tatą udawać „dla dobra dzieci" (tzn. mnie i Jamiego, który ma trzydzieści siedem lat), że cały zeszły rok w ogóle się nie zdarzył.

— Mamo, już ci mówiłam, że nie przyjadę w piątek, przyjadę w Wigilię. Pamiętasz nasze rozmowy na ten temat? Tę pierwszą, jeszcze w sierpniu?

— Nie bądź niemądra, kochanie. Nie możesz przez cały weekend siedzieć sama w mieszkaniu, kiedy są święta. Co będziesz jadła?

Grr! Nie znoszę takiego podejścia. Jakbym tylko dlatego, że nie mam męża, nie miała też domu, przyjaciół ani obowiązków, i wyłącznie z ohydnego egoizmu nie chciała przez całe święta być do dyspozycji reszty świata, spać w śpiworze wygięta w chińskie osiem na podłodze cudzej sypialni, obierać brukselki dla pięćdziesięciu osób i „odzywać się grzecznie" do zboczeńców ze słowem „wujek" przed imieniem, gapiących się bezczelnie na mój biust.

Natomiast mój brat może robić, co mu się żywnie podoba, z błogosławieństwem całej rodziny, bo jest w stanie wytrzymać pod jednym dachem z entuzjastką weganizmu i tai chi. Szczerze mówiąc, wolałabym podpalić moje mieszkanie, niż spędzić w nim pięć minut z Beccą.

Nie mogę uwierzyć, że moja matka nie jest wdzięczna Markowi Darcy'emu za to, że wyciągnął ją z tej kabały. Przeciwnie, ponieważ Mark kojarzy jej się z tematem zakazanym, czyli wielkim przekrętem „time-share", zachowuje się tak, jakby w ogóle nie istniał. Podejrzewam, że sam sięgnął do kieszeni, żeby wszyscy odzyskali swoje pieniądze. Bardzo miły i dobry człowiek. Za dobry dla mnie, najwyraźniej.

Boże, muszę posłać łóżko. Okropnie się śpi na gołym materacu. Ale gdzie jest pościel? Szkoda, że nie mam nic do jedzenia.

22 grudnia, piątek

Teraz, kiedy święta za pasem, zaczęłam myśleć z sentymentem o Danielu. Nie mogę uwierzyć, że nie dostałam od niego karty (co prawda, sama jeszcze żadnych nie wysłałam). Wydaje mi się dziwne, że byliśmy ze sobą tak blisko w ciągu roku, a teraz zupełnie nie mamy kontaktu. Bardzo smutne. Może Daniel jest ortodoksyjnym żydem? Może Mark Darcy zadzwoni jutro, żeby życzyć mi wesołych świąt?

23 grudnia, sobota

59 kg, jedn. alkoholu 12, papierosy 38, kalorie 2976, krewni i znajomi, którzy pamiętali o mnie w tej świątecznej porze 0.

6 wieczorem. Bardzo się cieszę, że postanowiłam być świętującym samotnie wolnym strzelcem jak księżna Diana.

6.05. Ciekawe, gdzie są wszyscy? Pewnie ze swoimi drugimi połowami albo pojechali do rodzin. Mniejsza z tym, mogę wreszcie zrobić parę rzeczy... Albo mają własne rodziny. I dzieci. Pulchniutkie maleństwa w piżamkach, z różowymi policzkami, podniecone widokiem choinki. Albo wszyscy są na jakimś wielkim przyjęciu, na które ja jedna nie zostałam zaproszona. Mniejsza z tym, mam co robić.

6.15. Mniejsza z tym. Już tylko godzina do *Randki w ciemno.*

6.45. Boże, jestem taka samotna. Nawet Jude o mnie zapomniała. A wydzwaniała cały tydzień, w panice, co kupić Podłemu Richardowi. Nie mogło to być nic drogiego, bo jeszcze by pomyślał, że traktuje ich związek zbyt poważnie albo że chce pozbawić go męskości (moim zdaniem bardzo dobry pomysł); ani nic z ubrania, bo jeszcze by nie trafiła w jego gust albo przypomniała mu o jego poprzedniej dziewczynie, Podłej Jilly (do której Podły Richard nie chce wrócić, ale udaje, że nadal ją kocha, żeby nie musieć kochać Jude — kretyn). Stanęło na whisky, ale z jakimś dodatkiem, żeby prezent nie wydał się zbyt tani i anonimowy — na przykład whisky plus tangerynki i czekoladowe monety, w zależności, czy Jude uzna ideę prezentów gwiazdkowych za sentymentalną do obrzydzenia czy za przerażająco elegancką w swym postmodernizmie.

7.00. Alarm: telefon zapłakanej Jude. Przyjdzie do mnie. Podły Richard wrócił do Podłej Jilly. Jude wini prezent. Dobrze, że zostałam w domu. Jestem emisariuszką Dzieciątka Jezus pomagającą ofiarom samozwańczych Herodów, np. Podłego Richarda. Jude będzie u mnie o 7.30.

7.15. Cholera. Straciłam początek *Randki w ciemno,* bo Tom zadzwonił, że chce przyjść. Jerome, pogodziwszy się z nim po operacji plastycznej, znów puścił go kantem i wrócił do swojego poprzedniego chłopaka, który jest chórzystą w „Cats".

7.17. Przyjdzie Simon. Jego dziewczyna wróciła do męża. Dobrze, że zostałam w domu i mogę przyjmować porzuconych przyjaciół niczym królowa serc albo Armia Zbawienia. Ale taka już jestem: lubię kochać innych.

8.00. Hura! Świąteczny cud. Przed chwilą zadzwonił Daniel.

— Jonesz — wybełkotał. — Kocham cię, Jonesz. Popełniłem okropny błąd. Głupia Szuki jeszt z plasztiku. Piersi wciąż wszkazują północ. Kocham cię, Jonesz. Przyjdę szprawdzić, jak się ma twoja szpódnica.

Daniel. Cudowny, nieporządny, seksowny, fascynujący i zabawny Daniel.

Północ. Grr! Żadne z nich nie przyszło. Podły Richard zmienił zdanie i wrócił do Jude, podobnie jak Jerome do Toma i dziewczyna Simona do Simona. To tylko ckliwy Dickensowski Duch Minionych Wigilii przypomniał wszystkim o byłych partnerach. A Daniel? Zadzwonił o dziesiątej.

— Słuchaj, Bridge. Wiesz, że w sobotę wieczorem zawsze oglądam piłkę nożną. Mogę wpaść jutro przed meczem?

Fascynujące? Szalone? Zabawne?

1 w nocy. Zupełnie sama. Miniony rok był jednym wielkim fiaskiem.

5 rano. Mniejsza z tym. Może samo Boże Narodzenie nie będzie takie straszne. Może mama i tata wyjdą rano z sypialni, trzymając się za ręce, cali rozpromienieni, pijani seksem, i powiedzą: „Dzieci, mamy dla was radosną nowinę", i będę mogła być druhną na ceremonii odnowienia przysięgi małżeńskiej.

24 grudnia, sobota: Wigilia

59 kg, jedn. alkoholu: 1 marny kieliszek sherry, papierosy 2, ale żadna przyjemność, bo za oknem, kalorie: pewnie 1 milion, liczba ciepłych świątecznych myśli: 0.

Północ. Bardzo skołowana w kwestii tego, co jest, a co nie jest rzeczywistością. W nogach mojego łóżka dynda poszewka na poduszkę zawieszona tam przez mamę („Zobaczmy, czy przyjdzie święty Mikołaj"), w tej chwili pełna prezentów. Mama i tata, którzy są w separacji i zamierzają się rozwieść, śpią w jednym łóżku. Natomiast mój brat i jego dziewczyna, którzy mieszkają razem od czterech lat, śpią w oddzielnych pokojach. Powody tej sytuacji są niejasne, chyba że chodzi o to, żeby nie zdenerwować babci, która a) jest nienormalna i b) jeszcze nie przyjechała. Z realnym światem wiąże mnie tylko upokorzenie ponownego spędzania wigilijnej nocy w pojedynczym łóżku w domu moich rodziców. Może w tym momencie tata wchodzi na mamę? Fuj, fuj. Nie, nie. Dlaczego umysł zrodził taką myśl?

25 grudnia, poniedziałek

59,5 kg (Boże, zmieniłam się w świętego Mikołaja, świąteczny pudding albo coś w tym rodzaju), jedn. alkoholu 2 (olbrzymi sukces), papierosy 3 (jak wyżej), kalorie 2657 (głównie sos do pieczeni), idiotyczne prezenty gwiazdkowe 12, prezenty gwiazdkowe mające jakikolwiek sens 0, filozoficzne refleksje na temat znaczenia dziewictwa NMP 0, liczba lat, odkąd sama straciłam dziewictwo, hmmm.

Kiedy spełzłam na dół, z nadzieją, że nie czuć ode mnie papierosów, mama i Una rozmawiały o polityce, robiąc krzyżyki na głąbach brukselki.

— Tak, uważam, że ten jak-mu-tam jest b a r d z o dobry.

— No pewnie, przecież obszedł ten jak-go-tam-zwał paragraf, chociaż nikt nie sądził, że mu się uda.

— Ale musimy uważać, bo może nam się trafić jakiś wariat w rodzaju tego jak-mu-tam, który szefował górnikom. Wiesz co? Po wędzonym łososiu zawsze mi się odbija, zwłaszcza jeśli zjem przedtem dużo orzechów w czekoladzie. O, dzień dobry, kochanie — powiedziała mama, raczywszy mnie zauważyć. — W co chcesz się ubrać?

— W to — mruknęłam ponuro.

— Nie bądź niemądra, Bridget, nie możesz tak chodzić w pierwszy dzień świąt. Pójdziesz do pokoju przywitać się z wujkiem Geoffreyem, zanim się przebierzesz? — powiedziała tym specjalnym, radosnym tonem pt. „Czyż wszystko nie jest super?", który tak naprawdę znaczy: „Rób, co mówię, bo natrę ci twarz maggi".

— Cześć, Bridget! Jak tam twoje sprawy sercowe? — zapiszczał Geoffrey, fundując mi jeden ze swoich specjalnych uścisków, po czym cały poróżowiał i podciągnął sobie spodnie.

— W porządku.

— Więc nadal nie masz chłopaka? Uch! Co my z tobą zrobimy?

— Czy to herbatnik w czekoladzie? — spytała babcia, patrząc na mnie.

— Wyprostuj się, kochanie — syknęła mama.

Boże, ratuj. Chcę wrócić do domu. Chcę odzyskać moje życie. Nie czuję się jak osoba dorosła, czuję się jak nastolatka, która wszystkich irytuje.

— Kiedy masz zamiar urodzić dzieci, Bridget? — spytała Una.

— Spójrzcie, penis — powiedziała babcia, podnosząc do góry olbrzymią tubę dropsów.

— Idę się przebrać! — zawołałam, uśmiechając się obłudnie do mamy, pobiegłam na górę do sypialni, otworzyłam okno i zapaliłam Silk Cuta. Po chwili zauważyłam Jamiego w oknie piętro niżej, również z papierosem. Dwie minuty później otworzyło się okno łazienki i wychynęła z niego kasztanowata głowa kolejnego palacza — mojej cholernej matki.

12.30. Wymiana prezentów była koszmarem. Zawsze taktownie pokrywam niezadowolenie radosnym piskiem, przez co z każdym rokiem dostaję więcej obrzydów. I tak Becca — która, kiedy pracowałam w wydawnictwie, dawała mi coraz bardziej paskudne komplety szczotek do ubrania, łyżek do butów i ozdób do włosów w kształcie książek — w tym roku uszczęśliwiła mnie magnesem lodówkowym w kształcie klapsa. Od Uny, która nie umie pozostawić bez gadżetu żadnej kuchennej czynności, dostałam zestaw otwieraczy do słoików. A mama, która poprzez prezenty stara się upodobnić moje życie do swojego, podarowała mi wolnowar dla jednej osoby. „Musisz tylko przed wyjściem do pracy zrumienić mięso i dołożyć jakąś jarzynę". (Czy nie wie, że w niektóre ranki trudno jest nalać sobie szklankę wody i nie zwymiotować?)

— Spójrzcie, to nie penis, to herbatnik — powiedziała babcia.

— Chyba trzeba przecedzić ten sos — zawołała Una, wychodząc z kuchni z rondlem w ręku.

O nie. Tylko nie to. Proszę, tylko nie to.

— Nie sądzę, kochanie — syknęła morderczo mama przez zaciśnięte zęby. — Próbowałaś go zamieszać?

— Nie pouczaj mnie, Pam — odparła Una ze złowrogim uśmiechem.

I zaczęły zataczać krąg jak zapaśnicy. Scena z sosem powtarza się co roku, ale tym razem została litościwie przerwana: rozległ się głośny trzask i ktoś wpadł do pokoju przez okno balkonowe. Julio.

Wszyscy zamarli, a Una wrzasnęła.

Julio był nie ogolony i trzymał w ręku butelkę sherry. Podszedł chwiejnym krokiem do taty i wyprostował się.

— Śpisz z moją kobietą.

— Wesołych świąt — powiedział tata. — Może sherry? A, już pan ma. Doskonale. Kawałek keksu?

— Śpisz — powtórzył groźnie Julio — z moją kobietą.

— Ale z niego macho, ha, ha, ha — powiedziała kokieteryjnie mama, kiedy wszyscy wpatrywali się w Julia z przerażeniem.

Dotąd zawsze widywałam go przesadnie odpicowanego i z pederastką w dłoni. Teraz był wściekły, pijany, zapyziały — szczerze mówiąc, właśnie na takich mężczyzn zawsze lecę. Nic dziwnego, że mama robiła wrażenie bardziej podnieconej niż zawstydzonej.

— Julio, ty nicponiu — zagruchała.

O Boże, pomyślałam, nadal jest w nim zakochana.

— Śpisz z nim — powiedział Julio, po czym splunął na chiński dywan i pobiegł na górę, a mama za nim, ćwierkając do nas przez ramię:

— Mógłbyś pokroić mięso, tatusiu? I niech wszyscy usiądą.

Nikt się nie ruszył.

— Uwaga — odezwał się tata poważnym, męskim i pełnym napięcia głosem. — Na górze jest niebezpieczny przestępca, który wziął Pam jako zakładniczkę.

— Moim zdaniem nie miała nic przeciwko temu — pisnęła babcia, odzyskawszy jasność umysłu na krótką, ale najmniej odpowiednią chwilę. — Patrzcie, w daliach jest herbatnik.

Spojrzałam w okno i omal nie wyskoczyłam ze skóry. Mark Darcy przeciął trawnik i zwinnie jak małolat wsunął się przez okno do pokoju. Był spocony, brudny, potargany i w rozpiętej koszuli.

Ding-dong!

— Zachowajcie spokój, jakby wszystko było normalnie — powiedział półgłosem.

Byliśmy tak oszołomieni, a on tak cudownie władczy, że posłuchaliśmy go niczym zahipnotyzowane zombie.

— Mark — wyszeptałam, podchodząc do niego z rondlem z sosem. — Co ty mówisz? Nic nie jest normalnie.

— Na zewnątrz czeka policja, ale Julio może stawiać opór. Gdyby udało nam się ściągnąć twoją mamę na dół, mogliby po niego iść.

— Dobrze. Zostaw to mnie — odparłam i podeszłam do podnóża schodów. — Mamo! — wrzasnęłam. — Nie mogę znaleźć podkładek pod talerze.

Wszyscy wstrzymali oddech. Żadnej odpowiedzi.

— Spróbuj jeszcze raz — szepnął Mark, patrząc na mnie z podziwem.

— Niech Una odniesie sos do kuchni — syknęłam.

Mark przekazał jej rondel i podniósł kciuk do góry. Odpowiedziałam mu tym samym gestem i odchrząknęłam.

— Mamo? — zawołałam ponownie. — Nie wiesz, gdzie jest sitko? Una niepokoi się o sos.

Dziesięć sekund później mama zbiegła po schodach i wpadła do pokoju, wyraźnie zarumieniona.

— Podkładki są w uchwycie na ścianie, ty gapo. Co Una zrobiła z sosem? Uch! Będziemy musieli użyć maggi!

Zanim jeszcze skończyła mówić, na schodach zadudniły kroki i po chwili dobiegły nas z góry odgłosy szarpaniny.

— Julio! — wrzasnęła mama i rzuciła się do drzwi, ale stał w nich śledczy, którego pamiętałam z komisariatu.

— Zachowajcie państwo spokój — powiedział. — Panujemy nad sytuacją.

Mama wydała kolejny okrzyk, gdy Julio, przykuty kajdankami do młodego policjanta, pojawił się w korytarzu i został błyskawicznie wyprowadzony za drzwi.

Patrzyłam, jak mama wraca do równowagi i rozgląda się po pokoju, oceniając sytuację.

— Bogu dzięki, że udało mi się uspokoić Julia — powiedziała wesoło po dłuższej chwili. — Co za historia! Nic ci nie jest, tatusiu?

— Mamusiu — odparł tata — masz bluzkę na lewą stronę.

Wpatrywałam się w nich z uczuciem, że cały mój świat legł w gruzach, aż nagle ktoś ścisnął moje ramię.

— Chodź — powiedział Mark Darcy.

— Co? — zapytałam.

— Nie mówi się „co", Bridget, tylko „słucham" — syknęła mama.

— Pani Jones — odezwał się Mark stanowczym tonem. — Zabieram stąd Bridget, żeby uczcić to, co jeszcze zostało z narodzin Dzieciątka Jezus.

Wzięłam głęboki oddech i chwyciłam wyciągniętą do mnie dłoń Marka Darcy'ego.

— Życzę wszystkim wesołych świąt — powiedziałam z łaskawym uśmiechem. — Do zobaczenia na noworocznym indyku curry.

A oto, co było dalej:

Mark Darcy zabrał mnie do Hintlesham Hall na szampana

i późny świąteczny lunch, który był świetny. Najbardziej podobało mi się to, że pierwszy raz w życiu polewałam świątecznego indyka sosem, nie musząc rozstrzygać, czy lepiej go zamieszać czy przecedzić. Spędzanie Bożego Narodzenia bez mamy i Uny było dziwnym i cudownym przeżyciem. Z Markiem Darcym rozmawiało mi się nadspodziewanie łatwo, zwłaszcza że musiał mi wyjaśnić kulisy akcji „Julio".

Okazało się, że Mark spędził sporo czasu w Portugalii, bawiąc się w prywatnego detektywa. Wytropił Julia w Funchal na Maderze i wyciągnął z niego, gdzie są pieniądze, ale ani prośbą, ani groźbą nie mógł go nakłonić, żeby je zwrócił.

— Teraz będzie musiał — powiedział Mark z uśmiechem.

Jest naprawdę uroczy oraz piekielnie inteligentny.

— Jak to się stało, że wrócił do Anglii?

— Wybacz, że posłużę się frazesem, ale odkryłem jego piętę achillesową.

— Co?

— Nie mówi się „co", Bridget, tylko „słucham" — odparł, a ja zachichotałam. — Zrozumiałem, że chociaż twoja matka jest najbardziej nieznośną kobietą na świecie, Julio ją kocha. Naprawdę ją kocha.

Cholerna mama, pomyślałam. Dlaczego to ona, a nie ja, jest boginią seksu, której nikt nie może się oprzeć? Może jednak powinnam iść do kolorystki.

— I co zrobiłeś? — spytałam, szczypiąc się, żeby nie zacząć krzyczeć: „A co ze mną? Dlaczego mnie nikt nie kocha?"

— Powiedziałem mu tylko, że twoja mama spędzi święta z twoim tatą i że, niestety, będą spali w jednym łóżku. Coś mi mówiło, że jest na tyle szalony i na tyle głupi, żeby spróbować... popsuć im te plany.

— Skąd wiedziałeś?

— Intuicja. Normalne w moim zawodzie.

Boże, jest wspaniały.

— Ale zadałeś sobie tyle trudu, zaniedbałeś pracę i w ogóle. Dlaczego to wszystko robiłeś?

— Bridget — powiedział. — Czy to nie jest oczywiste?

O Boże.

Kiedy poszliśmy na górę, okazało się, że wynajął apartament. Był fantastyczny, bardzo elegancki, z mnóstwem bajerów, którymi zaraz zaczęliśmy się bawić, i wypiliśmy następnego szampana, i Mark opowiedział mi, jak bardzo mnie kocha: szczerze mówiąc, mniej więcej w takich słowach, jakich zawsze używał Daniel.

— To dlaczego nie zadzwoniłeś do mnie przed świętami? — spytałam podejrzliwie. — Zostawiłam ci d w i e wiadomości.

— Nie chciałem z tobą rozmawiać, póki nie skończę tej sprawy. A poza tym myślałem, że ci się nie podobam.

— C o?

— No wiesz. Wystawiłaś mnie do wiatru, bo suszyłaś włosy? A kiedy cię pierwszy raz spotkałem, miałem na sobie ten idiotyczny sweter i skarpetki w trzmiele, które dostałem od ciotki, i zachowywałem się jak kompletny kretyn. Sądziłem, że uznałaś mnie za przerażającego nudziarza.

— To prawda, ale...

— Co?

— Czy nie chciałeś powiedzieć „słucham"?

Wtedy wyjął mi kieliszek z dłoni, pocałował mnie i powiedział: „Nie, Bridget Jones, nie będę cię dłużej słuchał", a potem wziął mnie na ręce, zaniósł do sypialni (gdzie było łóżko z baldachimem!) i zrobił ze mną takie rzeczy, że ilekroć zobaczę w przyszłości sweter w romby, będę się palić ze wstydu.

26 grudnia, wtorek

4 rano. Wreszcie zrozumiałam, w jaki sposób można osiągnąć szczęście z mężczyzną, i z głębokim żalem, wściekłością oraz przytłaczającym poczuciem przegranej muszę wyrazić ten sekret słowami cudzołożnicy i wspólniczki przestępcy: „Nie mów »co«, kochanie, i słuchaj mamy".

Styczeń–grudzień. Podsumowanie

Jednostki alkoholu: 3836 (kiepsko).

Papierosy: 5277.

Kalorie: 11 090 265 (obrzydliwość).

Jednostki tłuszczu ok. 3457 (idea ohydna pod każdym względem).

Przyrost wagi: 32 kg.

Ubytek wagi: 32,5 kg (wspaniale).

Trafione numery totolotka: 42 (bdb).

Nie trafione numery totolotka: 387.

Całkowite wydatki na zdrapki: 98 funtów.

Całkowity przychód ze zdrapek: 110 funtów.

Całkowity dochód ze zdrapek: 12 funtów (Hura! Pokonałam system, wspierając jednocześnie szlachetne cele).

Telefony pod 1471: sporo.

Walentynki: 1 (bdb).

Karty świąteczne: 33 (bdb).

Dni bez kaca: 114 (bdb).

Faceci: 2 (ale drugi dopiero od sześciu dni).

Mili faceci: 1.

Liczba dotrzymanych postanowień noworocznych: 1 (bdb).

Zrobiłam wspaniałe postępy!

Spis treści